徐復觀著 蕭欣義編

徐復觀文錄選粹

臺靜農題

臺灣學生書局印行

文錄自序

在民國三十三年以前，我只是隨意讀自己喜讀的書，盡力作自己不能不作的事，却不曾抱有任何目的，更不曾懷有任何野心的一個沒出息的人。三十二年冬，決定由重慶回鄂東，想隱居種田，希望能從已經可以預見的世變中逃避出去。但因偶然的機會，引起一種願望，想根據自己所得的一知半解的社會思想，和中國的社會現實，結合起來，把當時龐大而漸趨空虛老大的國民黨，改造成爲一個以自耕農爲基礎的民主政黨。三十四年的抗戰勝利，我立刻感到自己願望的幼穉與幻滅。但此時已馳心於當世之務，而無法自拔了。最痛苦的是，對國家的命運和自己的命運，早已經知道得淸淸楚楚。

三十八年在香港辦民主評論，將不材之身，從實際政治中逃避出來，想以旁觀者的地位，在言論上給擔負重任的先生們以一點助力，於是正式寫起了政論文章。到四十四、五年左右，發現這不是能走得下去的一條路；遲回瞻顧，希望把精神完全轉移到教室裏面。並將此一時期的言論，由故友莊垂勝先生的勸告與幫助，印成「學術與政治之間」的甲乙兩集。

但有幾篇哄動一時的文章，並沒有收進去。因爲我寫文章的動機，本不是爲了譁衆取寵的。同時，在此一時期，對於我一向非常嚮往的學術界的情形，已經漸漸地了解；對於我過去曾經十分欽佩的若干名流學者，也都慢慢地清楚他們的人格、學問的底蘊；由此所引起的精神上的痛苦，只有自己才能理解。而在悲劇時代所形成的一顆感憤之心，此時又逼著我不斷地思考文化上的問題，探討文化上的問題，越發感到「學術亡國」的傾向，比其他政治社會問題更爲嚴重；於是在這一方面寫了若干批評性的文章，引起不少學者名流的憤怒，使我在政治的孤立上，更加上學術圈裏的孤立。但到了四十七、八年，忽然發現自己可能在學術中貢獻出一分力量，於是而有「中國思想史論集」、「中國人性論史先秦篇」、「中國藝術精神」、「中國文學論集」、「公孫龍子講疏」、「石濤之一研究」等書的先後出版。並花了三年工夫，研究兩漢思想史，想揭穿乾嘉以來所謂「漢學」的神話。剛剛動筆寫了「背景篇」的十四、五萬字的文章，却因受到洋奴土奴合作的迫害，引起生活上的播遷，把它稽延下來了。但只要能多活幾年，一定會繼續寫成功，我認爲這是沒有疑問的。因此可以說從四十七八年起，我的精神已經完全轉向了。

但時代是一個整體。要便是麻木無所感觸。萬一不幸而有所感觸，却希望鑽進牛角尖後，再不想到生長這牛角尖的牛身全般痛癢，我只好承認我缺乏今日許多騰雲駕霧的學者名流的修養。我以感憤之心寫政論性的文章，以感憤之心寫文化評論性的文章，依然是以感憤之心，迫使我作閉門讀書著書的工作。最奈何不得的就是自己這顆感憤之心。這顆感憤之心的火花，有時不知不覺的從教室書房中飄蕩出去，便又寫下不少的雜文；這裏所印出的，乃是其中的一部份。

這些雜文，因動筆時的時間與篇幅的限制，當然不能用太嚴格的學術尺度去加以衡量。同時，我常常抱愧自己不是一種才子型的人物，不能發揮文采，以提供適合於時下的趣味。但王子淵曾經說過，「詩人感而後思，思而後積，積而後滿，滿而後作。」我不會做詩，可是有些雜文，則是以詩人作詩的同樣心情寫出來的。世事遷流得特別快，讀者如肯注意到各文發表的時間，或許可以對作者增加若干諒解。

庚戌十月三十日自序於九龍新亞書院

按此文錄是何步正先生擔任環宇出版社主編時，爲我編印的。一共分成四册。編印尚未完成，何先生卽離開臺北，所以錯落很多。其中有一册錯落得最厲害，何先生本想重印，也因他離開而作罷。一九七一年印出後，也從未給我分文版稅。蕭君欣義編的選粹，是從這四册文錄中選出來的。其中的文章，多寫於六十年代的初期，這正是世界性的反傳統反道德反理性的高潮時代，許多知識分子，在激流中呈現心理變態，日本、臺灣正被此激流所掩沒，所以我根據「人應生存於正常狀態之下」的認定，對中日的智識分子提出不少的批評。從七十年代去看這些批評，連我自己也感到有些過份。因爲進入到七十年代，整個文化動向，又接上傳統而漸歸於正常了。但在我寫這些文章時，全處於孤立無援的挨打狀態。

一九八〇年六月八日徐復觀

一位創新主義的傳統觀

——『徐復觀文錄選粹』編序

去年八月至十二月，我去香港大學及香港中文大學做短期訪問研究，得以有機會向濶別十四年的老師——徐復觀教授——從容請敎多年的疑難，並受托整理他在七十年代所寫的雜文數百篇（有一小部份是五十年代及六十年代所寫的。定名『徐復觀雜文』，近期將由時報文化出版公司出版）。徐師五十年代的作品（包括學術論文，政論，雜文）大都收錄在『學術與政治之間』甲乙集，由於其中有幾篇寫得坦直，在臺省已經絕版了多年。最近稍加整理，將由臺灣學生書局再版刋印。徐師學術性等著八部，大部份由學生書局出版。至於六十年代雜文（包括五十年代末期），多收錄在『徐復觀文錄』（一九七一年由臺北環宇出版社印行）。『文錄』有四册，收錄雜文一百三十八篇，徐師囑咐我選錄精華，定名『徐復觀文錄選粹』。『選粹』收文四十六篇，編幅約爲『文錄』之三分之一。這四十六篇粗略分成三類：一、文化類，二十七篇；二、文學，藝術類，十一篇；三、自述及懷念親友類，八篇。

這些文章談到很多當代問題，但不管是討論文化問題也好，藝術問題也好，都牽涉到一個中心主題，那就是傳統的性質及其在創新之中的地位，換句話說，卽是自由、創新和保守、傳統的關係。這個問題現在已經塵埃落定，釐淸出一個頭緖來了。國際學術界，數年來有很多優秀學者，深入硏究中國近代傳統派及保守派人物的思想和事跡，發現他們的保守主義及傳統主義的外表之下，包藏着一股自由及創新的精神；而他們對中國現代化的實際貢獻，和自由主義者及全盤西化論者並不相上下。這個結論推翻了三十年來國際上中國近代史學壇的流行見解，修訂了「自由——保守」或「創新——傳統」的機械二分法。（請參看拙作「美國硏究儒家思想的幾個主流」）。

徐敎授多年來所要說明的，和西方最近的解釋相當接近。當然，他的論點有沒有價値，應該就中國的實際狀況來探討，而不必外求於西方學者是否有近似的意見。我提到西方的硏究，主要是想指出：國內如有人想援引西方大師的話以說明中國傳統極有碍於中國的現代化，他們應瞭解這只是一個學派的解釋而已。

在六十年代，徐敎授有一度被全盤西化論者描劃成保守、頑固、復古、仇視西方的當代義和團，因爲他提倡傳統。有一個簡單的公式，認爲凡是提倡傳統的，都是墨守成規的保守主義者，對於社會上的習俗，以及行爲和思考模式，都是毫無異議地，不加反省地全盤接受下來；所以傳統阻碍了現代化。這種型態的傳統主義者，我們的社會當然有，可是徐敎授並不是這類人。相反地，他很嚴格地批評這種心態。他倡導一種合理的自由主義和個人主義，從「自我意識」的覺醒，「自己作主宰」的努力，而反省傳統習俗上種種型範和模式，超越並擺脫傳統習俗的限制，把傳統洗鍊，以開創新局。他認爲一個健全的新局，必定含融着反省洗鍊過的傳統以及創新的東西。

有人可援引保守主義大師巴克（Edmund Burke）的主張來說明上述新局之爲不可能。巴克認爲傳統是一個有機體，經過千百年的成長，已達成熟的境地，如有任何不合理的地方有待修訂，頂多可在堂皇的傳統殿堂上加些華麗的修飾，而不應改變這個殿堂的基本結構。在巴克學派眼中，社會上的重大制度和文化，經長期傳統的發展，已經成爲互相關聯的有機整體，拆一柱而全堂崩，割一肢全體衰。所以有機的傳統不能作重大的改變。

這種生物有機體論，在中國曾一度受到全盤復古論者及全盤西化論者所借重。前者據此而主張全盤保存傳統；後者據此而主張除非傳統全盤打倒，現代化就無從入手。全盤復古論的理論太薄弱，很快就被淘汰掉。全盤西化論的理論也同樣薄弱，可是聲勢却相當强。社會上種種歷史殘存的黑暗體制和現象，都可加强西化論的論據。加以袁世凱帝制，北洋軍閥以及民國政府的一部份頑固份子，都抬高傳統以做自己的護符，而他們所提倡的傳統偏偏又是傳統中的糟粕，所以全盤西化論，在一些人看來，就成爲反抗暴政，反抗獸性的象徵了。全盤論者，不管是西化派或復古派，其最大的弱點是生物有機體論。林毓生著『中國意識的危機』一書（Lin Yu-sheng, The Crisis of Chinese Consciousness-Radical Anti-traditionalism in the May Fourth Era Madison: The University of Wisconsin Press, 1979），以陳獨秀、胡適、魯迅爲例，分析五四時代，支配文化界的全盤西化論中的全盤有機體論，分析精闢，把很多糾結都釐清了。

徐教授的基本態度和林教授的可以互相發揮，對於傳統及現代化的問題，都提出了建設性闡釋。事實上，不但中國的傳統不是一個有機整體，西方的同樣也不是。中國文化是多元的結合體，在一個時代中有不同階層的文化特質；在歷史上，每一個學派又常常演變。西方文化就更是多元的、異質的結合。本書所選錄的文章，有很多篇把這個問題解釋得很清楚。很明顯地，不但西方文化可以有選擇性地接受，中國文化也照樣可以分成多元，擇善發揚，而不需「要不全盤捨棄，就全盤接受」。如果說徐教授有所保守，他所要保守的是中國文化中尊重人性，個人人格尊嚴，個人心靈自由；强調價值內在論；批判外在權威無理殘害人性，壓迫人權；强調個性發掘到基底，卽可通羣性，人人擴充仁心，就可愛護親友、同胞、人類。他認爲這些精神發揮以後，可以幫助洗除文化中殭化及反人性的成份。他認爲儒家的民生自由的精神如非客觀化爲具體的民主制度，則疲弱無力，但如能和西方的民主政治的制度結合起來，則可防止中國歷史上專制政治的重視。他的思想，立足於中西文化的高明的傳統，而希望洗除陰暗的傳統。所以如果要說他是保守主義者或傳統主義者，他是積極的保守主義者，創新的傳統主義者。過去膚淺的二分法，把傳統和創新强行對立起來。其實，他們雖可對立，也可相容。文化要進步，是要講究在具體情況下如何相容。

頑固的保守主義者幻想傳統都是好的，他們宣稱傳統沒有黑暗面，沒有專制政治，沒有吃人的禮教。他們指斥這一切都是別有用心者塑造出來誣衊中國文化，以迎合帝國主義及國際漢奸的醜劇。消極的保守主義者，雖然承認傳統中有病態汚穢的地方，但認爲不能輕談改革，因爲一旦改革，社會就失去秩序，而混亂失序的代價，遠超過改革所獲得的益處。與上述兩類人相反的是積極的保守主義者，他們分別傳統中值得肯定之處以及有待改革之處，而主張合理的改革。在這一點，他們和英、美的自由主義者有近似的地方。我國官方宣傳家把自由主義者醜化得變成否定一切，打倒一切的虛無主義者。事實上西方自由主義者雖然比保守主義者，承認傳統中有更多的黑汚面，但是他們照樣是有所肯定，而非全盤打倒。因此，西方的自由主義者常被激進主義者以及烏托邦主義者指斥爲保守派。這一點，哈佛大學的施華慈教授（Benjamin Schwartz）在傅樂斯（Charlotte Furth）教授所主編的『改變的限制』（Limits of Change，哈佛大學，一九七六年出版）一書的首章「論傳統」一文中，就說得很清楚。我想，徐教授的「創新底傳統」是含有不少西方自由主義的精神的。

中國自康、梁以來大思想家中，雖有不少提倡傳統，但却少有頑固的保守者或消極的保守者。他們有的在文化上傾向保守，但在政治上及社會上却是主張大事改革的。梁漱溟或許是個好例子。這和淸廷官方學者文化思想上保守，政治社會思想更保守，是一個强烈的對照。文化上保守但政治社會上革新的人，常常是以返古而開新的。他們把古傳統理想化，用以批評當時社會政治不合理的地方，所以他們的保守主義、傳統主義、和復古主義，常是含有濃厚的改革主義和創新主義。同時由於他們的古是理想化的，所以在文化上他們的復古也含有一些創新的意思。徐教授的態度則更進一步。他力戒盲目地把傳統理想化。低次元的，有汚點的傳統，他勇予批評。高次元的好的傳統，他儘量客觀地硏究。讀者請參閱他的學術專著，就可以瞭解他不願意盲目地美化傳統。正如克魯齊（Benedetto Croce）所說，「眞正的古代史必是現代史」，因爲史家往往是透過對現代的瞭解來把握古史，來重建古史。因此，徐教授所瞭解的傳統，正如任何學者所瞭解的一樣，都會有以今建古的情形，但徐教授常常意識地要把這種成份減低。所以，他的返古以開新，在境界上是比那些盲目美化傳統之人的返古開新，要高明得多。

當然，有人可以懷疑「返古以開新」的路線是否多此一擧？提出我們爲什麼不能直接開新，而必須要背負傳統的包袱？這個問題。他的解釋頗値得我們參考。雖然有人不會贊成他的說法，但至少可以肯定他的提倡傳統並不是單純的復古，而是帶有濃厚的創新的精神，不但政治社會的革新，而且是文化上的創新。徐教授的路不是唯一的路，但毫無疑問地，却是一條可行的康莊大道。

本書承陳淑女教授獨負校對之勞，謹此致謝。

一九七九年六月十八日蕭欣義敬序於臺灣臺北

承學生書局董事長馮愛羣先生厚意，慨允增加篇幅，茲再補上十二篇（文化類九篇，文學藝術類二篇，自述類一篇）。

一九七九年六月十九日補誌。

徐復觀文錄選粹

目錄

①文錄自序……一
②編序：一位創新主義者的傳統觀（蕭欣義）……五

I 文化

③當前讀經問題之爭論……一
④方望溪論清議……一四
⑤櫻花時節又逢君……一七
⑥不思不想的時代……二三
⑦從生活看文化……三一
⑧從外來語看日本知識份子的性格……三七
⑨日本的鎮魂劑——京都……四六

⑩京都的山川人物……五一
⑪鋸齒型的日本進路……六六
⑫對日本知識份子的期待……七一
⑬日本民族性格雜談……七六
⑭「人」的日本……八〇
⑮科學與道德……八五
⑯思想與時代……八九
⑰歐洲人的人文教養……九三
⑱傳統與文化……九七
⑲一個新的探索……一〇一
⑳論傳統……一〇五
㉑中國文化的層級性……一一七
㉒今日大學教育問題……一二一
㉓再談知識與道德問題……一二五
㉔過份廉價的中西文化問題……一二九
㉕社會將如何返老還童……一五七
㉖爲馬來西亞的前途著想……一六二
㉗我們在現代化中缺少了點什麼——職業道德……一六六
㉘被期待的人間像的追求……一七〇

㉙朱熹與南宋偏安……一七五
㉚在蘇聯的人性的考驗……一七九
㉛一個偉大知識份子的發現……一八三
㉜民主評論結束的話……一九四
㉝在歷史教訓中開闢中庸之道……一九九
㉞保持人類正常的心理狀態……二〇三
㉟中日吸收外來文化之一比較……二〇七
㊱中國知識份子的責任……二一一
㊲中國文化中的罪惡感問題……二一六
㊳由「董夫人」所引起的價值問題的反省……二二〇

Ⅱ 文學、藝術

㊴中國文學中的想像問題……二二七
㊵中國文學中的想像與眞實……二三五
㊶達達主義的時代信號……二四一
㊷從藝術的變，看人生的態度……二四五
㊸現代藝術對自然的叛逆……二四九
㊹泛論形體美……二五三
㊺泛論報紙小說……二五七

㊻藝術的胎動，世界的胎動……二六一
㊼現代藝術的永恒性問題……二六八
㊽永恒的幻想……二七三
㊾摸索中的現代藝術……二七七
㊿抽象藝術的斷想……二八一
51詩的個性與社會性問題……二八五

Ⅲ 自述、懷念親友

52舊夢・明天……二九〇
53賣屋……二九五
54我的教書生活……二九九
55我的讀書生活……三一一
56我的母親……三二〇
57無慚尺布裹頭歸……三三〇
58王季薌先生事略……三三五
59悼念熊十力先生……三三九
60有關熊十力先生片鱗隻爪……三四三
61哭高阮……三五一

當前讀經問題之爭論

——爲孔誕紀念專號而作

一

目前應否讀經，實在是值得討論的問題。主張讀經的人，似乎尚未提出應當讀經的充分理由以及讀經的方法。我們不能僅以政治「工具」的觀念來主張讀經。政治之工具非一，「經」在許多工具中未必是一最有效底工具。其次，過去的經，是代表學問的整體。漢人的「三十而五經畢」，學問上大體就告一段落了。但經在今日的文化中決難居於獨佔地位，則如何去讀，當然也值得認眞研究一番。

在反對讀經的一方面，我覺得所擧出的理由也很少能成立。目前反對讀經的空氣，實高過主張讀經的空氣。以下試將時下流行的幾種反對理由，略加以考察。

第一：反對讀經最普遍的說法，以爲讀經卽是復古，我們如何可以復古？關於古與今的關連，我在答友人第一書中（見民主評論三卷十八期）曾略加提過。首先，我應指出歷史上沒有眞正復古的事情。有的是「托古改制」，如周官在中國政治歷史中所發生的幾次作用，及日本明治維新的「王政復古」。有的則係原始精神之再發現，如路德宗教改革，特求之于聖經的「直率底語言」。及宋儒之不滿漢儒，顏李之不滿宋儒，皆直接從四書入手。更普通底則爲接受前人的精神遺產，由「承先」以「啓後」。沒有這種工作，則每一人都把自己當第一世祖，都是猿人，還有什麼文化可言呢？上述三者，都有其特殊底意義，也都有其相互底關聯，都是與古爲緣，但不能說那一種是復古。「經」是中國的古典。英國人讀莎士比亞甚至讀柏拉圖，亞里士多德，不是復古，何以中國人讀中國的古典便是復古？復古，不僅是好不好的問題，而且是能不能的問題。站在眞正現代史學的觀點而論，「復古」一詞，並不能成立。

第二：有人舉出「經」中許多現在不可實行的事情，如喪祭之禮等，以證明經之不應讀，其實，每一文化精神，常是通過某一時代的具體事件而表現。某一時代過去了，某一時代的具體事件之本身，多半卽失掉其意義。讀古典，是要通過這些具體事件以發現其背後的精神，因此而啓發現在的精神。孔子已經說過：「禮云禮云，玉帛云乎哉」？孟子已經說過：「固哉高叟之爲詩也」，「以意逆志，是爲得之」。並且說「盡信書，不如無書」。一切大宗教的經典中，都混淆着許多神話。我不相信現在信宗敎的人，是連這些神話都硬呑下去；而反對宗敎的人，也不會拿這些神話的成分作反對的重要理由，因爲這不是宗敎中心問題之所在。一般人只知道宋是儒學復興的時代，而不知宋也是疑古的時代。朱子所疑之書，卽有四十種；尤疑書經與孝經，故不肯爲之作註。經且可疑，豈不可加以選擇。因其可加以選擇而即斷定爲不應讀；因其所敍述之具體事件不合于今，而不考察其具體事件所代表之精神如何，即斷定經爲不應讀，此種膚淺之見，也很難成立。

第三：是有人引了許多歷史證據，說讀經對于政治沒有好處，主張讀經的人多是無聊之人；並進一步主張政治不靠道德，而是要靠韓非和馬基維里（Machiavelli）這類的統治之術。更提出一聰明結論，說統治者自己讀經作修養之用，未嘗不可；但不必推之社會。（此文聽友人轉述，但未親眼看到）。這種說法很巧妙，一方面，比上二說似乎實在，一方面達到了反對的目的，而又不太得罪主張讀經的人。其實，中國歷史上，讀經有好處與無好處，讀經的有好人與有壞人，兩方面都有很多的材料。問題是在兩種相反的材料中，那一種與經的本身有必然底關係。等于問許多好底和壞底僧侶中，那是和宗教的教義有必然底關係。如壞底僧侶與教義有必然底關係，則教義將隨僧侶而俱倒。否則打倒了罪惡的僧侶，而仍無礙于路德們之根據聖經「率直底語言」以倡導宗教改革。所以僅擺出片面的材料以下斷語，這不是研究問題的忠實態度。至于說蕭曹之未讀經而政治幹得很好，這只說明各個人的政治才能，可以來自各種不同的經驗；是否由此可以得出讀經即妨礙了政治才能的結論呢？是否中國歷史上凡鄙薄儒術的個人和朝代，即在政治上有了成就呢？統治者可讀經以作個人修養，是不是「經」僅是統治者的工具，與一般人無干？或統治者與被統治者完全是兩個對立階級，而無人性的共同點，所以宜于彼者不宜于此呢？更重要的是我們對讀經問題，應有一社會文化的觀點，不能完全粘貼在政治上面。秦之焚坑，東漢末之黨錮，唐之清流，宋之黨碑，僞學，明之東林復社，無一不是對儒家的一種摧殘壓迫，何以見得「經」完全是統治者的工具，以對統治者之效能，來衡斷經的價值呢？至于主張馬基維里這一類的極權主義者之反對道德，因而也一定會反對儒家，反對經，這只要想到法家對儒家的攻擊，則此一論者眞正論據之所在，例不難了然的。

第四：還有的說法是「對經有研究的人，都不贊成讀經」。此一說法的問題是在于其所謂對經有研究的是那些人？其有研究還是自己覺得，還是社會公認。並且凡是反什麼的，都以爲自己是研究了什麼，不然便無從反起。反宗教的一定是研究了宗教，反資本主義的一定是解剖過資本主義。這裏乃是一個基本態度問題。所以說這種話的人，只算是說明了他的態度，不算說明了他的理由。尚有一種人以爲「古書在古有當有不當，在今則無一當。」經是古書，所以今日不宜讀。照這種說法，豈特中國的經不宜讀，中國今日可讀的，恐怕只有用王雲五先生的四角號碼來編的報紙雜誌了。只有如此，讀書人才勉强可與古絕緣。

以上，我看不出反對讀經者舉出了充分理由；由此，亦可見當前智識份子對于文化本身的問題，也缺乏一種謹嚴認眞底態度。

二

但是，除開當前反對讀經者的各個理由以外，若從整個歷史文化演進的過程看，從中國近百多年歷史的夾雜情形看，則我對于反對讀經的現象，到可寄以同情；而中國文化本身受累之多，及當前中國智識份子因情形的夾雜而來的負擔之重，使人眞有任重而道遠之感。

有人說，中國的傳統文化，相當于歐洲中世紀的文化，此種說法，我不能承認。很簡單底理由是：歐洲中世紀的文化，是以神爲中心的文化。歐洲由中世走向近代，首先是由天國走向人間，由教堂走向世俗；所以進入近代的第一步，是建立世俗底國家，建立世俗底觀念，可以說「世俗化」是從十六到十七世紀新興勢力主要努力的內容。但中國的文化，本來是人間底，是世俗底。這一基本的區別，如何可以抹煞？但若僅從外形上看，則中國以「經」為中心的文化，是中國的一大傳統，與歐洲中世紀宗教文化之為歐洲之一大傳統，既有相同。而自鴉片戰爭以來，中國須接收新底事物，接受新底觀念，以應付新底情勢，亦與歐洲近代的黎明期有相似。為了接受新底事物與觀念，總係以反傳統開始，乃自然之勢。五四運動以來之反讀經，當然是由這種自然之勢而來底。它本身有其歷史上的意義。

其次，以經為中心的中國文化，是一道德性底文化。並且是一個大一統底文化。我們若暫時把道德與一統本身的內容區別，擱置不談（如中國性善，歐洲中世為原罪；中國以人為中心，中世以神為中心；中國重視主宰性，中世重視歸依等），而僅就粗略底外形看，則與歐洲中世有相似之處。道德性底文化，一統性底文化，從某一方面說，是人的生活之向上，是人的生活之調和。但從另一方面說，也可以招來知性底沉滯；換言之，也可以招來生命力的束縛。近代基本精神的動力，一是「為知識而知識」，一是「為財富而財富」，這才是近代文化的兩根脊梁，尤其是後者。這兩根脊梁，都常要求從文化的道德性與一統性中得到解放；因此而五四運動以來的反讀經運動，我們也應承認其有一解放的作用。

但，畢竟因為中國的傳統，與歐洲中世的傳統，有其內容上之不同；並且中國的反傳統運動，已較歐洲落後了四個半世紀，于是在此過程中，不能不多出許多夾雜。不了解這種夾雜，不能從夾雜中透出來，而僅抱一偏之見，一往直前，這便使中國智識份子至今一無成就，只好從反面烘托出了一個共產黨。

首先，以經爲中心的中國傳統文化，是以人爲中心的道德文化，它本身不似宗教之與人間，存在一種隔離性。反宗教的傳統，常是反對這種隔離性。中國的傳統，沒有這種隔離性可資反對。

其次，宗教傳統，有一固定「敎會」爲其負荷者，以與其他勢力相對立。歐洲近代黎明期，只是反敎會敎皇，而並不反敎義。這便不是反對宗教之本身。到了十七八世紀，才流行「理神論」，使新思想與敎義調和，也沒有把宗教一筆抹煞。所以眞正說起來，歐洲近代的反傳統，是有其自然底節制。但中國的經，並無一特定負荷之固定團體，與其他社會勢力相對立；于是這一反，便直接反到經的本身，反到傳統的根荄，等于要連根拔起。老實講，連根拔起的反傳統，是會反得兩頭落空底。

還有許多人認爲經是代表封建的東西，反讀經卽是反封建。歐洲近代的開頭，與反羅馬敎會一起的是反封建。此種說法，必須先接受馬克思的一個大前提，思想完全是由生產關係所決定。但馬克思以小資產階級者生于資本主義鼎盛之十九世紀，而倡導共產主義，此一事實，已否定了其本身所建立之大前提。同時，歐洲之反封建，有僧侶、領主、貴族等具體底對象，當時並沒有提出那是封建思想，因從而反對之。中國的反封建，在共產黨鬥爭地主以前，缺少社會性底明確對象，卻直接指向中國文化中心的「經」上面，其與歐洲反封建的意義，自不相同。況且中國之反讀經者，常以歐洲啓蒙運動相比附，而不知儒家德治禮治思想，卻在法國德國發生了推動啓蒙運動的作用。此一歷史事實，應當可以供指「經」爲封建思想者以反省。（此點將另文介紹。）最後，歐洲中世以宗教爲中心的傳統，其根據地在羅馬。這對其他許多國家來說，都是非民族性底。拉斯基（Laski）追溯英國宗教改革所以容易成功的主要原因之一，是因爲對于僧侶們與國外的關係所發生的疑惑，卽係由于丟都爾（Tudor,1485—1603）王朝的民族主義底意識。但以「經」爲中心的傳統，是我們民族的血肉相承底，這在反的上面，豈能毫無分寸。

更從積極方面去看，歐洲近代黎明期的知性解放，都遇著以宗敎爲傳統中心的反抗，如哥白尼、加利略、開普勒、哈維等。從這種反抗中解放出來，便成就自然科學。這是有不能不反之勢。說也奇怪，中國對于自然科學之嚮往，乃至在實際上稍有成就，皆出之孔孟之徒，如曾國藩、李鴻章、張之洞等，其事實皆斑斑可攷。最低限度，中國向知性的追求，並沒有受到以孔孟爲中心的傳統反抗。中國眞正研究自然科學的人，縱然對傳統毫無興趣，但誰也沒有因此而受到壓迫，或有被壓迫之感。關于科學方法的介紹，只嫌做得不够。五四運動，雖揭科學與民主以反對禮敎，但當時並沒有人拿着禮敎去反對共和，當遺老的只是極少數。更沒有人拿禮敎去打自然科學。當時領導人物如胡適之先生，在其英文本「先秦名學史」中，宣倡言他打倒孔家店的兩大戰略，第一是解除傳統道德底束縛，第二是提倡一切非儒家思想，卽諸子百家。在他這兩大戰略中，我看不出那一戰略是與成就科學與民主有必然的關係。在胡先生兩大戰略中，只看出他對自己民族歷史文化的一種先天憎惡之情，希望在他的實證底攷證事業中將主幹和根拔起。胡先生當時聳動一時的一是白話文，這針對文言而言，是有一確定底對象與意義，所以得到了成功。一是他的「紅學」（紅樓夢之學），也給當時青年男女以情緒上的滿足。我記得民國十年有位劉子通先生到湖北來傳播新思想，先講心理學，大家無所謂。後來帶着學生到城牆上去講紅學，一般青年才眞正意識到傳統與非傳統的鴻溝，而爲之一時風動了。胡先生只掛着科學與民主的招牌，憑著生活的情緒，順著人性的弱點去反傳統。傳統受了打擊，胡先生成了大名，但知性是能憑藉紅樓夢考證而得到解放，而能有所着落嗎？以紅學的底子去反對孔孟，無怪乎他對科學的眞情，反而趕不上讀孔孟之書的淸季若干士大夫，決非偶然之事。其與歐洲近代黎明時期之因解放知性而反對傳統，沒有可以比附的地方。

眞正說起來，以五四運動爲中心的反傳統主義者，實以想改變社會生活習慣，社會生活秩序爲內容的。這一點，我承認也有其意義。但歐洲社會生活之改變，是拿「爲財富而追求財富」作一主題，隨財富追求者之成功而社會秩序亦完成其改變的。換言之，各種建立新秩序之思想，是環繞資本主義之發展，使資本主義之要求得到「正當化」的地位而發生成長的。我們也或許可以不滿意此一歷史事實。但此一事實之另一意義爲社會秩序之改變，因其有一明顯之目標，因之，有一自然之制約，而得賦與一堅實之內容，故能順著一條路下去，開花結果。新地理之發現，新技術的發明應用，都鼓勵並保障了財富追求者，使其能衝破潛在人心之內及人心之外的各種限制，一往直前，把輝煌底產業，擺在社會面前，使當事者滿足，旁觀者欣羡。傳統爲要求自己的生存，只能努力于自身對此一新環境之適應，一切問題也就解決了。但中國沒有趕上這一幸運時機。在西方資本主義壓抑之下，沒有鼓勵保障財富追求者的條件。加以由財富追求所造成的資本主義，在我們以孱弱之軀，緩慢之步，想向它追蹤繼武時，它的本身却已盛極而衰，另一新底勢力，新底意識，想向它問鼎之輕重了。于是我們社會新底秩序，到底以何種勢力爲骨幹，向何種方向去形成，都令人捉摸不定。主張革新的人士，只要求傳統向它投降；認爲傳統投降了，一切便得到解決。問題的不能解決，只是因爲傳統在作怪；傳統投降了，却對傳統無法收容，覺得只有盡坑降卒四十萬，才妥當而痛快；但傳統坑盡之後，並沒有一個新社會來作反傳統者立足之地。而且最奇怪的現象是，凡是極端反傳統的人，都是在新的思想上，新的事物上，乃至在一切學問事功上，完全交白卷的人。錢玄同這種人不待說，胡適先生自己，除了背着一個包著瓦礫的包袱以外，誰能指出他在學問上的成就是什麼？「好人政治」的提出，連「民主」的招牌也丟掉了。

傳統是由一羣人的創造，得到多數人的承認，受過長時間的考驗，因而成爲一般大衆的文化生活內容。能够形成一個傳統的東西，其本身卽係一歷史眞理。傳統不怕反，傳統經過一度反了以後，它將由新底發掘，以新底意義，重新回到反者之面前。歐洲不僅沒有反掉宗敎；而昔日認爲黑暗時代的中世紀，拉斯基在其「歐洲自由主義之發達」中，敍述了自由主義的成就後，接着說：「不消說，其代價（自由主義的成就）也是非常底大。卽是，因此而我們失掉了使用若干中世底原理的權力。——這種原理之復興，在我想，認爲確實可成爲人類的利益」。（日譯本第九頁）這是歐洲反傳統得到了結果以後，所發出的反省之聲：我們反來反去，却反出一個共產黨來，這還不值得我們的反省嗎？

三

依我個人粗陋之見，中國的傳統，不是需要反，而是需要淸理。淸理的對象，是由我們文化所憑藉的歷史條件帶來的東西。

我們文化所憑藉的歷史條件，若以之和西方比較，不難發現一最大不幸底事實，因此而可對中國古往今來的一切智識份子，寄與以同情。西方文化，自希臘以至近代，都是由社會財富所培養出來的。中世紀的骨幹是教會，教會也是一種獨立性底財富團體。歐洲的政治宮庭，對文化的關連，是渺不足道。此一事實，使智識份子，可以自立於現實政治之外去從事文化工作，而不受到政治的干擾。當然，社會的本身，對文化也有制約的作用，但這種制約是分散底，間接底，彈性底；而現實政治對文化的干擾，則是集中底，直接底，强制底。西方文化在社會財富基盤之上，依然可以保證文化之純粹性、超絕性，而不致受現實政治利害的限制；雖然有，也可一層一層的突破。偉大底宗教與科學，都是在其一往直前的純粹性與超絕性上所成就底。中國文化，自始卽以政治關係爲中心。集大成底孔孟，都要「傳食於諸侯」，靠政治關係吃飯。羣雄並立，利用羣雄好風好雨的間隙，大家還可以選擇較爲適合的環境以自鳴其說。及大一統之局既成，社會財富，不能與士人結合起來以自立於社會之上，於是士人要有所成就表現，只能在一個唯一底現實政治關係中打轉，這便影響到中國文化發展過程中的純粹性與獨立性。不與現實政治發生關係，卽爲隱淪之士，假定對政治有所不滿，便有隨時被指爲叛夫之虞。智識份子沒有自由活動的社會平面，文化卽失掉其自律與自主底伸展。宋儒及明中葉以後一部分士人，漸意識到文化的社會性，而不把朝廷視爲文化的函數，故儒學得到新底發展。（朱子語類卷八一，黃卓錄「民之於君，聚則爲君臣，散則爲仇讎，如孟子所謂君之視臣如草芥，則臣視君如寇仇是也」。此係儒家對君主之基本態度，但此一態度能盡量發展嗎？）然結果都受到政治之打擊與束縛，其基本精神，不能繼續下去。一般士人，爲了做官而談政治，決不能構成政治學；爲了爭寵而說有談無，決不能構成哲學。於是中國歷史上的大多數士大夫，總是自覺或不自覺底挾帶著滿身政治汚穢，而中國文化的眞精神，也常不免和這種汚穢夾雜在一起。此一歷史的條件，一直到現在還沒有改變。

大陸上正蒙「洗腦」之羞，大陸以外者，「差無牀第之辱耳」。現在的智識份子，應從這種自反自悲中奮發起來，淸理我們文化在歷史中所受的負累，使幾個頂天立地的觀念，徹底透露出來，以潤澤現在焦萎欲死的人生，而不必先憑一股淺薄顢頇之氣，要反一切，打倒一切，輕薄一切。

茲於上述觀點，落在讀經問題上，我補充以下的理由，是贊成有限度讀經底。

第一，我們假使不是有民族精神的自虐狂，則作爲一個中國人，總應該承認自己有文化，總應該珍重自己的文化。世界上找不出任何例子，像我們許多淺薄之徒，一無所知底自己抹煞自己的文化。連蘇聯把文化的階級性說得這樣死硬，但現在連恐怖伊凡也拿出來了。假定它的歷史中有堯舜禹湯文武周公孔孟，我想蘇聯總會把它捧到伊凡以上去吧！中國文化，是一個有「統」的文化，不似歐洲作多角形發展。而此「有統底文化的根源便是「經」。胡適之先生拿諸子來打「經」，來打儒家的策略，他沒有理由說「經」說「儒家」在文化上的地位，比諸子百家輕，而僅是擒賊擒王的辦法。一口說不讀經，實際即一口抹煞了中國文化的主流，於情於理，皆所不許。

第二，我們要承認變中有常，人類始能在宇宙中歷史中取得一個立足點。而常道之顯露，總是超越時間性而永遠與人以提撕指示的。中國的經，不能說都是常道。但在人之所以爲人的這一方面，確顯示了常道，而可對自己的民族，永遠在精神的流注貫通中，與我們以啓發鼓勵、提撕、溫暖，我覺得這是無可置疑底。

第三，共產黨在大陸之所爲，恰恰是儒家思想的反面。人類的覺悟，常常是從反面逼出來的。有了共產黨這一反面的對照，益覺我們的「經」的這一文化系統，眞是布帛菽粟，應靠着它恢復人的本性本味。

第四，我們應坦白承認是在流亡之中。莊子說：「逃空谷者，聞人足音，則跫然以喜」，何況是自己文化的根源。流亡者已經失掉了地平面上的卷舒，何可再失掉精神上縱貫底提携維繫。

操專門之業，而其業與經有關的，如史學、哲學或文學等，皆應精研經中有關的部分，這是不待說的。至於一般讀經問題，我認爲在小學中應有若干經的故事，應選擇若干切近而易了解的經中的文句，作學校中的格言標語，于週會加以講解，使受了國民教育的人，知道中國有經，有聖人，有切身做人的道理。再將論、孟、學、庸、禮記、詩經，中精選若干，共不超過一萬言，或彙爲一篇，在課程中立一專課。或分別挿入國文公民中，而將現在課本內許多無聊底東西抽掉，按其內容之深淺，分別在高初級中學中講授，更於歷史中加一點經學史。如此，則學生之負擔不加重，而經之大義微言，亦略可窺其大概。大學則應近於專門之業，以其所專者去治經，可不列在一般讀經範圍之內。

除學校教育以外，我希望成年人，不論作何職業，手頭能保持一部四書，可能時，再加一部近思錄，於晨昏之暇，隨意瀏覽，我相信對於自己的精神生活總會有所培補底。但這只可出之於社會的提倡，而不可出之於政府硬性的規定。有人很瞧不起四書與近思錄，覺得太平常了。平常確是平常，但只要你能體會得到這種平常，你才算對於中國文化摸到一點門徑。

其次，還要附帶提一點對於經的講解問題。攷據校刋，乃專門之業，與經之大義關係不大。朱子曾經說過，這與義理是另一學問；姚姬傳亦以義理詞章攷據三門平列。學校授經，當然應該注重義理。有的先生們以個人的興趣，在幾點鐘的功課中，强學生以校刊考據之業，眞是於義無取。此其一。中國的義理，與西方哲學不同者，在其實踐底基本性格。故缺少此種實踐功夫底，很難信其對經的義理有所了解。所以論孟學庸，應以朱子集注爲主；其他各經，有宋儒注釋底，都應加以尊重。因爲他們有這一段實踐工夫，精神可以相通，聲氣可以相接，對經的義理自較了解眞切。縱使他們在名物訓詁上有不及淸儒的地方，但這都無關宏旨。今日若欲繼宋儒而對經的義理作新底發掘，必須對西方哲學眞有研究的人，把西方思索的態度與線索，反射過來，以作新底反省，才有可能。今人常以爲幾天抄錄工夫，即可壓倒歷史權威的著作，以此種浮薄之氣，而言整理經學，則經學又將受到新八股之厄運了。至於今日包攬教科書利益的集團，喜歡把自己弄不清楚的字句、內容，選到教科書裏面，如把論語的「因不失其親，亦可宗也」，選到初中國文裏；把孟子的養氣章選到高中國文裏；把乾文言選作大一國文的第一課，此種人，隨處都與兒童、青年爲敵，那就更無從說起。

（附記：本文所說的經，是以十三經爲範圍底。）九月十二日夜於臺中

一九五二、十、五　民主評論三卷二十期

方望溪論清議

中國的知識份子，自魏晉以後皆帶點名士氣。名士以老莊爲精神血脈。對權貴，則用老氏陰柔之術取容；對社會對文化，則以莊生放曠之情自恣。再加以千餘年科擧之毒，使人媚骨偷志，寡廉鮮恥，不僅視國家的興亡，生民的禍福，皆不足以敵其口腹溫飽之需，從不因此而動其毫髮的念慮。偶見當時有一二良心血性之士，奮微力於豺狼虎豹之間，欲以口誅筆伐，與權奸爭國命之絕續，反從而媢疾訕笑，百方加以中傷，以自炫其從容因應之術。於是「清議」本爲知識份子報國的起碼責任，也被這種寡廉鮮恥的人所扼殺了。

明代表面上是亡於流寇，亡於滿清，而實際則係亡於兇頑殘賊的魏忠賢，挾其兇焰以荼毒天下時，東林士大夫，力持清議以與之相抗，卒因此招致亙古少見的慘禍。承東林之風而興起的則又有復社。後來魏閹雖蒙顯戮，但魏閹的門生義子，恥獨爲小人，反造作流言蜚語，說前之東林，後之復社，都是「處士橫議」，應負敗壞國事的責任；這種論調，直延及清初，使清初處於異族君臨之下的士人，更「爲之氣噎」；而中國文化傳統中所存的士人對天下國家的責任感，更將摧抑以盡。一個時代到了從言論上，知識份子也不敢為天下國家負責任，甚至許多人以不爲天下國家負責任爲高超，而視對天下國家負責任者爲罪過，則這一定是「獸蹄鳥跡之道，交於中國」的時代。所以「學行繼程朱之後」的方望溪，特在「書楊維斗先生傳後」一文中，對於魏閹餘黨仇視清議的情形及其原因與結果，作了簡明有力的陳述，使生於今日民主世界中的中國知識份子，讀了也應有所感發羞愧。所以我特節錄在下面：

「凡所謂清議者，皆忠於君（按「君」即今日之「國」），利於民之言也。而忠於君，利於民，未有不害於小人之私計者，故小人不約而同仇。即用其言以擠之，以為是乃心非巷議，誇主以為名者也（按猶未若誣之為反動，為家賊之甚也。）故君子之有清議，不獨在位之小人嫉之，即未進之小人亦嫉之。蓋自度異日所為必不能當大人之意也。不惟當時之小人惡之，即後世之小人亦惡之。以為吾君一旦而有鑒於前言，則吾儕之術，不可以復騁也。……嗟乎，顧楊二先生之事，誠稍過於中，（按在專制政治下，而欲從社會上去匡救朝廷，故謂之稍過於中。在今日民主政治下，或且以為太過於中矣）然當是時，宗社之滅亡無日矣。人主孤立無輔於上，小民困死無告於下，而羣奸盤結於中，故不得已而呼號憤發，置其身於死地，以冀君之一寤，即古忠臣孝子枕干之義也。……凡羣小所指為誹謗以陷忠良者，乃黃帝之明堂，唐堯之衢室，有虞氏之旌，夏后氏之鼓，殷湯之總街，周武之靈臺，所側席以求之，舍己以從之者也。漢唐宋明，舍二三誼主而外，亂政涼德，奸人敗類，無世無之。惟禍延於清議，誅及於清流，則其亡也忽焉。蓋必如是，然後忠良凋盡，百度皆昏，而國無與立也。……自古善人，以氣類相感召，未有若復社之盛。小人誣善之辭，亦未有若魏黨之可駭詑者。而易代以後，猶有謂先生（按指楊維斗）為已甚者，人心之陷溺若此，君臣朋友之道，益幾乎息矣」。

節抄完畢後，我實在感到不必需要再加說點什麼，而只希望讀完後認眞的想想。

一九五七、一、一　人生一四八期

櫻花時節又逢君

——東京旅行通訊之一

人事中的偶然，有時也會使人發生一種神秘之感。一九五〇年，我隨着一個旅行團體，來日本觀光，正是櫻花時節。一九五一年，我以名實不符的記者身份來到日本，也是櫻花時節。這次假借名義，重到東京，再過十來天，又趕上櫻花時節。這三次偶然，難說我以垂暮之年，竟與異國的櫻花，結上了一段不解之緣嗎？

一

日本人種櫻花，不是佔領一片廣大的園地，便是夾著兩行長長的街道。所以花開的時候，眞像天上的彩霞，夢中的仙境；看花人的心情，也隨着花海而沉酣、飄蕩。宋人有「紅杏枝頭春意鬧」的一句詞，許多人認爲一個「鬧」字，便把杏花的精神，及由杏花所象徵的春的面貌，十足地描寫出來了。其實：若把「春意鬧」三字用在櫻花身上，恐怕更爲恰當。

難怪日本人把它定爲國花；而異地的有閒階級，也常不遠千里萬里，趕來湊一分熱鬧。

不過，就花來說：桃李杏這一類的花，多半開在農曆的二月，卽是開在春的當中；它們開了以後，還有許多花陸續地分占一段春光。所以從桃李這些花來看人間可愛的「春」，常覺得春是「圓滿無缺」。但櫻花却要開在農曆的三月；它所象徵的春，正是春的巔峯；而它的凋謝，也正是春的銷歇。彷彿春是被它一手包辦了。通過了它去向前展望，再也看不出春的遠景；假定把古人詠荼蘼的詩改作「開到櫻花花事了，不如收拾過殘春」，似乎也一樣的恰當。於是看櫻花的人，若肯在花下稍事沉吟，很可能從它「嬌艷」的繁華中，轉出「凄清」的情調；最低限度，這可以說明我個人的一分感觸。

二

一九五〇年，日本戰敗的瘡痍未復，除了京都、奈良，少數賴古蹟名勝，得免於摧毀者之外，以東京爲首的各個都市，幾乎到處都可以看到斷瓦頹垣；而衣服襤褸，面帶菜色，更是社會一般的生活現象。所以這一年在櫻花下的少女，似乎爲美國大兵助興的意味，遠超過自己尋歡的意味。一般人的聊復爾爾，或强顏歡笑，恐怕不及放懷痛哭，還可以減輕情緒上的負擔。因此，這一年在日本人眼裏的櫻花，只不過是「惱人春色」！

一九五一年，因韓戰的關係，日本在經濟上復興之速，他們稱之爲另一次的「神風」；這一年的櫻花節，似乎可以說是「杏花疏影裏，吹笛到天明」了。但日本民族，是富於感激性的民族。此時正遇上麥克阿瑟元帥，在軍事勝利的中途，被杜魯門撤職；於是麥氏頓成爲日本人心中的悲劇英雄，換取了千千萬萬、不知其然而然的眼淚；所以這一年也只算是「淚眼看花花不語」，而遠東的局勢，也因此蒙上一層抹不掉的陰影。

經過了九年後，我所看到的東京，經濟的繁榮，技術的發展，日常生活水準的提高，都在向作爲現代世界中心的美國，看齊靠攏；它已經眞正站了起來，和世界的强國，並起、並坐而毫無愧色。然則今年所看到的櫻花，應該是令人歡欣陶醉，大家共作「花長好、月長圓」的祝福了。低調的說：日本已由戰敗的變局，進而爲一般國家所處的常態；在常態下所看到的櫻花，依然會令人感到春光似海的。

三

花的本身是無情的東西，看花人總把自己的感情，投射到花的身上去，而使花也人格化，感情化。每個人的感情，越進入到現代，越缺乏個人的自主性；無形中常隨着世界潮流的感染而漂蕩不定。世界潮流的動向，有它的表層，也有它的基底。表層與基底，儘管是密切相連，但並不一定呈現相同的面貌。一般人對表層的接觸容易，對基底的接觸却有些模糊。但眞正與人以決定的力量，因而使人於不知不覺之間，在感情上受到最大感染力的，却是社會潮流的基底。譬如從表層看：日本能免於德日戰後的東西分裂，保持一個統一的國家，這眞是它的大幸，也是它抓住時機，迅速復興的重要原因之一。

但日本眞正是統一的嗎？不僅思想的分裂，在自由世界中是數一數二；並且在意識形態上，都市農村是互相對立；知識份子與一般人民大衆，是各不相干；青少年人和中老年人，也似市與鄉，有一條劃分得清楚的界線。表層的統一，掩飾不了作爲一切活動基底的意識上的分崩離析。這是當然的，因爲現代之所以成爲現代，正是以精神分裂作爲其重要地特徵。在精神分裂者心目中的櫻花，很難塑造出一幅統一的藝術形相。

四

這幾年我在山裏住得太久了。一旦進入到這座五光十色的花花世界，變成呆頭呆腦，眞像劉姥姥初進大觀園。不錯，人在由科學所成就的物質世界中，是一天一天的變得更爲渺小了。昨天下午六時左右，第一次試坐東京的地下鐵道，候車的人眞是人山人海。日本人雖然很守秩序，但在這種人潮壓迫之下，上車時車站的站員，不能不用盡氣力，把乘客拚命向車門裏面推，這樣便可使車內擠得水洩不通，加强運送的速度。九年以前，似乎還不須如此。我在擠得吐不過氣的人潮中，突然感到眼前的場面，便是現代文明的縮影。人本來是去坐車的。但能擠進車去，並不是出於自己的意志和力量，而只是被動的任憑與自己無關的力量在推來推去。進車以後，大家肩摩踵接，在形迹上，可以說把人與人之間，變得再密切也沒有了。但大家只像捆在一起的木柴，彼此決沒有由生命所自然發出的互相關連的感覺。這正是現代文明的作品，也是現代文明的形相。

現代文明，是把人從屬於自己所造出的機械。機械變成了主體，而人自己反成爲機械的附庸。由機械的構造、活動的要求，而把人組織得比過去任何世紀更爲緊密；但組織在一起的人們，彼此只有配合機械的協同動作。這種協同動作，與每一個人感情意志無關；因而很少有情感的交流，意志的結合。人與人的關係，變成了機械零件與零件間的關係。法國哲學家C. LMarcal在他Les Hommes Centre L. Homain 書中，強調現代「人性的喪失」。這恐怕是現代文明的必然命運。從喪了人性者心目中所看到的櫻花，在與瘋狂地脫衣舞相形之下，會使人感到黯然無光，索然乏味的。我眞不了解：還是世界的命運影響了櫻花；抑是櫻花的命運影響了世界？

呆笨的頭腦，突然進入到這樣複雜繁華的現代社會，內心由一陣騷動而轉爲混沌；由混沌而釀出許多莫名其妙的哀愁。下面這首打油詩，未能把我漂泊無依的哀愁說出千萬分之一二。

蓬島重來老學生，空虛何事苦追尋。
層樓霧釀千年劫，故紙虫穿萬古心。
猿鶴凄迷憐舊夢，烟花撩亂接殘春。
流觴社鼓俱陳跡，休倚危欄望醉人。

一九六〇、四、二　華僑日報

不思不想的時代

——東京旅行通訊之二

我們可以從各個角度來說明現代社會生活的特性。不思不想，大約也是現代社會生活特性之一。

一

西方的哲人中，有的把「思想」當作人與一般動物的分水嶺。的確，人在開始知道運用思想時，才一步一步的從自然狀態中掙扎出來，建立適合於自己要求的文化。這裏所說的思想，是把各個層次的思考、思辨、反省，都包括在內。它的特性，常識地說：第一、是把感官所得的材料，通過心的構造力與判斷力，以找出這種材料的條理、意義，及與其它材料的關連，和它自身可能的趨向。第二、是把客觀的東西，吸收消化到主觀裏面來；又把自己的主觀，投射、印證到客觀上面去；由這種不斷反復的過程，而把主觀世界與客觀世界，經常連繫在一起。由上面的兩種作用，便把人生向深度與廣度方面推展、擴大，因而能把人與人，人與物，作有意義的連結，並向有意義的方向前進。人類的文化生活，便是這樣一步一步的建立起來；人類自然地生命，便是在這種文化生活中而生存發展。思想的停滯，是人開始向動物的下墜；也是自己的命運，離開了自己的掌握，而開始向一種不可測度地深淵下墜。

二

不過，若是我們說思想是人之所以爲人的特性，則這種特性的發揮，並不是一件容易的事。首先，它會受到各人天賦上的限制；對思想的要求與能力，各人並不相同；所以任何時代，並不是所有的人，都能作同樣深度的思想。

更重要的是，它會受到生活上的限制。若是體力勞動，占領了整個的生活時間，任何人也不能好好地思想。希臘的「學」，是出於商業資本已有了相當存積後的生活「閑暇」；爲了得到這種閑暇，柏拉圖和亞里士多德們，竟會承認奴隸制度的合理性。而孟子所說的「勞心」「勞力」的分工，這是歷史事實上的必然，並不含有什麼階級反動的意識。因此，現代由科學進步而來的技術上的成就，是對於人的體力勞動的解放；同時也應該是思想能力的解放。

但事實上，越是現代化的地方，便越是不思不想的地方。有人說，現代人不追問「爲了什麼」？而只追問「怎麼辦」。例如不追問「爲什麼要就職」，「就職後應當如何」；而只集中於「怎樣才可以就職」。「怎麼辦」，當然也是一種思想的運用；但這種思想的運用，常是以感官爲主，把思想拘限在事物的表層上，拘限在事物的孤立地個體上；作爲思想特性的向深度與廣度的推展擴大，在這種情調之下，是發揮不出來的。所以現代人只是生活於自己表層的「感官機能」。這種感官機能，並不會通向自己的內心；更不會把感官的活動，在內心上稍加凝注，因而把它由向內的沉潛而加以提鍊、淨化。同時，僅靠感官機能所了解的客觀事物，也是各個孤立的；活動的本身，只是從「這裏」被動的移到「那裏」，沒有法則上與意義上的關連。一個人，僅憑眼睛看，耳朶聽，而不把看的聽的反求之於自己的心，追問一下看和聽的究竟；便只是茫然的看，茫然的聽，並不能眞正意識地感到是「自己」在看，「自己」在聽；即是看和聽，並沒有眞正和自己的生命整體連在一起，只是在「眼前」「耳邊」，飄來飄去。同時，被看和被聽的東西，因爲不曾與人的生命整體連上，所以也只是「過眼雲烟」，客觀的東西，不曾眞正和主觀連在一起。因此，現代人的生活，是在探求宇宙奧秘面前的浮薄者；是在奔走駭汗地熱鬧中的悽涼者；是由機械、支票，把大家緊緊地縛在一起的當中的分裂者，孤獨者。再簡單地說，現代人的生活，旣失掉了主體性，因而也不曾把握到客觀；而只是一羣熙熙攘攘地「陰影」。這比佛說的「芸芸衆生」，還要混沌、空虛、飄蕩。爲甚麼？因爲現代人已經把「思想」從自己的生活中，驅逐出去了。

三

這一趨向的形成，一般的說，是由於每一個人，都被編入於萬能化的技術家政治（technocracy），及日益擴大的官僚政治（bureaucracy）之中，使每一個人，不是以「一個人」的身分而存在，乃是以「大衆」的身分而存在。「大衆」這個名詞，我覺得很有意思。一個人，在萬能地技術與龐大地官僚集團之前，眞會感到太渺小、無力，失掉了存在的權力與勇氣，於是只好以「大」而且「衆」的集體形相，來向技術與官僚，爭取一點平衡，表現一點存在。這樣一來，每個人，只有被動地依靠「大衆」，才能獲得生存的安全感。好比我們過熱鬧地十字馬路口時，假定只有自己一個人，卽使是按照綠燈開放的時候走過，也免不了要向左右探望幾次；因爲一個人在汽車衝來的時候，不僅無力抵抗，並且也來不及和它理論，所以總得遲回瞻顧。但是有一大堆人時，說走過，大家便很安心地走過。這時並不是甲倚靠著乙，或是乙倚靠著甲，而只是漠然地倚靠著「大衆」。一切要倚靠大衆，每個人只能以大衆的身份而存在，這便會慢慢地置個人思想於無用之地，因而把人的「主體性」逐漸地喪失了，笛卡兒曾說過「我思故我在」的一句話。我現在把這句話作便宜的解釋是：人只有在思想中，才能發現「我的存在」，卽主體性的存在；也只有在發現「我的存在」時，才能够思想。現代人已經把「自我」的主體性淹沒在技術與官僚之中而成爲「大衆」了，當然會過著不思不想的生活。

四

現在，想再從另一角度來說明現代人不思不想的生活情形。科學，是人類思想所得來的最輝煌地結果。可是，現階段的科學宣傳者，正在用科學的招牌，來加强現代的「無思想性」，這眞是更矛盾的現象。

人類思想的動機，常是來自在感官生活中的有所不足。譬如僅憑看，僅憑聽，僅憑行動，似乎覺得對某種事物把握得並不完全；覺得在可看與可聽的後面，似乎還存在着看不見，聽不到的東西，這便自然會引起思想作用。科學的目的，本是在於要把不可用數字測量的東西，變成可用數字測量，把不可用耳目感官視聽的東西，變成可用耳目感官去視聽。的確，科學在這一方面，已經得到了偉大的成果，與人類以不可思議的貢獻。並且科學發展的成果，不僅代替了人的體力勞動，同時也代替了人一部份的思想活動；最顯著的莫如計算機。但若僅就這種代替性來講，它不是對思想的取消，而是由對思想某一部分的節約，以便轉用到更深更遠的方面去；好似不能因爲有了計算機便不要數學家一樣。

更重要的是：在人類生活中，永遠存在著只能由心靈去接觸，而不能完全訴之於用耳目感官去感受的東西。這種不能完全訴之于耳目感官去感受的東西，並非等於不眞實，更非等於不需要。站在人的生活立場來講：或許這些東西卽是最後的眞實，最後的需要。宗教、道德、藝術這一屬於「文化價值」系列的東西，便是如此。現代科學宣傳家，對於凡是不能用自然科學方法處理，不能使其可用數字測量，不能使其可用耳目感官去感受的東西，便認爲皆是不眞實的、不需要的東西，而要求從學問範圍中加以放逐，亦卽要求從人的現實生活中加以放逐；於是文化中的「價值」系列，與文化中的科學系列，切斷了關連，要求現代人的生活，完全活動於感官活動範圍之內；科學與商業連合起來，儘量使人的感官，得到圓滿無缺的滿足，以消蝕使人去思想的動機。由此所發生的人類問題，其嚴重性恐怕不在前面所說的情景之下。

五

一九五一年我在東京時，有位日本朋友請我看了一次日本的舊戲，引起了我許多感想，使我寫了一篇「從戲劇看中日民族性」的通信。這次來到東京，托朋友之福，有位臺籍的明慧多姿而又多貲的鄭小姐，請我看了一次東京的現代歌劇；節目的緊湊，場面的壯麗、瑰奇，變幻莫測，眞使我這個鄉下佬，看得「眼花撩亂口難言」了！但看完後，不僅沒有引起我的什麼感想；連在場的日本人，旣沒有笑聲，更沒有歎息之聲，因爲它連起碼的感染力也沒有了。

「笑」是很輕鬆的事。但現代的笑匠，很少能引起一個成年人的眞正地笑。中國有兩句成語：「會心微笑」，或「相視而笑，莫逆於心。」這兩句話是一個意思：即是眞正的笑，是要把感官的東西凝注在心裏面，心裏面發現有由感官所誘導，但並不能由感官所完全表達出來的可喜可悅的東西，這才自然而然地會發出眞正的笑。所以笑與人的「心」是不可分的。現代笑匠們的動作，一傳到人的耳目感官上已經完事了。做得好，也只會使人「嘻嘻哈哈」，並不能引出代表內心喜悅的眞笑，更說不上帶有眼淚的笑。

這場代表現代文化的歌劇，只是從聲和色方面，使耳目的感官，得到一連不斷的新奇印象。劇本的一切，都感官化了，都表現在聲和色的上面了；聲和色的後面，已一無所有；人們在感官上所得的東西，不消凝注向內心裏面去，已經從感官上溜走了。這完全成爲「無意義地熱鬧」。無意義地熱鬧，或許就是人們所說的「胡鬧」；這豈不可以說明現代人何以會過着不思不想地生活的一面嗎？何以會如此？因爲現代的科學宣傳家，堅決主張在感官能直接感受的部面以外，只是情緒的虛幻，應該用數目字的演算去把它割掉。

六

更顯明地表現現代人生活情調的，再不妨說到東京盛極一時的脫衣舞。男性對於女性，假定有了好感或野心，常常會通過女性穿的衣服而發出許多幻想。一位女性，常常是在這種幻想中而增加其神秘性、複雜性、藝術性；因而也可以把性的單純觀念沖淡，乃至加以淨化。並且這種幻想的本身，也是使人用思想的有力動機，乃至也是可貴地一種思想方式：人在這種思想方式中，一樣可以把自己的生活深度化、廣度化。若再加上中國所說的「發乎情，止乎禮義」，則男女性的關係，便更能維持正常而圓滿的關係。但現代文化的性格，却不容許這種有意義地幻想；更不承認有所謂看不見，摸不着的止乎禮義的「禮義」。所以乾脆把女人的衣服，在大庭廣衆之前，脫得一乾二淨，使大家能一覽無餘，再用不到隔著衣服去「猜」去「想」、去出神發癡；因而把男性對女性的要求，只凝縮到最單純地一點上面去；這種直接了當的辦法，該多麼合於現代人生活中的科學法則、經濟法則。所以在東京脫衣舞的後面，是隱藏著整個地世界、和整個的文化的現代性格。現代人的生活情調，在不知不覺中，正向此一方向發展。現代的文化，使現代人對於要看的東西，一眼便看到、看盡、看穿了。對於不能看到的東西，有如對女性的神秘感、藝術感，乃至羞惡之心等，則貶斥到虛幻的角落，而代替之以澈底地現實感與單純化。假使有人出而反對，最客氣的也會駡作「

衞道者」。被駡作「衞道者」的人，在現代人的心目中，比駡作「强盜」還可惡！這是台灣的報紙，爲了掩護他們大量利用黃色新聞以作賺錢工具所經常使用的手法。

但是，凡是腦筋正常的人，誰能看了一次脫衣舞後，再想去看第二次呢？誰肯殘酷地要求自己的愛人，整天的脫衣伺候呢？人究竟是人，人不甘心處於動物的地位，而依然要追求耳目感官所感受不到的東西。所以對於「脫衣文化」的反抗，是必然的；因而對於思想的再躍動，也是必然的。

七

這裏不要誤會，以爲此種不思不想的生活，是科學發展的必然結果。目前的現象，只是來自人忘却了自己的主體性所發生的虛脫現象。科學的宣傳者，要人忘却自己的主體性；但科學的自身並不曾要人忘却自己的主體性。沒有「人心之靈，莫不有知」的主體性，則「天下之物，莫不有理」的客觀性便不能成立。使人化爲物的是人的自身，科學家也並不曾叫人「物化」。因爲科學還不能造出人的生命。所以要從目前動物化的不思不想的生活狀態中超拔出來，所要求的是對科學的反省，對人自身的反省；而決不是反對科學。這種反省的開始，也卽是思想活動的開始，也卽是人恢復了自己在科學中的主宰性，因而成爲更高度地物質世界中的主人的開始。此時的科學，自然會馴伏下來而成爲人類思想的助力與結果。

一九六〇、四、十二、十三　華僑日報

本文中所提到的鄭小姐，當年憑藉她的美慧多才，賺下許多錢，以奉養她的母親，撫養她的幾個弟弟。我去年聽說，她的母親因爲她人老珠黃，弟弟們長大，便把她掃地出門了。這也是現代文化中的挿曲。

一九七〇、十二、十二　校後誌

從生活看文化

——東京旅行通訊之三

有人說「文化就是生活」，這句話，我覺說得太籠統。動物也有生活，但我們很難從一般動物生活中找出什麼現象可稱作文化。

一

文化是從生活各種程度的反省中而逐漸建立起來的。所以由生活的目的性、理想性所建立起來的東西，我們才可稱爲文化；因此，生活與文化之間，並不能簡單畫上一個等號。現在許多人把文化這個名詞用得太濫了，反失掉了此一名詞成立的本來意義。不過，文化一定是從現實生活中昇華起來；並且昇華以後，依然應當，並且也必然會落實，和擴大向現實生活中去；因而生活與文化，常常是緊密相連，這到是無可懷疑的。所以我們可以從文化方面去看生活，也可以從生活方面來看文化。

文化，是不斷地在變遷；所以中國第一部有哲學意義的書便稱爲「易」；「易」就是變易。文化的變遷，有的是出於自然的趨向，有的是出於人爲的努力。在變遷中要找出一個不變的東西，這是古今中外，人類在文化上所發生的共同要求，這裏不涉及此一問題。但即使是要追求不變的東西，也不過是想作爲變遷的根據，作爲判斷變遷的價值和方向的標準。決不會因此而否定變遷的必然趨勢乃至對變遷的要求；所以文化的變遷，是不會成爲問題；所成爲問題的，是文化在如何的變遷？以及應當如何去變遷？文化上的爭論，大體是從這裏發生的。就我國來講：這是貫穿於庚子變法、辛亥革命、以及五四運動的大問題。

二

中國現在大陸的情形，一切是從根子都變了。這些變的要求，實際孕育得很早，尤其是在五四運動時代。從某一方面說：共產黨是繼承五四時代的要求而使其現實化。但是，不僅現在還保有自由的五四時代的知識份子，一致反對共產黨；即現時仍在大陸的五四時代乃至後起的知識份子，我相信他們的內心，一樣的是反對共產黨。在「百家爭鳴」的大騙局下，他們對共產黨的批評，和我之所以反對共產黨的原因，並無二致。但這裏我所要追問的是：共產黨在許多地方，是在澈底實現五四運動時代的要求；爲什麼直接或間接參加了五四運動的人，對於共產黨的作法，却又劇烈加以反對呢？問題很簡單，五四運動，是代表中國歷史的一個大轉向；即是中國歷史，到此已非大大的轉變不可。並且這種轉變的趨向，隨客觀要求的深刻化，便會表現爲對傳統文化的打倒。這時的知識份子，只順着要變的傾向，而一往直前地向前去衝。誰能衝在前頭，誰便是英雄，誰就有號召力。於是文化上的變，和現實的社會生活，完全脫了節。這種與生活完全脫節的文化運動，不是消散於空虛之中，卽是需要憑藉暴力才能加以實現。因爲懸空的文化運動，不可能領導社會走上正常而堅實地前進道路。因此，從生活上的演變情形，來看文化變遷的途徑，或許也可以供對文化有責任感的人們以參考。

三

我隔了九年再到日本，由於現代技術突飛猛進，日本人的日常生活，在物質這一方面的變遷，眞使人有隔世之感！這種變遷，大約可把它分成四種形態：第一是舊的東西，加上了新的解釋。譬如說，出門帶「便當」（飯盒），這是日本人生活中的老傳統。我有一次，同朋友買現成的「便當」去野餐，便當上面，附有由五種不同顏色的圖表所作成的說明書，根據圖表，「便當」裏面的東西，可以變爲人體的氣力與體溫的食物占百分之四十，可以變爲人體的血與肉的食物占百分之二十，可以變爲人體的骨與齒的食物占百分之三十，可以調和人體的情調的食物占百分之十。此外還有增進食欲的東西，未列在百分比裏面；所以總加起來，這一份「便當」，有五大特色，對於購買者，有百分之百以上的營養價值。但打開一看，却完全是幾十年前的東西，沒有一點新鮮事物。當時我覺得日本的商人，未免宣傳得太過了。但仔細一想，這種新地解釋，是經過了科學分析的。由於此種分析，不僅重新肯定了這種「便當」的價値，使人放心食用；同時也提高了吃「便當」者的興趣，增加對「便當」

的理解，而使它發揮了更大的效能。所以這種新解釋，實際也是一種新安排，甚至也可以說是某種方式的創造。因爲現代人，要求有這種新解釋。不過，這種解釋的意義，乃是立基於現代人人可以承認的科學方式之下。不如此，則反會引起人們的疑慮，得到相反的結果。

這幾年來，我反對毫無理由而否定中國傳統文化的人；但也同樣討厭對中國傳統文化作牽强附會地歌頌的人。所以把傳統文化作適合於現代人的理解力的新解釋，是一件大事、難事，而須許多人好好去作一番努力。

四

第二種形態，是新地內容，却保持舊地形式。最顯著地，莫過於日本女人所穿的草履。草履，當然是用「草」作的。但現在幾乎都是用化學的化合物作成，草履的「草」，早已不知去向了。買草履的太太小姐們，決不會因這種名實不符而與商人發生爭論；更不會因這種名實不符而聽到傷今懷古的嘆息之聲；也沒有革命家在這裏嚷著革命得太不澈底。爲什麼？化學化合物，比「草」作的要便宜、輕捷，而且更美觀，爲什麼非用草不可呢？這種草履之發生，是爲了適應日本房子裏不能穿鞋子，因而減少出入穿鞋脫鞋的厤煩。這種需要存在一天，爲什麼一定要把它完全革掉呢？現實生活，無言的解決了變遷中的糾葛。

第三是代替與並存的形態。這幾年因爲我特別留心家庭生活，所以這次到百貨店，常常留心廚房用具，乃至家庭用具，我發現日本人在這一方面所用的舊東西，幾乎都被淘汰了，而代替以各種各樣的電器化、塑膠品的東西。這些東西，第一是便利，第二是美觀，第三是價錢便宜，富有社會性；所以不經過任何鬥爭便發生了新舊間的大革命。但是，三十年前用來裝書的這一類的輭篋箱子，居然還在最大的百貨公司「三越」裏面找得出來，使我爲了運書問題而鬆了一口氣；因爲大概目前還沒有什麼東西可以代替它，所以它依舊安然無恙，我回臺灣時還可以利用它。同時，用竹、木所做的舊式東西，却從日用品的地下或一樓而升遷到五樓或六樓去陳列，價錢貴得嚇人！原來它們已由日用品而升爲藝術品了。當然這種升，必須具備某種藝術的條件，不是可以濫竽充數的。它們的銷路固然不會大；但人類社會之所以可貴，便在於除了熱門貨以外，還有這類的冷門貨，以滿足少數人的特殊興趣。在這裏，用不著前進份子、革命份子，向這一個角落鼓噪；因爲這裏有選擇的自由，你不高興，你不買它好了。等到一切人都不買它時，它自然會從商場匿跡了。

第四是從無變有的形態，這正是社會前進的顯明結果。在沒有拿出新東西以前，不要空嚷著，怕社會不接受；先把有了的拿出來，接受社會的考驗；在考驗中作技術和經濟上的改進，自然會刺激社會新地需要，開闢新地市場。九年前日本沒有電視、沒有電動洗衣機等等；現在有了，用的人一天多一天，社會的生活既因此而提高；發明、製造的人也發了大財，豈非兩利之道？許多沒有結果的紛擾，是來自一無所有的空心大老闆，駡這駡那；但文學、哲學、史學、一切社會科學、一切自然科學，都是望梅止渴的空架子，拿不出一樣東西來，這是最無辦法的事。

六

作爲一個社會的整體的變遷，是上面四種形態，自然結合在一起。其中有時某一形態的比重或者特別輕，或者特別重，都是另有動力，而由現實生活加以判斷，似乎用不着什麼鬥爭。當然，這須要有充分地政治自由，以作爲此種和平變遷的前提條件。假定有人用政治的强制力量，硬來保護「劣貨」，推銷「劣貨」，其相激相盪，由思想鬥爭而演至革命流血，亦事有必至，理有固然。我在東京百貨商店裏，深深體會到在自由選擇之下，「天地密移」的道理，而感到中國百多年來知識份子由於意識與生活脫節所發生的大不幸。不過，日本社會這種現代化的變動，主要是來自技術家和工商業的經營者；與思想家無關。日本的思想家（假定有的話），一樣是與現實社會脫節的。

一九六〇、四、廿二　華僑日報

從「外來語」看日本知識份子的性格

——東京旅行通訊之四

一

拿一件具體地事情來推斷某一整個現象，很容易流於「以偏概全」的危險。尤其是現代的知識，本是多歧的；所以現代的知識份子，也一定是多歧的；通過「外來語」這一個事象以推斷日本知識份子的性格，上面所說的危險性將更大。

不過，在同一時間、同一空間的許多共同生活因素之內，無形中，常有爲人所意識不到的共同伏流，貫穿於各種不同的活動形式之中；而這種共同伏流，也常會通過公約數最大的事象而表現出來。外來語，正是日本文化活動中公約數最大的事象。從外來語看日本知識份子的性格，或許也能浮出日本知識份子性格的一面。

所謂外來語，這裏所指的是以本國文字去拼外國語的音所形成的語言。譬如香港的「士多」、「的士」，這卽是外來語。外來語的發生，一是來自新鮮事物的出現，有出於本國語文所能表達的範圍之外；一是某種新觀念之介入，很難用本國語文的意義表達它原有的意義；或者因勉强地表達而使人發生誤解。因此，外來語的發生，是人類文化交流的自然結果；也可以說是人類文化由交流而豐富、進步的象徵。現在沒有不包含外來語的民族語言，就是這種道理。

不過，人類對於文化的吸收，也和對於食物吸收的情形一樣。吸收食物，必須經過一番消化作用，使食物變成自己的東西，才有營養的價值。所謂「消化」，是把吸收進來的東西，重新加以「消解」「變化」，在取其精而遺其粗的過程中，加以新地構造。文化的吸收消化，也常表現在新名詞的構成上面。譬如說，中國原來沒有「汽車」，汽車這樣新鮮東西進來了，沒有原來的名詞可用；若用英文的原名稱，又感到太陌生了，大衆不易接受，於是把原有的「汽」字和「車」字合在一起而成爲「汽車」，這卽是經過了一番消化、構造，而成立的新名詞。日本稱爲「自動車」，情形也是一樣。至於 bus，可以用「巴士」的外來語，也可用「公共汽車」的新名詞；兩者的本身，都無是非得失之可言。不過香港人稱「巴士」的多於臺北；臺北稱「巴士」的人多於臺灣其他城市；鄉下人則只稱「公共汽車」而不稱「巴士」；這裏却說明了對外國風習感染性的大小。Democracy，在五四時代多稱爲「德謨克拉西」；現在則多只稱爲「民主」。這一些無形地演變，也說明在新名詞上由吸收而消化的自然過程。這一過程，對外來語又發生了一種制約性，不至使它有過分的膨脹泛濫的現象。「民主」這一名詞，在西周初年已經有了，意思是「君爲民之主」，與現在的含義恰恰相反。但新名詞的創造，總不出於拼湊、併用、聯想等構造、消化作用，一經約定俗成，大家也就安之若素了。

二

日本接受西洋文化，還在中國之後；魏源的「海國圖志」，曾對日本發生了啓蒙作用。但日本接受西洋文化的速度，却遠在中國之上；他們的假名，較用中國字拼外來語的音，又遠爲便利；因此，日本所流行的外來語，遠較中國爲多，這是很自然的事情。

不過，日本自明治維新以來，外來語雖然一天多一天，但把外來語消化爲本國語的新名詞，實際也卽是消化爲漢語的新名詞，却佔很大的比例。漢語，對日本人而言，也應算作外來語；但因日本原來沒有文字，不得不以漢文作他們文字的主體，所以漢文也等於是日文。戰後十多年來，不僅把外來語消化爲漢語新名詞的工作，無形間已完全停止；卽使在日常生活間，日本已有極爲流行的文字語言，日本人也常棄置不用，在報紙、雜誌、廣告，乃至公共社交場所，大家都喜歡用外來語。用日本的假名拼外國音，固然較用漢文音遠爲方便；但有的拼音依然是無法一致的；所以假名拼出的外來語，既不是日本語，也不是外國語，只是一種不三不四的中介語。現代日本的知識份子，寧棄已經約定俗成的自己流行語於不用，非用這種不三不四的外來語不可。所以，現在日本的外來語到底有多少，沒有人能够統計，更沒有一部完全的辭典，而只能籠統的說，有數萬字之多。因爲它是在無限制地增加，任何詳細的外來語辭典，都不能够滿足看報章雜誌的需要，但較詳細的外來語辭典的銷路，並不及極簡單的外來語辭典銷路之大；這說明日本人對於無窮無盡的外來語，實際也多採以不了了之的態度。這種現象，應如何加以說明呢？

三

首先我們要了解，把吸收的食物加以消化，必須具備有胃液膽液等類的消化能力。要把外來語消化構造爲自己的語言，也需要有一種文化的消化能力。日本對西方文化的消化能力，是由德川幕府時代的儒教所蓄積起來的；這種蓄積，到了大正時代，已經開始消耗淨盡，在戰時中幾乎回到了精神的野蠻狀態。現時的日本，似乎已沒有文化的消化力了。若用生理作比喩，我們在文化上是患着便祕症；而日本在文化上則害的是直腸症。所謂直腸症，是吃什麼，便拉什麼的病症。表面上看，日本對新鮮事物感受之快，對世界出版物翻譯之快，介紹之快，恐怕在世界上是少可比擬的；但除了技術性的東西以外，日本人似乎永遠只是一個日本人；在他們生命的內層，並不會因這些五花八門的東西而眞正增加了什麼。日本處於東西接觸最爲便利的形勢，對東西文化，由融合而產生更高地新文化的工作，應當有所貢獻；一部分日本人，也曾這樣的想。但事實上，日本有思想文化上的經紀人、攤販者；而沒有思想文化上的工廠。有位日本的老學人曾和我說：「文化有三種形態：一是固有的，如中國；二是合成的，如日本的明治時代；三是殖民地的，如印尼、菲律賓。我們日本戰後的文化是殖民地的文化；現在慢慢地在轉好一點。」我不願說日本是殖民地的文化，而只感到日本的知識份子，一直是患着直腸症。反映在語言的運用上，開始是喜歡照外國音拼假名，不消費點構造的腦筋和聯想的作用；再進而反以這爲摩登時髦，表示自己認識外國字；

而實際只是吃什麼，便拉什麼的直腸症的最直接地表現。

文字太少，太固定，會因表現力不足而陷文化於貧窘。語言太多，太流動，也會因表現力過剩而陷文化於混亂。順着當前日本外來語增加的趨向，到底會得到怎樣的結果，似乎是值得考慮的。

四

日本知識份子在文化上所犯的直腸症，若稍稍尋找它的病源，我以爲日本的經濟，雖然早達到了工業資本的階段；但日本知識份子的精神，却充滿了商人的氣質。

商人氣質最突出的表現，一是「事大主義」，即我們所說的「向高帽子作揖」；一是「趕熱主義」，即是「只燒熱灶」，決「不燒冷灶」。這二者都是互相關連的。

日本在戰時以侵佔中國的瘋狂心理，作了些研究中國文化的工作。這種工作，因動機之不純，而不會有學術上的結果，是不待多說的。戰後對中國文化的態度，則大爲冷淡。但各大學裏幾乎都成立了「魯迅研究會」；魯迅的地位，已代替了整個中國文化的地位。日本過去何以會澈底接受中國的文化？因爲中國是「大」；現在魯迅的地位在日本知識份子的心目中，何以有這樣的高？因爲中共提倡魯迅，而中共在日本人的心目中，依然是「大」。假使中共突然發動清算魯迅而返轉身來捧胡風，日本人可能立刻把魯迅研究會改爲胡風研究會。日本人對西方文化的態度，也約略是如此。從另一角度看，日本人對於漢字的看法，本來早有出入；但近來廢除漢字之聲更高，漢字的使用更少，與外來語泛濫的情形，恰成一反比例。這除了原有的論點以外，却加上中共要廢除漢字的因素。日本的漢字應不應該廢，我沒有講話的資格與必要；但日本若廢除漢字，則它有現成的假名可用，與中共的拉丁化，並不相干；但日本研究中國文學的人，却趕快跑到北京去向中共學習拉丁化。這種學習的動機，實際只是「事大主義」的實踐。日本假定要廢除漢字，可以舉出若干理由；但在某大報所發表某教論理學的教授，主張廢除漢字的文章裏，却把明治時代和現時所翻譯的同一段文章作比較，發現明治時代所譯的比現時所譯的多出七個漢字；而現時的譯文，比明治時的譯文，要清楚得多，就拿這作爲應廢除漢字的理由。但若把明治時譯文的漢字去掉七個，而只留下假名，或者把現時譯文的假名旁邊，加上七個漢字，結果還是一樣；因爲就他所舉的譯文例證來講，清楚不清楚，是文句組織上的巧拙問題，與所用漢字的多少，根本沒有關係。難道說日本教論理學的人，也和中國標榜論理學的人一樣，連這點起碼常識也沒有？此無他，眞正的理由，只是事大主義。

至於文化上的「趕熱主義」，比上面所說的事大主義，應當多些積極的作用。因爲事大主義，完全是出於政治性的勢利眼；而世界上假定有某種新文化傾向成爲熱門時，總有他所以如此的文化上的原故，是值得去迅速介紹、了解的。但若只顧著趕熱，而沒有冷下來作主體性的思考的時候，這種「趕熱」，便等於臺灣這幾年來社會上對女明星的一窩風。在飛機場、在電影院門口，一窩風去捧女明星的人，女明星永遠和他無涉。兩眼祇顧東張西望、觀風色、搶鏡頭的文化工作者，一切文化，也只落得掠身而過。好似在飛機場上擠了一身臭汗，望了女明星一眼，夜晚依然要回到四個半榻榻米上蒙頭獨睡。

五

商人的氣質，和商人的現實主義，有互相循環的關係。商人的現實主義，是把一切利益集結到金錢；而金錢的利益，又只凝縮到當下的一刻。只從當下一刻的金錢利益去看整個的社會、人生、乃至宇宙，這便是商人氣質的由來；而商人氣質，也正是爲了實現商人的現實主義。日本的知識份子，對實際問題的看法，也正是這樣。

在五年以前，我曾在本報上發表過一篇「論李承晚」的文章，指出這種把自己無窮的權利欲，錯認作是自己無窮地能力和聲望的東方式的老人，對於東方以及他自己，會招到悲慘的結果；現在眞是不幸而言中。但我們對於南韓當前的事變，總是不知其然而然的出之以悲憫之情。但日本的報章雜誌，却一致出之以幸災樂禍的心理，和站在旁邊看笑話的態度。並且李承晚垮後，在過渡政府中，有六個曾在日本受過教育的人員，日本人卽欣欣然有喜色，認爲南韓今後會向與日本殘餘地殖民利益相結合的方向發展。

不特此也，號稱國民政府友人的許多日本朋友，幾乎一致大言不慚的認爲現時臺灣的同胞，非常懷念日本的統治；覺得現在的政府趕不上日本的總督府。言下之意，臺灣還有一天會回到日本殖民主義的懷抱。但是日本許多人提到　蔣總統時，還說幾句客氣話；而對岸政府却罵得狗血噴頭；難道說這些日本人眞認爲日本的統治者趕不上臺灣，而要歸到　蔣總統的治下嗎？國民黨的措施，誠有許多不能令人滿意；但是難道說臺灣的人民，要求回到日本的殖民時代，政治上不能當一個科員，經濟上沒有一個銀行，沒有一個工廠，文化上只有一個中學，只能學點起碼技術，而不許學點政治、法律、教育嗎？日本的知識份子，對南韓、對臺灣，縱然沒有眞正由良心發出的歉意，難道說對問題的觀察，也會這樣淺薄嗎？此無他，商人的現實主義，掩蔽了他們應有的智慧。

不過，他們爲了追求現實利益，也有另一面的手法，這種手法，不妨用東亞影展來作一例子。他們爲了要獲得香港和南洋一帶的電影市場，於是在東亞影展中，不拿出自己第一第二流的片子，不拿出自己第一第二流的明星，以便把榮譽平均分配給和香港、南洋電影市場有密切關連的兩家電影公司；一面使他們皆大歡喜，盡量幫它開闢市場；一面使他們自我陶醉，不求進步，受到時間與社會的淘汰，這種策略是很技巧地；但一經拆穿後，日本在國際上，還會結交到一個眞正的朋友嗎？

六

我以「老學生」的心情來到日本，在日本所學取的，乃至使我佩服、慚愧的人和事，眞是不少。但作爲一個民族，一個國家，分擔一份時代艱苦使命的立場來看，日本的知識份子，在可以有所作爲的當中，却受到了自己基本性格的限制，這不是日本前途之福的。譬如許多人說，日本戰後的自由是太多了；不過我認爲，自由應當是暴力的尅星；但日本的議會政治，實際含有暴力政治的重大因素，隨時可以被右翼的人取消，隨時可以被左翼的人取消，並且也臨時取消了許多次，所以民主政治，並沒有在日本知識份子生下根，這一點便可釀無窮之禍。

爲甚麼會如此，因爲日本知識份子，似乎失掉了文化的消化力量，所以外面是七寶樓臺，而內心恐怕是一無所有。社會的進步，大概應歸功於兩種類型的人：一種是向前追、向前跑的人，這種人以「鷹隼擊高秋」的精神，抓住每一個可以利用的新鮮事物，發展了與工商業有密切關係的技術。一種是在人潮中停下脚來，抬起頭看，低下頭想的人；這種人在他向高處看，向深處想的當中，擺脫了眼前地、局部地利害的束縛，亦卽擺脫了「大小」「冷熱」的束縛，而浮出了人類大利大害的慧眼與責任心，以形成充實人生、社會的思想文化。前一種人是識時勢的俊傑；後一種人是反省時勢，扭轉時勢的聖賢。日本的知識份子，願意當俊傑的人太多，願意當聖賢的人太少，這便令下焉者走上隨聲附和，上焉者會走上夸父追日之途的。當然，認眞的講，還不僅是日本知識份子的問題，而是整個自由世界知識份子的大問題。

一九六〇、五、五、八　華僑日報

按：就台灣十年來知識份子所表現的情形來說，使我感到本文對日本知識份子的批評，是深自慚愧的。

一九七〇、十二　十二　校後誌

日本的鎮魂劑——京都

——東京旅行通訊之五

日日環繞於三池礦山的左右勢力的鬭爭，環繞於日美安全條約的左右勢力的鬭爭，似乎織進了東京的每一條街道、每一個商店、乃至每一個人；使住在東京的人，都在由鬭爭氣氛而來的混亂、緊張中生活。

一

大家的心境，好像是在三峽的激流中坐上一隻破舊的木船搶渡一樣。再加以美國U二機被蘇聯擊落的事件，更增加了東京的神經過敏症，而使東京的氣氛，眞越來越尖銳。我便從這種尖銳氣氛中，作暫時的逃避，於九日早晨逃避到京都來了。三天來在京都的巡禮，使我直接感到京都原來是日本的鎭魂劑；假定只有東京而沒有京都這類都市，日本人會成羣結隊的住進精神病院，還談什麼東方文化呢？

上述的各種時代的激流，一樣的從報紙、雜誌、電視、收音機等，流向京都；並且京都裏面，一樣的有充滿了鬪志的大學生乃至高級知識份子。但這些激流，流到京都以後，從京都整個的社會氣氛來說，只算增加了一點琵琶湖上的微波：琵琶湖並不會因這些微波而洶湧、動搖，失掉它平穩的風貌。若將這裏和東京作一對比，則這裏是從容，東京是忙迫；這裏是寬紓，東京是擁擠；這裏是閒談，東京是喧擾。從東京來到這裏的人，我相信都會於不知不覺之中，鬆了一口氣，而暫時有回到故鄉的平安地感覺；把尖銳、紛亂的心情，恢復片刻的寧靜。雖然是片刻的，但對於現代人的生活而言，依然可以發生鎮魂的作用。

二

時間之流，只有「過去」、和「未來」，很難把握住所謂「現在」。因此影響於人生的各種力量，除了偉大的藝術家、詩人，有所謂「當下」一刻的觀照或感動以外，不是把人拉着向前，便是把人拖着向後。近三百年來文化的性格，是把人拉着向前的性格；沒有這，卽沒有一般所說的進步。但假使在一天之中，沒有樹蔭小憩、茶亭小飲、野外或店裏小吃的時間，而只是不斷地向前走着，一路上縱有好山好水，但到了下午，饑腸轆轆，體力疲乏不堪，人生至此，還有什麼旅行的興味可言呢？現代文化的病根，及由這種病根所發生的危機，正與此相像。只帶着人們的精神向前，而沒有使人們的精神得到一點安頓，於是現代人的精神，實已過份地疲倦而墮入虛無、暴亂之中，不僅失掉了三百年來一直向前進步的意義；並且快要把這一股文化的力量，加以毀滅了。現代人生活上的苦悶、危機，乃是由於精神上得不到平靜、安頓而來的苦悶、危機。

文化上的精神平靜、安頓，應當是來自個人內心的反省，由內心的反省，暫時從外界的喧擾、束縛中擺脫出來，使心地歸於淸明、寧靜；以淸明寧靜之心，諦觀外界的事物，而賦與以新的評價與方向。但這只有少數的大思想家才可以作得到。就一般人來說：常要依靠某種把人拖着向後的力量，與拉着人向前的力量，取得某程度的平衡，在平衡中得到精神的平靜與安頓，以保持人生的正常狀態。京都之在日本，正是發生這種平衡的作用。

東京的一切，都要搶着爭「新」，不新便被淘汰，京都的一切，則似乎都要帶點「古」的氣息；不古，便沒有光輝。連近代的東西，也要把它戴上「古」的帽子；所以京都還保持着一段在日本是最古的電車。

以歷史悠久相誇的點心店，手工藝術，帶有古色古香的陶器店、舊書店，在京都的市面上，直到現在，都佔有相當的比重；再加以千年、百年、幾十年前所遺留下來的許多庭園和許多廟宇，其保護之周，培植之力，更構成了京都淸靜幽玄的景色，使遊人隨處可以發生懷古之幽情。「懷古」，即是把人的精神拖着向後走。但京都不是孤立的；它並不會眞地開倒車；因爲還有更大的力量拉着它向前。因此，它的向後走，實際只是給向前的力量以若干的制衡作用，以保持它自身的平靜。

在上述的京都事物之中，最重要的是廟宇，京都可以說是廟宇的都市。廟宇中有一類是神社；我對日本的神社，素無好感；因爲在神社後面，藏着日本狹陋的日本民族精神。即使是京都有名的平安神社，仿造着中國式的宮殿，並有很淸幽地中國山水畫式的庭園，也無法去掉我的成見。但佛教的寺廟，雖然沒有中國寺廟的雄渾，但總能保持一種靜穆莊嚴的氣氛，會給善男信女以精神的感染。佛教和基督教，同是世界性的偉大宗教。但基督教的精神，是由尖銳地哥德式的教堂建築所象徵着；而佛教的精神，則係由柔和地線條所構成的寺院頂蓋所象徵着。寺院的頂蓋，都是很崇高地；但構成頂蓋的線條，却用的是弛緩地弧形，所以直而不硬，方中有圓，於是在高矗之中，含有與地面相親和的善意。若說儒家文化，是積極性的和平力量，則佛教便是消極性的和平力量。世界上，只有這兩大文化是眞正代表人類走向和平之路的文化。

過去，在春季的杭州寺廟中，可以看出對照很明顯的兩種進香的仕女，一種是從上海來的摩登女人，跪在佛前很急劇地上下其手，以表示她是在焚香拜佛；一面抽籤，一面目光四射，她的心事不外是如何從情郎手上多揩點油水，以便大大地享受一番。另一種是從鄉下來的老太婆，面前掛一個香袋，低眉落眼，跪在地上半天不起來，眞是今生一切放下，祇念來生。日本人在神佛面前的男女，其虔敬之情，都近於後一種形態；使我這位旁觀者覺得有些抱愧。這一股虔敬精神，即是日本人能吸收文化、保存文化的基本動力。

東京不是沒有寺廟的，但早淹沒在激流之中，無聲無臭。無聲而有臭的則係淺草的觀音廟，它等於過去上海的城隍廟，把觀音菩薩變成在熱鬧場中扡旗打傘了。

三

人在從容閒暇中，始有眞正的生活情調。所謂情調，是暫時把現前的利害忘記，對生活作某方面的欣賞。在生活的欣賞中，才有「人情味」的浮出。東京，是生活「角逐」之場，在角逐中只有利害的比較。因此，來到京都後，會感到京都的人情味，遠勝於東京；雖然我在東京有不少的好朋友。

東京人生活的特徵，第一是「忙」，越重要的人越忙，于是忙與不忙，成了衡量一個人的份量的尺度。正因如此，有的人似乎並不太忙，但為了免得被人瞧不起，也得裝作忙的樣子。要裝作忙的樣子，便得找些可忙的事情；久而久之，就弄假成眞，每一個人都忙起來了。四圍的人都忙，偶或有一兩個閒人，也被旁人帶着忙；我住在東京便是如此。在大家眞忙、假忙、帶忙的生活中，那怕是極好的朋友，若不事先約定，便不好去驚動他。驚動他以後，除了談談最現實而具體的事情以外，還能談什麼學問上的問題呢？杜甫憶李白的詩：「何時一樽酒，重與細論文」。不「細」便不足以論文；而細是要在從容閒暇的一樽酒之間得來的，我謝竹田博士請我吃飯的詩的末兩句是「千萬人闐塵滾滾，願從閒處作商量」，便是深有感於東京不是談學問的環境；因為它太忙而把人情味忙掉了。

到京都後，雖然有的學者也是由朋友們約時見面，但有的却用闖門的方式，大家依然意態從容，可以隨便談談心裏所想說的話。換言之，京都的學者，似乎對學對人，多一番眞意，因之也多一番人情味。假定有的學問，是應當在平靜的氣氛中去研究，應當由根性穩定的人去研究，則京都大概在日本是最適合的環境了。而世人一般的評論，認為京都大學的文科，勝於東京大學的文科，原因也大概在此。昨天我聽朋友告訴我，京大有位在文科很有地位的教授，曾公開向人說「我是頑固份子」。學問不能向東張西望的人身上生根，而只能在頑固者的身上生根，這是我年來多方觀察所得的結論。頑固，乃是脚站得穩的意思，因此，對京都，將有更多的期待。

一九六〇、五、十八　十九　華僑日報

京都的山川人物

——東京旅行通訊之七

一

外地人到京都去，只適宜兩個目的：一是遊山玩水；一是讀書講學。並且這兩個目的，都應當有從容的時間，有閒適的情調。我這次到京都，除了遊山玩水以外，却抱着「求友」和多了解一點日本有關中國文化研究情形的目的。但兩週的時間，實嫌匆促；這便對它的山川人物，增多了一番未了之情。

京都三面環山，中間流出幾條不大不細的溪水，有如南京的青溪——秦淮河。不過，南京不僅只有一條秦淮河，並且因地勢平衍，河水的宣洩力不够，所以它不容易把市井加在它身上的汚穢，洗滌得乾淨。難怪有人說「秦淮一曲汚泥水，贏得千秋薄倖名」了。京都，可以說有好幾條秦淮，加以它們都是出山不久，地勢嶔崎，流速相當的大，因此，尚能保持在山時的幾分「淸」意。何況兩岸的踠地垂楊，對大道上熙來攘往的行人，似乎永遠在斜抒青眼；這如何不令人對它增加一份依戀呢？不過，話也得說回來；站在京都鴨川的加茂橋頭，徘徊徙倚，所給與遊客的，正似京都「一保堂」的銘茶。若站在南京秦淮河的朱鵲橋邊，徘徊顧盼，所給與遊客的，恰似夫子廟「六華春」所藏的百年紹興陳酒。銘茶的一股淸味，可以使人的情緒，得到片刻的冷然；但「淸」與「淡」相連；片刻的冷然，並不能眞正解除人的內熱。百年的紹興陳酒，只是淡淡地香，淡淡地味；但淡中却有咀之不盡，聞之不窮的「肉奶奶地」深度與厚度，使人於不知不覺之中，解脫了自己，而沉浸在它的懷抱中去了。何以會如此呢？一個東西的深度與厚度，是在長期歷史中醞釀出來的。秦淮河過去是隨我們國家的破落而破落了；但由一千多年的風流文物所醞釀出來的一種氣氛，也正像紹興百年的陳酒。我們試讀「往事尙遺殘礎在，也曾親近玉人鞋」的詩，誰能對破落的秦淮，不引起一番根觸傷感呢！

二

京都三面環山，再加上一個琵琶湖，也够得上杭州的「湖光山色」。不過杭州的西湖是擁抱在環山之中；而京都的琵琶湖，却背離在比叡山的外側。離開了山，便不能構成京都之美。中國有「城市山林」的話，把城市和山林兩個相背反的東西，作合在一起，使城市中有山林的淸幽，山林中又有城市的便利，這確是理想的生活環境。不過，自然還是隨着人文而移轉。香港還不是背山面海嗎？但誰人能對香港有「城市山林」的感覺？香港是商業社會，一切都披上了近代商業活動的色彩。商業社會的人，對山的估價，只是偶然可以兜兜風，吐吐空氣，開開眼界；這在商業社會的整個生活中，只能佔千、萬分之一的比重。但京都千年的歷史，却與山結下了不解之緣。可以說京都的生活世界，是從山中展開出來的生活世界。一切的廟宇、庭園、都是生根在山上，或與山保持親近的血緣。大自然中最殘酷的景象，莫過於濯濯地童山；近郊的山，尤其容易受到市井的摧害。但日本人，在林木的保養培植方面，的確作了不斷地努力；所以三面環繞的山，在初夏時都是綠陰匝地；因此，京都才配稱作「山林城市」。

談到京都的山，首先應當數東山。東山的坡度延伸下來，便成爲京都三分之一的街道，可見它與京都市有最大的親和力。但這個山在足够的廣度深度中，富有起伏曲折，因而富於擁抱力；所以京都的名刹，幾乎一半都被東山擁抱了，整個的東山便也成了包含許多寺院名園的一個大庭園。說也奇怪，自從詩經上的東山起，接下來便有謝安石的東山，再又有禪宗四祖五祖的東山；現在又看到日本京都的東山，東山的方位和內容儘管不同，但接觸到這一名詞時，都足令人悠然神往的。

此外，我還到了東山向右伸展出去的嵐山，桂川隨著山勢而宛轉，日人用「山紫水明」四字去形容它，並不算過份。我有一位很好的日本友人大野信三博士，怕我遊不到須有人介紹才能入內的名勝，所以特從東京打一電話給京都的警視廳；由京都警視廳派一輛車陪我看了桂離宮和修學院離宮之後，十七日用他們的車子上到了八四八三公尺高的比叡山，這便把京都及京都附近的景物，都收在眼底了。在山的最高點，建有一個「廻轉展望閣」，人坐在閣裏的櫈子上，閣會自動廻轉；廻轉所到的方向，和極目所到的遠景，都標寫在玻璃上，使遊客毫無投足舉步之勞，即可安享四面八方的風景。其實，點綴於這山峯上的近代機械，只合在小孩子面前誇耀一番。眞正有山水雅興的人，依然會負手低吟，昂頭遠眺，而不須靠這點機械之巧吧。

三

前面，我已說過，京都是廟宇的都市。離開了廟宇，便無法想像京都。日本在德川幕府以前，從中國接受過來的，主要是佛敎文化。廟宇是他們敎化的中心，也是他們政治活動的中心。日本大量吸收中國文化，可以說是開始於唐朝。唐朝，也正是中國佛敎極盛的時代。因爲這種原因，所以日本最早的廟宇，多半是模仿唐代或宋代的規模；連京都城，據京都大學吉川幸次郞敎授告訴我，也是模仿唐代的長安而建築的。我很奇怪京都這樣多的廟宇、庭園，爲什麼却缺少楹聯的點綴呢？吉川敎授告訴我，因爲唐宋朝時代，中國還沒有楹聯，所以日本也便沒有楹聯，由此可以了解，在京都、奈良的廟宇，還可以直接嗅出中國唐宋時代文化的氣息。

京都最有名的廟宇，多與政治結上不解之緣；所以它的第一特色，是每一個大廟宇的大部份，多是從前封建貴族的宮庭。參觀京都的廟宇，同時也等於參觀了千餘年前，幾百年前，日本封建貴族的宮庭生活。宗敎和政治結在一起，這便是日本佛敎弱點之所在。不過，這批貴族早成陳跡了；但他們的宮庭，却憑藉著我佛的慈悲而得保存下來，一併成爲今日佛敎廣大深遠的一種象徵，這正說明了化腐朽爲神奇的人類精神的創造性。創造性不僅是從無到有，並且也是價值的轉換。

其次，除了比叡山的延曆寺以外，幾乎每個名寺，卽有一個名園。西本願寺的庭園似乎最小；但同樣使人有另是一個小天地的感覺。問問引導者，那原來是模仿廬山虎溪而建造的。這些亭園，所占的面積並不太大；但都是在奥曲中表現出它的深遠；在錯落中表現出它的疏淡。中國的文人畫，有的受了禪宗的影響。而禪宗則是在當下的一念、一事、一物之中，參破宇宙人生的一切，呈現宇宙人生的一切。所以高貴的文人畫，常常是把自然，和人世中的複雜紛繁，淨化爲簡、淡的筆墨；在簡淡的筆墨中，展現藝術裏「無限」的意境。京都的庭園，雖各具特色，但大體是文人畫的構想。

不過日本的佛殿，和中國的佛殿，却有一個明顯的對照。卽是，日本佛殿的佛像，都是安放在幽晦邃密的複殿裏面，神秘的氣氛特强，予瞻拜者以對人世隔絕之感。這本是表現各種宗敎共同的特性。中國大雄寶殿的佛像，則常坐在爽朗光明的氣氛中，使瞻拜者感到它是在我們的同一世界中顯現其莊嚴偉大；而不是在另一世界中顯現其威嚴神秘。眞的，一切的東西，一進入到中國的文化裏面，便都明朗化了，便都人情化了。同是佛敎，也同樣反映出中日兩民族的不同地性格：一是開朗，一是深密的不同性格。

四

京都的人物，不是我在這匆匆地一瞥中可加以月旦的。有許多應該看的先生，沒有時間去看，有的雖然見了面，但除講些世故話以外，彼此都無印象，可以說，我對京都的人物，比對京都的山川，知道得還要少。本來，人物是比山川更難了解的，現在只把稍稍留有印象的隨便寫下，作此行的一個紀念。

因爲我中年和學術界脫了節，所以對於中日兩方面的學者，交往不多，知道的也很少。在東京，看到東京大學教授淡野安太郎先生，談得很愉快，他極力勸我應看看名古屋大學教授大濱皓先生，他最近著有「中國古代的論理」的大著，是值得談談的。另外還應當看看京都國立博物館館長神田喜一郎先生，這是一位博雅君子。並寫了兩張介紹名片。到京都第二天下午，順着東山邊緣的風景漫步，偶然看到了博物館，正開着民間物語繪卷展覽會，我便想起了神田先生，於是在看完了展覽會後，投了名刺去看他。我的日本話，原來就學得不好，再加以卅年的荒廢，簡直忘記得差不多了！所以，看生朋友，總要有一位陪著我作繙譯。沒有人陪著去看生朋友，精神上總感到是在冒險。神田先生見面很和氣，看來只有五十多歲，後來才知道他已經六十好幾了。他聽了我的日本話，便搬出他自己的中國話來；但他的中國話，似乎比我的日本話還稍遜一籌；於是他便拿出鉛筆和信紙，順着我所研究的中國思想史這一方面的談了下來。我老實告訴他，對於有些負大名的老先生的著作，並不很以爲然，比較覺得武內義雄這位先生的東西，倒還平實。他聽了我的話，寫「卓見」兩個字給我看；告訴了我一點武內先生的情形。他隨卽拿出尚未完全告成的一部近著給我看（書名我忘記了），我先看他前面的序，原來全是用駢散兼行的漢文寫出來的，文章寫得非常典雅，使我大吃一驚。「你原來會寫這樣好的文章呀」？「我很喜歡汪容甫的東西。想學他，學得不很好。這書印好後，一定送您一部。」我說，「你學得很到家了。大著眞是先睹爲快」。談到文章，正談到他一生心血之所寄，所以他也由謙退變得爽朗了。接著知道他還著有東洋學說林，典籍學劄記等書，這都非博雅不能辦。最近又出了一部「燉煌五十年」，可見淡野先生的推許不錯。因此，我深以未能赴名古屋看太濱皓先生爲憾。

五

京都大學，正是京都人文的中心，重澤俊郎先生，是京大中國哲學研究室的主任教授，在京大，我首先看到他，那是當然的。瘦瘦的個子，見人不很講話，很易令人誤會他是有些驕傲，所以中國人和他接觸的不多。大概同日本學人初見面，首先他要問「什麼是你的專門」。我看過重澤先生的著作，他也看過我的文章，所以彼此都不提這一套。我到京都，先由某君介紹一位喬君炳南招呼我；喬君在京大研究考古學，這次便由他繙譯。但一談到學問，便只好靠鉛筆了。重澤先生是不長於應酬的人，一談便談到我們的本行，我隨便提出研究中國思想史的若干關鍵，他非常同意。他不贊成目前走超直趕近的治學風氣；認爲治中國思想史的人，依然應對經學下一番功夫，並應認眞看注疏。我也非常同意。他說：「不丟掉經學，這是京大的傳統」；我覺得這是最好的傳統。臺灣師大畢業的黃濟淸君正在他們下作研究工作；我說「希望你對黃君，作這種嚴格訓練」。過了幾天，他約我吃飯，把陪着我玩的幾位年青朋友都請了。很委婉的問我：「聽說徐先生曾開文心雕龍的課，是否肯看范文瀾的注？你對范的爲人和他的注，有什麼感想。本來這是不應該問的話。」我說：「共產黨在學術上劃鴻溝，共產黨以外的人便不應劃鴻溝，所以文心雕龍的范注不僅我看過，並且也叫學生拿它作參考。我和范見過兩次面；拋開政治的立場不說，他到是一個正派而認眞的人，不過天分不高，性情狷急，他對文心雕龍雖然下了這麼多的工夫，但對文心雕龍的內容，並沒有什麼了解。」他聽後似乎有些惘然。說老實話，目前或許只有我能做文心雕龍進一步的整理工作，不知道以後有沒有這種時間。飯後，他要我參加他們的研究會，在同志社大學圖書館長室，有來自三四個大學的教授，共同研究晉書刑法志；我對這，平時根本不曾留心過，但為了不願辜負他一番眞摯的意思，勉強去參加了一個多小時，對於他們研讀精密，及在文字語言上所遇到的困難，留有很深刻的印象。經過幾次交往後，我了解重澤先生外表雖然冷淡，但內心對朋友、對學問，實在是很熱情的。因此，我想把旁人加給他的「冷酷」兩字，改為「清嚴」兩字。

六

凡是稍稍了解一點京都大學文學部的人，大概沒有不知道中國文學研究室的吉川幸次郎教授。他對中國文學方面的著作很多，漢文漢詩，也有很高的成就。加以他具有為一般文人所容易缺少的氣概與活力，所以在學問方面，除了埋頭研究以外，還有向社會開拓的力量。京都能維持儒雅風流於不墜，大概和他有很大的關係。他會講一口中國話，這便減輕了彼此見面時的精神負擔。他知道我開過文心雕龍的課，他便說「文心雕龍，恐怕受了佛教的影響」。我說，「我國也有人這樣說，其實，劉彥和作書的動機、結構、內容，他自己都說得清楚，是受了儒家的影響。只在論說篇推重過般若。至於文心的心字來源，劉氏他說得很清楚。佛家重視心，是後來的事，陸機文賦已經提到心字」。他說，「當然不能說文賦也是受了佛敎的影響」。他又提到范注的問題，認爲「一方面過繁，一方面又援引失當；譬如第一篇原道的第四個注，卽是一例」。我說，「他不僅如此，在第一篇後面所附的一個分類表，便分錯了。「辨騷」應屬於總論，他却分在分論裏去了」；隨卽把最後的「序志」有關的地方指出，他立刻說，「你的意見對了。」並立刻把我的意見轉告訴給另一位先生（大概是助手），說這是鐵案。他又說：「對文心雕龍的工作，讓給另外一個朋友斯波六郎去做，這位朋友做了一部分，可惜去年死掉了」。後來我向他講到這位先生「補注」的遺文，的確工夫下得很深，我把它攝影以作他日參考之用。

他隨卽帶我參觀有關中國的圖書，分擺在三個地方，又完備，又方便，眞令人羡煞。同時又介紹前人文科學研究所長貝塚茂樹敎授見面，他是考古學專家，實際是非常平易近人的一位學者；有人因爲他曾到過大陸，無形中便對他有點界限，這實在是可以不必的。

吉川先生在約我們吃飯的中間，談到京都漢學的師承，眞是如數家珍。現時有地位的學者，多分屬於狩野直喜、內藤湖南兩大師之門，他自己是狩野先生最小的學生。送了我兩部「君山文」（狩野先生的字），內有一篇左氏辨，實在非常精到。我以前看過他老先生的中國哲學思想史，不很滿意；原來他老先生是不喜歡宋學的；但在漢學方面，實在功力很深。

昨日在東京，有位朋友請吉川先生吃飯，我們又見了面；談到民國二十年他從北平到南京，曾看到黃季剛先生。在北平時，沒有人願寫介紹名片，因爲大家認爲這是不好纏的一位先生；結果，他到南京後，自己找上門去。他說：「我眞佩服這位黃先生，經典釋文中有這樣（我已忘去）的一句話，在北平問了好幾位先生，都不懂；問黃先生，黃先生不查書便輕輕答覆出來了。我近來做了南京懷舊的七首絕句，內中有三首便是關於黃先生的。」現在我錄兩首在下面，以見日本學者在學術上的良心。

車衝春雪涉沮洳，大學（按指南京中央大學）西邊揚子居。窗下臘梅香寂寂，飽聆磊落說虫魚。

向我憐君眼暫靑，卅年舊事思冥冥，穀梁音義毫芒析（按卽指經典釋文某條之解釋），始覺中原有典型。

七

我因爲很早看到平岡武夫先生所著的「經書的成立」「經書的傳統」，很感興趣，便想見其爲人。此次到了日本，知道他是京都大學人文研究所的教授，當然要去看他。他一樣能講流利地中國話；五十多歲，看顏色，還很年輕；但頭髮已經所餘無幾了。見面後，他說「不了解中國的文學，便不能了解中國的思想史；所以我們現在正整理白居易的長慶集」。他的話，我覺得也很有道理。並且知道在他指導之下，對唐代的文集乃至歷史，出了好幾部有價值的書。現在他所整理長慶集，是因爲唐時有位日本和尙赴中土求法，到了蘇州，適遇武宗禁佛，無從學習；而此時白居易正在蘇州，手定自己的詩稿文稿；這和尙閒中無事，便把白的手稿抄錄一通帶回日本。現此原抄本雖已不存在；但日本現存的南宋抄本，却係出於和尙的原抄本；平岡先生便拿另三種版本的長慶集，與此抄本，作詳細的對勘；並作成索引，要從白居易所用文字的慣性中，斷定四種本子的異同得失，由此而出一個長慶集的決定版；這確是非常有意義的工作。平岡先生對朋友很隨和，會說笑話；做學問却非常篤實謹嚴。

有朋友告訴我，京都大學的宮崎市定教授，是關西東洋史方面的重鎭，不能不和他談談。一見面，便可看出他是一位純樸的學者；最近兩年，是用全力研究元典章，並把油印稿的元典章索引稿送了我兩本；他訴苦似地說，最好的版本在臺灣，我希望能照一部照片來，但一直沒有答復。我對元典章毫無興趣；便請教他「京都大學，沒有研究中國史學史的人嗎？」我的意思是研究「歷史」和研究「史學」，應有點區別的。他說「內藤先生的支那史學史後，再沒有傳人了。」這到令我感到一點寂寞。

還有研究中國語言的小川先生，因爲他病了；研究佛教史的塚本善隆先生，因爲他到東京去了，所以都未及見面。臨離開京都時，匆匆地看到牧田諦亮先生，承他送了兩種近著，未及從容請教，這都是很抱歉的。文學部以外，看到由大野博士所介紹的經濟學部的中谷實博士，眞是一位篤實君子。又因李漢英博士的介紹，看了理學部的後藤良造博士，見面後大談大笑，天眞豪邁。這兩位先生都希望約我在一塊兒吃一次飯，多談一談，但竟沒有再領教的時間了。

我的老習慣是喜歡逛書店，這次來東京初逛書店，卽發現有厚厚一册的「老子的新研究」，腦筋裏便有「木英村一」的印象。以後從李獻章先生口裏，知道木村先生是大阪大學的教授，家住在京都，他並希望我去看他，所以到了京都後，便寫信給木村先生，約一見面的時間。木村先生隨後來電話，希望到他府上長談，並且在電話中知道他能講比神田先生高明些的中國話。有一天下午三點多鐘，黃君濟淸陪我前往，瘦瘦地個子，眞摯的表情，一看便知道是一位非常用功而又是肯用思想的（許多人用功，但並不用思想）學者。席地坐下後，卽談老莊的問題。我的日本話，凑上他的中國話，再加上黃君的翻譯，還是不够用，依然只好乞靈於鉛筆和信紙。越談越起勁，他便把坐的蒲團換成高椅子；再過一下，又把日本式的矮桌子換成高桌子，接着吃他夫人所作的中、日、西三者合璧的菜，邊吃邊談，中間沒有一句世故話。可惜這晚上另有約會，談到七點多鐘，只好拿着他送給我的幾篇文章告辭了。假定說人與人之間，眞可找出一片性情之地，推誠相與，那便是木村先生府上前後四小時的交往了。隨後我拜讀他的大著，了解他的研究工作很精很密，而眼光又非常犀利。在離開京都的前夕，倉卒寫封信給他，提出四點不同的看法，這完全是建立在他誠懇地學問態度基礎之上；否則便不可如此唐突的。果然，回東京後接到他的回信，對我所提出的四點意見，將詳加研究後答覆；並且又寄來存在他手中的若干學術雜誌，以幫助我對日本學風的了解。以後，我同李獻章先生開玩笑說：木村先生現時和我年齡差不多，在學問上還有二十年的時間可用；只是他身體瘦弱，而太太却年輕貌美，會不會因用功過度而有短命的危險呢？

立命館大學的白川靜教授，過去曾通過信、交換過著作；所以有一天晚上，乘便去看看他，他果然尚在研究室裏；對於我們這些不速之客，顯出他意外而天眞地高興；他是個很純樸的人，有點像鄉下佬，對考古學方面有興趣。在研究室裏忙亂一陣後，帶我們到樓上的中國文學哲學研究室看到竺原仲二教授和另外的兩位先生；大家圍攏來聊天，盡量把日本治中國思想史的人向我介紹，情意非常親切。隨後，白川靜教授送我們到校門口，校門口的學生們正呼嘯著作蛇狀示威運動。研究室裏，和研究室外的氣氛，可以說是天壤懸隔。從這種懸隔中可以看出做中國學問者的沒落，也可以看出整個學者天堂正走向沒落。

八

每一個人，第一次所得的印象最爲深刻。大概我對中國文學史有興趣，是從青木正兒先生的著作開始；那不過是偶然的機會。這次知道他老先生還健在，並且從京都大學退休後，又在立命舘大學教課，於是在某天下午遊山玩水之後，我們幾個人便一起去看他。順便得提一句的，到京都陪在一起的，除了前面提過的喬、黃兩君之外，後來又加上在倫敦大學教了十年書的劉殿爵先生，他的家住在香港，這次休假到日本作研究工作；他是一位很誠篤的學人。青木先生今年七十五六歲，淸癯的身體，顯得非常健康。見面後，他老先生拿出最近的一本研究中國衣、食方面的書給我們看，又說他現在還能喝酒，尤其是想喝中國的老酒（紹興酒），我隨卽和他約定在一塊兒吃一次酒，酒中平岡先生說：「日本人現在也知道怕老婆了，徐先生看座中誰當第一？」我說：「當然是青木先生第一；否則他下巴的鬍子不會刮得這樣光。」大家大笑說「你眞有眼光。」青木先生因此解釋了半天，據他說，因爲鬍子初生出時，有些發癢，他的性子急，又不能等到它長長；所以只好不斷地刮。他有位少爺，到有點怕老婆的樣子。

這裏順便提提日本敎授退休的情形。日本敎授退休的年齡，從六十歲到六十五歲不等。大家都樂於退休，尤其是名敎授。第一、可以拿一筆相當大的退休費；第二、還可以拿六成薪水；第三、還可以到私立大學去敎書。好點的私立大學的待遇，比公立的還好。在臺灣大學講過學的梅原末治先生，去年拿了三百多萬元（約合美金一萬元）的退休金後，轉到天理教大學教書去了。假定這種辦法，也可以包含在三民主義的建設實驗中，我想，三民主義研究會的會員，可能更有大大地發展。

東京大學的工藤篁副教授對我說，關西大學是代表民學派，應當去看看。並且介紹了一位壺井先生。在離開京都的前一天（五月十八日），我們鼓起勇氣，跑到大阪附近的千里山關西大學的文學院去了；可是壺井先生正忙於組合運動，沒有看到；先看到三上諦聽先生，四十多歲，研究國共關係，人非常和氣。以後弄清楚了我是臺灣的私立東海大學，而不是東京附近的東海大學，他一面抱歉他們開始是弄錯了；一面又請了高橋孝盛教授來招待我們。我這次才知道東京附近也有一所基督教的東海大學；教會大學，在日本沒有地位；而這個教會大學，大概地位更差。我們東海大學的名稱，本來是我取的，想不到因此而觸了不止一次的霉頭。

高橋教授，是一個典型的學究型的人物。除了中國文學外，還通蒙古語（或者是西夏語）。關西文學部的重鎮是石濱太郎先生；他去年七十歲，此時正在病院中。據高橋教授說：石濱先生長於中國的目錄學；又開闢了東南亞半島民族語言的研究。除送了一些出版物外，又參觀了他們圖書館裏有名的泊園書院的藏書。泊園書院的創始人是藤澤東涯（明治初年），先經商發了財後，再治學講學；凡四傳而到石濱太郎，這當然要算一段佳話。

其次，我參觀了大谷、龍谷兩個有名的佛教大學；龍谷大學的圖書舘是歷史很久的，尤以藏的各種藏經最爲難得。但他們似乎與一般大學已沒有多大分別；而在語文方面，似乎英文比中國的更佔分量；可見釋迦也是「聖之時者也」。

另外還值得一提的是：我的好友大野信三博士，還要我看看兩位叢林的總管（等於方丈，而比方丈管更多的事），因爲都是有名的禪學者。一位是天龍寺的關總管，正是「病不開堂」的時候，沒有看到。一位是臨濟宗南禪寺的柴山全慶先生，他住的寂靜地院子，他招待客人的淸幽地小客廳，和他自己閒靜都雅的風姿，眞使人感到些禪的氣息。他對唐代的禪宗，非常傾倒；但很客氣的說：自己不懂中國的文學。我告訴他：唐代的禪師，都受了唐代詩歌很大的影響；碧巖錄（按此爲宋佛果圜悟撰）卽其一例。可以說唐代的文學先影響了唐代的禪宗；以後，禪宗思想又反轉來影響了後來的文學。他很嘆息日本年輕的學徒，多忙於學英文而不用功學中文，這便影響日本佛學的研究。這當然是事實。分別時他送了我一些自己的著作，內容到眞不錯。我另外一種感覺是：中國和尙的蔬筍氣太多；而日本和尙的蔬筍氣太少。他們强壯的身體、便捷的動作，簡直和他們的佛殿不相稱。柴山先生，還保有些蔬筍氣，這更是難得的。

以上這種掛一漏萬的雜記，除了個人當下的一點感想外，決不可以當作是月旦之評。假定我能進一步多了解日本漢學實際研究的情形，對國人作一報導，或許更有意義；但這恐怕不是在旅途中所能爲力的。

一九六〇、五、廿八　民主評論十一卷十五期

鋸齒型的日本進路

——東京旅行通訊之八

一

有許多朋友問，日本到底會走向什麼地方去？首先，我厭惡「東西兩大勢力，正在日本作殊死戰；日本的前途，決定於兩大勢力的勝負」這一類的說法。日本人應當是一個有主體性的存在；因此，日本人應當決定他自己的路。

譬如兩個或兩個以上的男性拚命追求一位小姐時，決定小姐最後歸宿的，依然是這位小姐的一點芳心。假定這位小姐跟着張三時又捨不得李四；跟着李四時又想到王老五；輾轉於由多角所形成的愛情漩渦之中；這位小姐或者以生性過分多情，來作自己糾纏不清的行爲作辯飾，但揭穿了說，只是她以自己爲中心，對現實有無窮的欲望，不能在那一方面得到完全的滿足，所以她既不甘脆放棄那一方面，也不甘脆傾心於那一方面，而只求每一個人都爲她而存在，占盡他人的便宜，以塡補自己的慾壑。這種女人的結果，大體說來，不是像余美顏樣的跳海自殺；便會像賽金花樣的重墮火坑。兩個月來，我常用這種心情來看日本的知識份子，也以此來看日本當前混亂的局勢和將來的命運。

日本知識份子，因爲自己想得太甜，算盤打得太如意，常常想利用各種國際關係，而又要能超出於各種國際關係責任之外，以建立獨自祥和快樂的天國；但現實上並不盡能如此，於是日本知識份子的主觀想法，和客觀現實之間，永遠保持着很大的距離：既不肯接受現實，又不能反抗現實；更無法與現實取得融和，而只是不斷的與現實發生摩擦，所以結果只有像淘氣的小孩子一樣，遇事鬧撇扭；很少能平心靜氣，順理成章的去看一個問題。因此，日本知識份子的心理，是鋸齒型的心理；他們看問題，是通過鋸齒型去看問題；所以日本目前所走的路向，是鋸齒型的路向。鋸齒型的示威運動，在日本何以會盛極一時？在這裏可以找到一個最確切的解答。

我在兩個月以前的通信中，已經指出民主主義，並沒有在日本知識份子的精神中生根；日本人的意見，隨時要訴之於實力的行動，而並不要眞正訴之於議會的辯論與表決；所以日本的議會政治，隨時都可以取消的。這一個月來情勢的發展，對我的觀察，提供了事實的證明。意見的表達既要訴於行動，則不斷地遊行示威，自必變成家常便飯。但這中間特別值得注意的是，遊行何以必採用鋸齒型的行進呢？並且日本的知識份子，似乎以這種鋸齒型的行進爲一種很大的創意，而沾沾自喜；這正說明鋸齒型的行進，最適合於日本知識份子內蘊的心理感情；它是從日本知識份子內蘊的鋸齒型的心理感情中傾吐出來的，所以很迅速地形成日本知識份子表現政治意見的廣大而有力的公式。我問過一位日本朋友，你爲什麼不參加鋸齒行進？他答覆得很甘脆，「我的精神已經參加了」。

二

這種行進，我原來形容它是蛇形行進；但現在看來，並不很恰當；因爲蛇是很光滑的，它行進時的左彎右彎，乃是出於生理上的不得已；並且它總是要避開人而行進，無意於侵害旁人。但日本四個人或五個人手拉得緊緊地，前後擠得密密地左彎右彎的行進，是出於一種有意對他人的刺激，所以它總是演出在人數最多的地方，對他人，含有半挑逗、半妨阻的意味。因此，它不是光滑的東西，而是帶刺的東西。稱之爲鋸齒型的行進，與語義和事實更爲適合。它的特色，第一是使每一個組成份子，感到自己是在最具體而緊密相依的大衆組織中行進，因而能得到對「大衆」密切依賴的安全感；於是卽使是懦夫，也能表現出水平線上的勇敢。第二是在這種緊緊地人拉著人的小跑步中，喊著與步調相應和的短促口號，可以把每一個人都昂揚於集體地感情中，不必、也無暇作理智的思考；因而可以一往直前，決不作回頭之想。第三、可以用黑壓壓地向前進行的一團，擺在熙來攘往的市民面前，使市民直接感到這是不可觸犯、不可抗拒的力量；要便是加入，要便是避開。由上述三種理由，可以加強示威運動中的「威」的氣氛和感覺。但是，我不以爲他們是先想出這些理由而後採用這種方式；只是偶然用到這種方式，恰巧和大多數日本知識份子內蘊的精神、情緒相吻合，這便成爲日本人的一種特別嗜好，而大爲興盛起來了。

這種鋸齒型的行進，或者可以和中共的秧歌相比擬。但依然有不同之點；中共的秧歌，是出自土生土長的某一地區的農村；而日本流行的鋸齒型，恐怕是啓發自外國；這從他們只能用外來語表達的這一點上，也可以推想得出來。假定把這種鋸齒型也稱爲文化現象之一，便會更是如此；因爲我漸漸發現日本知識份子，在文化中似乎缺乏主體性的力量。其次，中共儘管是最澈底的戰鬪體，但僅就秧歌本身而論，好像是以在集體行動來調劑羣衆情緒的作用爲多，而鋸齒型的本身，却是在「運動」與「暴動」之間的一種形態，也可以說是一種暴動的準備態勢。日本的民族性，似乎不是左、便是右，不斷地向兩極分化；因此，日本的經濟、技術，雖然如此發達，够得上現代國家的水準；但在政治上，隨時可以發生落後地區所無法避免的暴動，甚至最後依然要靠暴動來解決問題；這是兩極化的必然結果。

三

兩個月來，我留心看日本的言論界，都是走一剖兩開的一邊倒的方向；到了六月十日，羣衆以暴力迎接美國白宮新聞秘書之後，言論界才發出微弱的挽救的呼聲；我開始以爲這是日本知識份子的有意玩火。但再深刻地觀察，他們實在用很認眞的態度來講話，因而知道他們並非出於有意玩火；而只是出於他們鋸齒型的心理習性。除了眞正地日共以外，他們的言論、行動，並非出於眞正冷靜的分析、思考，而只是像嬌慣了的小孩子，遇事總要鬪鬪氣，鬧鬧撇扭；連許多所謂大學教授，似乎也很少例外。

在缺少自由的地區，因心理上的相激相盪，所以言論很易因缺少批判而失掉平衡；但日本的言論界，則在自由空氣之下，却也缺少批判精神，而多只能表現一股意氣，這是一種不十分正常的現象。順著這種現象發展下去，鋸齒型行進的到達點，不是左的極權主義，便是右的極權主義。在目前，則以走向左的可能性爲最大。這是值得鄭重反省的。

一九六〇、六、十七　華僑日報

對日本知識份子的期待

——東京旅行通訊之九

「師與友」的編輯先生，要我以勸善規過的友人資格，針對日本的弱點講幾句直話。本文除由該刊以日文發表外，因為代表我對日本知識份子一部份的觀察，故以原文作通信稿刊出。

一

我這次來日本，特別留心日本漢學界的情形。許多漢學家的努力與成就，眞值得我十分欽佩。但就全般的情況說，漢學的傳統，在日本正趣沒落之中。

第一：所謂漢學，是以「憂患意識」爲動力，對人生社會的憂患，擔負無窮的責任而展開、成立的。只有深入到古人的憂患意識之中，以了解其眞正用心的所在，才能把握到所謂漢學，這自然要關連到對人生社會的評價問題。但日本許多漢學家，也和中國許多末梢的、亞流的考據家一樣，假借「科學方法」之名，把漢學從人生、社會的實際生活，完全隔離起來，並排斥其中的價值觀念，作孤立的、片斷的、與人生社會毫無關連的研究，這實際是有意歪曲研究對象的最不科學的方法。順着這一條路走下去，無形中，把中國三千年所蓄積的精神文化，很用力的還原到以甲骨爲中心的半原始狀態。許多人不是順從文化的發展性來看中國的文化，而是要扯着中國文化，向自己所研究的某一點後退，後退到甲骨石器上去。本來是要通過人生社會，並接受人生社會考驗的文化，却完全變成殭死的、與人生社會毫不相干的東西。

第二：知識本是要求向未知世界去開拓。日本的漢學家，採取避開熟路，（卽傳統的主流）各闢新途的方式，當然是不錯的。不過做學問也和農夫種田一樣，一面固然應該開荒，同時也應當把熟地耕種好。但日本的漢學家，有的却只顧向某一點去開荒，却把熟地完全棄之不顧；並用這種方法訓練學生。其結果：（一）失掉了文化各問題間的關連性，常常是孤立的去看問題，去解決問題；勢必流於偏曲。（二）常將自己所開拓的一點，隨意擴大，想由一點去構造全體，勢將以一曲去代替全體。（三）沒有文化上的重要價值的東西，便不易成爲歷史上的文化熟路。不過因爲是熟路，便容易帶上某一時代的渣滓，有如黃河之水，挾泥沙而俱下。今日漢學家的重要工作之一，便是如何澄汰泥沙，拿出中國文化的本來面目，與現代人相見。但這種工作，日本的漢學家似乎作得很少；於是漢學家心目中的中國文化，也和許多中國人一樣，不是覺得一錢不值，便是搬弄假古董。

第三：有些先生，在學問上非常努力；但缺乏「學術爲公」的精神；不是存心要把自己貢獻給學問，而是以自己的名譽地位爲中心，用學問來抬高自己。因此，寧願歪曲學術上的是非，以遮護自己的過失。甚至用盡氣力，不惜犧牲學術以求成全自己。

在上述三種情形之下，漢學在日本的沒落，尤其是在政治中心的東京的沒落，是勢所必然的。以漢學在日本的長久歷史，這種沒落，正和中國一樣，對日本知識份子的精神，對日本一般人的生活態度，我想會發生相當大的影響。

二

其次，日本知識份子對西方文化的介紹，眞是又多又快，這是使我非常羨慕、感激的一種事。但我漸漸懷疑，日本的知識份子，似乎將永遠停止在介紹的階段，很少進一步去作吸收消化的工作。

日本幾十年以康德爲中心的哲學工作，今日似乎已經無影無踪；而今日之所謂實存哲學，越講越糊塗；除了步趨西方戰後風氣，撐持哲學這一門功課的門面以外，站在講壇上的人，恐怕連自己也不能知道所講的是什麼？因此，日本豈特沒有哲學家，似乎也缺少獨立思考的習性。遇著實際問題時，一面是根據極現實的利害直感；一面觀看外面的風色，隨大勢爲轉移。所以日本的言論界，似乎推波助瀾的作用，大過於幫助一般人冷靜思考的作用。因爲日本保守勢力的封建性、落後性，的確需要有革新勢力起來。但因知識份子缺乏獨立思考的習性，所以日本革新勢力的領導者，有點像中國過去所說的「無賴漢」。他的前途與日本的前途，便很難樂觀了。

三

最後，我認爲日本的命運，全賴於民主政治能否在日本生穩根。但日本知識份子的性格，並不十分適合於培養日本的民主政治。日本知識份子，對人的禮貌非常週到；但禮貌與他的心理實態，似乎有很大的距離。面對現實上的利害問題時，假若情勢並不向自己所希望的方面發展，心理實態便常要求突破禮貌的節制而訴之於力的解決；這便不走向右的極端，卽會走向左的極端，而離開了民主的中庸之道。就對外的關係說，日本知識份子的心理，似乎不是處於征服者的狀態，卽是處於被征服者的狀態。平等相處的心理狀態，似乎不易保持。昭和初年，日本知識份子分化而爲兩極之爭，結果走下了法西斯之路。許多極左的人，一變而爲極右的人。今日大家把這一段歷史責任，完全推在舊軍人身上，這恐怕是不公平的。

現在左右兩極之爭，似乎與昭和初年無異。但結果可能會通過托倫斯基性質的政權而走向共產黨的統治。今日決定日本命運的，只有民主、或共產兩途，決沒有右翼的前途。戰前是左翼的夭折，今後將是右翼的夭折。這不僅因爲右翼缺乏足以抵抗左翼的組織力量，更重要的是，日本知識份子的兩極性，是沒有自主性的兩極性，他常要看著外面的風色而行事。戰前右翼的勝利，主要原因之一，是因爲有德國和義大利的法西斯，可給日本知識份子以心理的暗示，及行動的模仿。現在可提供日本知識份子以心理暗示及行動模仿的，只有蘇聯與中共。所以希望以右翼的力量，平衡左翼的力量的人，是不切實際的幻想。日本能從兩極化的趨向中走上民主之路嗎？這需要日本知識份子作澈底的反省。並且這種反省，是需要與東西文化研究工作的反省，密切相連的。

一九六〇、七、六　夜於東京旅

日本民族性格雜談

——東京旅行通訊之十

日本自明治維新以來，朝野上下，都留心于中國的調查研究。軍閥們根據幾十年調查研究的結果，自覺對中國有了把握，于是繼九一八之後，在一九三七年，陸軍的作戰參謀們認定『只要在華北挑發一個事件，藉口派三師人到華北，宋哲元便一定會完全倒在我們（日本）這一方面來，蔣介石那時只好接受我們的條件，跟着我們一路走』。于是決然發動了蘆溝橋事變。但結果：宋哲元並沒有倒向日本，而國民政府却堅持了八年抗戰，日本終至勢窮力屈，到現在才託世界兩大矛盾對立之福，開始商談恢復主權的和約。曾經參加那次內幕的一位比較富有良識的日本軍人向我嘆息的說：『他們（軍閥）自己覺得比中國人還了解中國，却沒有眞正摸清中國民族性格的皮毛。後來松本大將在香港招待中國記者，强調中日親善。中國記者答覆說：你們日本人在華北殺中國人，在華中騙中國人，在華南搶中國人，中國人有什麼方法可以和你們親善呢？那時松本聽了這種話以後，內心才眞正感到了寂寞；日本人才覺悟到自己並不曾眞正了解中國，中國實在是太深太大了。所以今後中日的合作，應該對兩大民族的性格，有進一步的相互了解。』

眞的，日本人過去不曾了解中國，可是中國人卽到現在又何曾了解日本。記者偶然因看日本的歌舞伎座，對日本民族的性格，彷彿有感悟，遂隨時留心這一方面的問題。關于此一方面的比較完全的敍述，還要稍有所待。此時的觀感，是覺得日本民族的性格，有許多地方是非常的可愛，而另一方面也是非常的可怕。這是一個矜持而向上的民族。但同時也是一個狂放而容易自趨毀滅。記者常和日本朋友半開玩笑的說：「你們假定赤化，便會比中共殺更多的人，因爲你們是一種極端的性格，最不容易走上中庸之道。譬如說吧：中國人有兩個老婆的，常常吵得天翻地覆，令人頭痛，但吵吵打打，經常下去，也不過如此。日本人有兩個老婆的，平常並看不到像中國人那樣的大吵大鬧；可是一旦寃家路窄，不是大老婆殺死小老婆，便是小老婆殺死大老婆，或者彼此眞刀眞槍的互殺。又如說到自殺的問題吧：這在香港倒也是家常便飯；但很少像日本人常常把自己一羣幼小無知的兒女，也一起作陪死的寃鬼。這一股極端的蠻勁兒，畢竟是日本民族悲劇的張本」。日本朋友聽了這一套，好像也惘然自失。

有一天，一位多年研究日本政治內幕的日本友人，特別來信要約定和記者談談。見面後，這位朋友向記者說：「你常說日本是一個極端性的民族，那是不錯的。我現在想把多年觀察所得的政界的兩種極端不能調和的類型，簡單的告訴你，供你進一步了解日本的參考，你願意聽嗎？」單是這一番好意，已令記者覺得異邦人情味之可貴，何況這位朋友對他所要說的對象，是帶有權威性，那有不聽之理，于是兩人揮汗對坐了一小時。以下是這位朋友的說法：

日本的政界，可以把他們分爲AB兩個類型。A型重情義（也可以說是重意氣），B型重理論（也可以說是重議論）。A型重上層的人與人的結合，而其結合的形式，多半是『親子分』的（按日本領導人物稱爲『親分』，有如中國江湖之大爺；以次的人物稱爲『子分』，亦如徒子徒孫之意）。只要親分說一句話，大家便不問長短，照着去硬幹。所以這一派是以糊塗而實踐見長。B型的重羣衆組織，重體系和手續儀態。這派的領導人物，不能說一句話就可以算數，總要擺一篇道理出來使大家可以承受。若說A型的帶江湖氣，則B型的帶紳士氣或官僚氣。這兩種類型的人，那怕是同行同地，也常是水火不容，各走極端，由此而形成各種勢力分野；其中說不上什麼主義主張之不同，却很不易找出調和妥協之道。就大體說，凡是屬于右翼的多半屬於A型，而凡是屬於左翼的多半屬於B型。但具體的說，則左右翼中，又各具有兩種類型的傾向。在保守政黨方面，舊政友會是屬于A型；而舊民政黨則屬于B型。現時的自由黨是繼承政友會而爲A型，所以他們最重黨魁，他們的作風是黨魁說了一句便算數。大家說吉田是One Man黨，不很同他的部下有商量，這因爲他是親分的原故；鳩山出來，還是這樣的一套。同這些人去談理論，簡直是等於風馬牛。

現在的民主黨，是繼承民政黨而爲B型，所以他們要談中產階級。要談進步資本主義。這些人多半是議論多而成功少；和他們講情義，大體是無動于中的。他們勢力之所以不及自由黨，是因爲自由黨更適合於農村的氣質。吉田想把民主自由兩黨合併起來成爲一個保守黨，以與社會黨對立，而使成爲兩大政黨的國度，這就政治上說，到很合乎情理。但鳩山覺得還是三個黨的好（民主、自由、社會三黨），便是看清了這樣性格的對立，知道融合不是一件易事。而社會黨右翼的舊日勞系，如西尾末造、三輪壽北、河上丈太郎、河野密等，都富於A型的氣質，所以他們並不嚴守馬克思們那一套理論的格式。但左翼的勞農派，即現在所稱的本部派：如鈴木、和田、總評等，則富于B型的氣質，所以他們都嚴守馬克思主義的繩尺，以致在和平運動中作了日共的工具而不能自拔。社會黨兩派之不相容，從此一角度也可得一解答。即在日共方面，也含有這兩種不同的傾向，主流派方面較接近于A型，而國際派方面則較接近于B型。同時，與共產黨站在極端相反的右翼團體方面，一樣受這兩種類型的制約。右翼團體，大體可以分爲過去以頭山、平沼爲領導人的國體明徵派；及由中野、橋本、有馬等爲領導人的革新派。國體明徵派分明是屬於A型，其對外以反蘇爲主；革新派分明屬于B型，有傳統的反英美傾向。這兩個類型也可以應用到過去的陸海軍方面，以至社會的許多方面……』

這位朋友的一席話，總算提出了一個了解日本民族性格的某一方面的具體標準。至于此一標準可以應用到什麼樣的程度？還有待于我們自己繼續的體認。而兩個類型之何以形成？則更值得我們進一層的去研究。但不論如何，這種說法，不失爲了解日本的一個主要啓發，值得向關心日本問題的人士報導的。

一九五〇、八　華僑日報

「人」的日本

——東京旅行通訊尾聲

初到東京，初走進東京的大百貨商店，看到十年來日本技術的進步，經濟的發展，不能不給我這種鄉下人以深刻的印象。但對於「人」的這一方面，我不斷地露出了近乎苛烈的批評。並且當一位日本友人問我對於日本的觀感時，我坦白地說：日本的「人」，並沒有隨着技術經濟而進步；所以日本十年來在技術與經濟的成就，並不能解決日本自身的問題。

其實，這不僅是日本的問題，而是整個人類文化的大問題。僅拿這一點來責日本人，是不太公平的。發展技術經濟的是人，在技術經濟的後面，不能沒有人的存在。我在「日本的天女」一文（編者按：該稿迄未收到，故未見報）中，說出了我對日本女性的銘感。當我回到臺北，走到臺北的街頭，望向臺北的每一角落，引起了在臺灣的中國人與一般日本人的强烈對照，使我對一般地日本人，自然發生由衷的敬意。當我提筆寫這篇短文時，和我寫「日本的天女」，同樣是出於一番感激之情。

我對日本的政治前途，不願作主觀地判斷或評價；日本政權，現在是掌握在保守黨手上；這些黨人中，有的自私自利，看了使人乏味。但平心而論，在三種地方，依然不能不使人發生雲泥之感。

第一、他們有「法」的觀念。在政治行動上，他們不會因一時的便宜而把權力衝過法的界限。他們的自私自利，都受到法的制約，不敢公然超出法的範圍。在五、六月的政治風暴中，他們受羣衆不止一次的圍困、侮辱；受輿論一面倒的批評、咒駡；但他們決不導演重慶校場口這類的事件；決不怒髮衝冠地去關報紙的門。他們不枉法以圖一時的便宜，來維護法的尊嚴；所以最近輿論界抬出「法」的問題時，狂烈的左翼份子，也不能不有所顧慮。世界上只有最下流最無知的個人或集團，才以爲自己玩法，而能使他人守法；才以爲法對自己是油水，對他人則是毒藥；才以爲一時一己的便宜主意，可以取消法的客觀標準；才以爲自己使法的威望掃地，而依然可靠靈感來維持自己的政權。

第二、他們在行政上保持相當的效能；他們不以說謊的方式來辯護自己的政策或工作。日本經濟的結構，是非常薄弱的；但政治家和資本家，對經濟活動的安排、推進，都表現相當地遠見、氣魄，和精確性。戰敗後的幣值，一直是安定的；物價則因新生產技術的不斷導入而保持物美價廉的趨向。政治風暴後，實行了三個地方縣長的選擧，依然是自民黨人得到勝利；最基本的原因，選民認爲自民黨的侯選人，不特表現了行政的效率，而且在作人上比較可以信賴。若把這種選舉勝利解釋作右翼勢力的抬頭，那便等於把隔壁王大娘的臭脚，當作魚籃觀音來供奉了。

第三、日本的保守政黨雖然依舊帶有「親子分」的封建氣息，沒有確實地有組織地社會勢力，作他們的基礎；但他們知道農民是支持他們的社會潛力，很細心地與農民以培育保護。他們每年所決定的米價，在不過分刺激都市消費者的範圍內，總是盡量顧到農民生產的利益；在這種地方，可以看出他們起碼地良心良識，及他們苦心之所在。讀者可能以爲這是一件很尋常的事情吧。但是，一種無知無良無能的集團，常常於不知不覺之中，欺軟怕硬，總是在說不出話來的農民身上打主意。七月廿八日臺北徵信新聞載有議員朱萬成廿七日在省議會的質詢中：（一）肥料換穀，農民每噸損失美金六十一元五角；（二）政府出售農藥，每三百CC臺幣五〇元，而市價爲三八元二角。（三）以麵粉一包，向農民換谷三一・四三公斤，如以稻谷每百公斤四八〇元計算，農民吃虧一二六元二角二分。看了這種消息後，將令人作何感想呢？好在臺灣的政要們，對此決無感想。

二

日本許多學人治學的勤懇、辛勞，自然使他們不把政客放在眼下，在這種地方，依然還閃出一點學術之光來淨化人間卑賤的一面。這和我們許多人掛著學人、教授的招牌，拋棄自己的本業不做，却匍匐在政客脚跟下吮汚泥，又從何處作比較？卽就一般的社會生活看，日本人到處表現的是精密，而我們到處表現的是疏闊；日本人到處表現的是周到，而我們到處表現的是粗疏；日本人到處表現的是勤謹，而我們到處表現的是懶散；日本人到處表現的是重知識，重藝術欣賞，而我們到處表現的是攢門路，重食色沈湎。在日本買一樣東西，遊一處風景，一絲一毫，都爲顧客遊客想盡便利的方法。在日光要下去看華嚴瀑布的時候，坐完巴士，中間須下一段階級坐電梯，在下階級的地方，掛上顯著的標語，大意是「非常感謝你來遊歷，下階級時望特別小心」，他們想到遊歷的人，可能因遊興太高而失足的。

我可以得出這樣的結論，以利己爲活動中心的資本主義社會，事實上也須要以「利人」來作「利己」的手段；而日本人民在長期封建社會的禮節中所養成的對人的叮嚀周到的傳統，配上現代地商業精神，在這種地方更做得非常親切。

三

我批評過日本人的性格，不是走向左，便是走向右。但我又發現日本人，要便是移居他國的日僑，要便是道地的日本人；決沒有像臺灣今日，以美國籍的中國人的身份，在社會上大搖大擺，以作爲獵取地位，佔領便宜的可恥現象。同時，我更知道，南韓、印度、印尼，決沒有口裏激昂慷慨地「國家民族」，而實際則以千方百計，要把自己的子女變成美國人；口裏反共抗俄，但旅行箱裏經常嚴密保持一張隨時可以開溜的赴美護照。我這十年以來，漸漸發現，在「有地位」的中國人中間，要使他們心安理得的當一個中國人，和比上天國還要困難的一件大事。因爲今日在臺灣的中國人，一提脚便上到天國裏面去了。有誰能想得到，「天國」竟成爲精神奴化的跳板和護符呢？這次承某一部份日本朋友的好意，要把我留在日本，覺得這樣不僅可以少嘔些閒氣，並且或許對東亞可以多盡一點責任，但我感嘆地謝絕了。此生此世，我還能做點什麼有益的事呢？恐怕只能做一個尋常的中國人，生在中國，死在中國。

一九六〇、七、廿六　東海大學行裝甫卸之後校

科學與道德

現代許多文化上所發生的爭論，實際上是對科學與道德的關係所發生的爭論。公開認為無所謂道德的問題，這也是現代思想中的一股潮流。不過作這種主張的人，在現實生活上，尤其是在評論現實的政治社會問題上，便不知不覺的會深入到道德不道德的問題。

一

所以這一股潮流，只是某些人的觀念遊戲，與一般人的現實生活無關；而道德問題，只會在一般人的現實生活中才可以發生的。離開了一般人的現實生活來談有無道德的問題，那完全是一種沒有意義的廢話。

道德的爭論，主要的表現在科學可不可以代替道德的問題。所謂科學代替道德，更明白的說，乃是有許多人主張道德係由科學知識而來；有了科學知識，便自然會有道德；沒有科學知識，便沒有所謂道德。因此，一般人們說的道德問題，實際只不過是知識問題。只要把知識問題解決了，道德問題便也隨之而解決。由此所得的結論，是只求科學知識，不必求道德。

上面這種主張，眞正可以說是源遠流長。在中國的大學一書上，便以爲致知格物，乃正心誠意的必經途徑。這一主張，由後來的程伊川、朱元晦加以繼承，但實際上沒有多大的成就。而希臘的蘇格拉底，是非常重視道德的；但他很明顯的主張知識即道德。作這一主張的最難之點是：孔子、釋迦、耶穌們的科學知識，未必趕得上今日一個好的高中學生；而鄉下人的道德，一定趕不上住在都市裏的人們的道德，因爲住在城市的人，總比鄉下人的知識高一點。這種論點應用到實際上的時候，便很難回答上面這一類極簡單，但又非常眞實的問題。

二

愛因斯坦在現代科學上的偉大成就，大概沒有人會懷疑的。然則他對科學與道德的關係是採取何種看法呢？我相信這可以供許多人的參考；所以在此略加介紹。不過，得事先聲明一點，他所說的宗教，實際指的是道德；這與一般信徒僅以關連於某一特定之神爲宗教的，是大不相同。

他在一九三七年YMCA的創立紀念日，以「道德的凋落」爲題，送給紀念會的書簡中說：「一切的宗敎、藝術、科學，是同一株樹木上的各種枝條。這些東西的共同願望，都是要使人類得到高貴的生活，並把人們從單純的肉體存在的地位，提高向上，以導向個人能得到自由」。他在此一書簡中，特慨嘆現時代的人們，已漸漸習慣於道德的凋落，而希望能有守護正義的勇氣。他認爲作爲人類的指導者，摩西遠勝過於十六世紀初年提倡權謀政治的馬基維里。

他覺得科學與道德，屬於兩種不同的形態。他在一九四一年的一篇短文中，對於這一點曾加以淸楚的說明。他說「所謂科學，是展開組織的思索，在可能範圍之內，把世界能够知覺的各現象，想構成澈底地一個連合的數世紀以來的努力。若大膽的說，所謂科學，是由概念化的過程，將存在加以重建的努力」。

什麼是宗敎，他認爲這是很難得到一致的看法。但他却對於眞正地宗敎人格加以描述，以解答此一問題。他所說的宗敎人格是：「在自己能力之內，把自己從利己的欲望中解放出來，而堅持超個人價値的思想、感情、抱負，此外更無他念的人。……此時，他所堅信的內容，是否與神連結在一起，不成爲問題。若不如此，則釋迦、斯比諾塞，不能看作是宗敎的人格」。這裏我們應當注意的是，愛因斯坦氏所說的宗敎的人格，很近於孔子所說的「仁人」。所以我說他之所謂宗敎，實際卽是中國傳統中所說的道德。他並認爲宗敎人格所信的目標價値，並不需要合理的基礎，而只是「很明瞭地，很完全地，意識到那些價値與目標，而不斷强化並擴大其效果」。這裏所說的，實際卽是中國聖賢經常的努力。

三

然則科學能不能代替道德？他在一九三九年五月十九日布林斯頓學院的講演中，曾作明白的否定。他認是「人類信心，固然應當由經驗與分析的思惟所支持」；但對於人類的行爲、判斷所必要的信心，並「不是僅靠堅實的科學方法，所能得出來的」。因爲「所謂科學方法，僅能求出諸種事實，是如何互相關連，及如何互相爲條件。」由此所得的「這是什麼」的知識，並不能直接打開「這應當怎樣」的門。「卽使能很明瞭而完全地有了『這是什麼』的知識，但決不能從這裏演繹出人類的願望、目標，應當是怎樣。科學知識，對於爲了達到某種目標，可以提供强有力的工具；但究竟的目標的本身，及想達到此目標的念頭，不能不從旁的源泉產生出來。不待說，我們的生存、活動，只在設定有此種目標，及適應於此種目標的諸價值時，才能有其意味。作爲眞理的知識，自然是很光輝的。但它並不能指導人生的活動；連追求眞理的正當性，及此種眞理的價值，也不能（由知識）加以證明。因此，我們便遇到了關於存在的純粹合理概念的界限」；亦卽是科學的界限。在此科學界限以外的，愛因斯坦認爲只有求之於宗教；實卽求之於道德。

由愛因斯坦這一類的意見來看，應當可以了解爲什麼今日在生活的享受方面，正在不斷的增加；而在行爲的價值方面，却正在不斷的墮落？今日世界的危機，不應當從這種地方作深刻地反省嗎？

一九六一、十二、廿一　華僑日報

思想與時代

假使人類有一天，只有工具的製造與使用，只有貨物的生產與消費，而根本沒有在現實上看不出有任何實用價值可言的「思想」，恐怕這個世界，在本質上只算是一個大動物園的世界。因此，多數的實用家，與少數的思想家的合作，大概在可以預見的將來，依然會構成社會分工的一個重大環節。

一

我在這篇短文裏，不想解說少數的思想家，對多數的實用家所發生的效用，到底是什麼；而只想在思想與時代的關聯上，澄清若干人的誤解。

有人說，「哲學是時代之子」。其實，歷史上，決沒有不反映時代的思想。因此，可以說一切思想，都是時代之子。不過，一般人對於此一意義的了解，常只限於「思想對時代的適應性」的一方面，而忽視了「思想對時代的批評性」，便打消了思想對人羣所應發生的大部分的貢獻。

所謂思想對時代的適應性，是指對時代所發生的新情勢，新事物，負一種解釋的責任，因而提供以理論的根據，以加强新情勢、新事物的發展速度與效能而言。這是順着潮流走的思想。最顯明的例子，有如馬基維利的「君主論」，是應適當時權謀政治的開始抬頭而產生的。亞當斯密的「國富論」，是適應當時產業革命剛剛開始以後的經濟情勢而產生的。在我們中國，先秦的法家、兵家、縱橫家，都是適應當時七雄並立，各以武力互爭雄長的情勢而產生的。這類思想的價值，除了它本身論證的方法以外，常決定於它所反映、所代表的時代背景的意義。君主論，是近代政治學之先河。國富論，是近代經濟學的元祖，但兩者的價值，在文化史上，究不能等量齊觀；這便不關於他兩人思想的能力，而實關於他兩人所代表的時代的意義。所以適應時代要求的思想，並非一定便是有價值的思想。

二

所謂思想對時代的批評性，是指對時代某些成熟了的情勢、事物，採取一種否定或懷疑的態度；因而從理論上促成某些事物的崩潰，或加以糾正；並希望誕生更好的事物的思想而言。從哲學上說，培根可以說是適應時代的；而叔本華、尼采，則可以說是批評時代的。在社會科學上，十八十九世紀一切維護資本主義的思想，可以說都是適應時代的；而從產業革命時期所萌芽的社會主義，却是對時代的批評。這在中國，先秦時代的儒家、道家，乃至墨家的各家思想，對當時的政治現實而言，也都是批評性的思想。這種思想，在當時是逆著潮流所提出來的；所以常會受到當時的譏笑，或迫害。因此，耶穌便上了十字架（耶穌實際是表現一種最大的批評精神）；而孔子只有托之於「微言」。此種思想的價值，常決於它所代表的社會階層的大小，及對未來世界藍圖的構想。由此可知逆著潮流的批評思想，實際是要造成新潮流的思想。

但混亂情勢之發生，常常表現在兩方面：一是有的批評思想，常須要在歷史中去求根據，例如近代民主政治思想的啓蒙時代，便常在新舊約中去找根據；而社會主義發展的初期，却强調原始共產社會、或落後民族中的村落共有制。中國先秦的諸子百家，除法家外，幾無不是托古改制的。這便容易隱蔽某種批評思想，是促進新事物產生的意義。另一方面，是在倫理道德問題，不從人類長久的歷史經驗中尋找敎訓，便無法作正確的價值判斷，及看出人類行爲的眞正結果。於是在對於倫理道德作批評時，更須根據歷史經驗中的選擇、判斷，以作批評的根據。於是在這一方面的批評，最易受「反動」、「保守」、「違反時代潮流」的攻擊，而大大減少了批評的效用。

三

再加以本是已經爛熟陳腐了的社會情勢、事物，其沒落的徵候、或行爲，却常常以嶄新的姿態出現，彷彿也是一種批評的思想。例如近代的虛無主義、薩爾特們的實存主義、達達主義、超現實主義，以及現在正風行於紐約的扭扭舞等，在本質上都是象徵自由世界的敗象，都是熟爛了的資本主義的排洩物。但僅從表面上看，它確實是新的，是反傳統、反現實的；因此，它們便覺得只有他們可以批評旁人，而旁人批評到他們時，便立刻要受到「頑固」、「保守」的攻擊。其實，我們只要追究一下，他們的所謂新，究竟是意指着一種什麼樣的「未來」呢？是爲了解決人羣中的什麼問題呢？指陳不出一種未來，且與社會人羣脫離了關係，而只一味的反對現在、離開現實，這所象徵的乃是時代的自殺，而不是時代的批評。

思想，要能受到時代的考驗。但所謂時代的考驗，乃是說思想的價值，常要由解決多數人的問題的效率而見；常要由在時間的歷史中所得到的結果而見。時間的本身，只是一種空洞的形式，決不能形成判斷思想價值的標準。有的人以爲凡是新的便是好的，這是以時間來作標準的判斷。此種判斷要能成立，必須以人類一切的行爲，是決無錯誤，而只是合理的直線前進爲前提。這種前提，是非常荒謬的。而思想的批評效能，便是建立在不隨時代潮流向下滾，而能對時代潮流作自覺自反之上。所以有思考力的人，是在時代中看出問題，解決問題。沒有思考力的人，便只能在時代中爭新舊、搶噱頭。現代是以「新舊」代替「思想」的時代。這或許也正是現在危機一種表現。

一九六二、五、一

歐洲人的人文教養

日本有一位在歐洲住了很久的東京大學前田陽一教授，寫了一篇「生活意識中的人文主義」的文章，從歐洲人的現實生活情形中，來考查他們的人文主義，是如何的養成？是如何的實現？並和日本人的生活，作有趣味的比較。下面我把特別值得中國人借鏡的地方，約略加以介紹。

一

歐美大部份小孩，初生下來最大的事情，是洗禮的儀式。在行此儀式時，給孩子取上一個作爲基督敎信徒的名字。卽使是在失掉了基督敎信仰的家庭中，也會使他的小孩，在人生的第一步，與基督敎長期的傳統發生聯繫。卽使自己並不信仰基督敎的雙親，也會把自己的小孩帶到敎堂去，並進而把自己曾經受過的信仰敎義，敎給自己的孩子。「使剛剛學會說話的小孩，跪在床前，教他作『天上的父』這種禱告的母親之姿，恐怕是歐美家庭中最令人感動的情景之一。『宇宙是由我們的父創造的。人類全體，在神前是平等的；神愛世人』諸如這種信仰，深深地印入於小孩的純潔心靈之中。」

沒有「人貌像神」的這種「人的尊嚴」的自覺，沒有在神面前萬人是平等的這種思想，歐洲便不會有近代的人文主義。「這些在歷史發展中所發生過的事情，不僅是作爲歷史的事實，而是現代許多歐美人在其個別的生長過程中，形成他們的基本生活教育。縱使在以後，一個人的信仰變得很淡漠，甚至已經喪失了；但在他記憶的深處所存在的純潔地信仰，對於他的精神構造，不能不發生深刻的影響。歐美的人文主義，來自基督教的影響者最大。這與其說是歷史的意義，無寧說是出於幼時所培養的信仰。」

以前不久錢穆先生在臺灣隨便向新聞記者說到了中國的論語，有如西方人的聖經，應當是人人的讀物這類的話；第二天有一家報紙社論便加以諷刺、反對，認爲做官的人讀讀論語，固未嘗不可；但今日人人所應讀的是憲法，而不是論語。假定錢先生當時說我們的小學生應當讀一點論語，便會挨到一頓臭罵的。在這同一報紙上，當李秀英選美返臺時，有一篇社論：認定由選美的成功，即足以證明中國二千年來的禮教爲無用。這種社論所反映出的心態及文化水準到底算是代表什麼呢？

二

在前田教授的文章中，接着說到西歐，尤其是法國，小學、中學裏面，由於國文課程的安排得法及作文方法的進步，使人從小的時候，便可以得到思想秩序及邏輯性格的訓練，這應該是我們在教育上很大的借鏡。談到大學教育，特別指出他們對古典語言的重視，對希臘羅馬古典的重視。有關宗教、哲學、倫理、政治、經濟等等的古典，在文化上所發生的影響，「不僅是歷史的事實，而是現代歐美大多數知識人在成長過程中所反復接受的教育，正與初生時所受的信仰一樣。」「卽使是在不同時代與環境中的人們所寫的文章，只要發掘下去，便可以確認人性根元的不變。並且在一見好像與現代毫無關係的問題中，也可以發現出與現代問題有密切的關聯。這種事實，在西歐的大多數知識人中，因爲與古典作了全人格地接觸，所以當年輕時已經能了解得到了」。

但是，這種人文主義的教育，僅在漸次縮小的希臘羅馬的古典語言教育範圍之內，尚不能得到充分效果；於是「許多國家，他們教育的方法與精神，漸次導入本國的古典教育，這是值得非常注意的。在這一點上，法國的國文教育，特別澈底」。「古典語言教育的教材，並不限於詩歌、故事，而是涉及歷史、哲學、倫理、政治、科學等等。法國的國文教育中，笛卡兒、馬兒布蘭士們的哲學，巴斯卡兒、波士耶們的神學，孟德斯鳩、盧騷們的政治學，彪封的『博物誌』，伯兒拉爾的『實驗醫學研究序說』等一起登場。通過這種保有廣大豐富內容的國文教育，可以了解它會容易對人性作全面的陶冶的」。

三

在該文中，還有許多有意義的介紹，譬如人與人間權利義務的分明，契約的尊重，語言的重視；在請客時，安排客人與主人、客人與客人之間的談天，重於豐富的酒菜等等，都值得我們研究。同時，他們的人文教育，是以個人為中心，所以人與人之間，是很冷淡的，缺乏同體連帶的感情；這正是西方人文主義所達的極限，也是他們所遇到的危機。據說：因為他們富有批判精神，有的思想家已經注意到這裏了。

最引起我特別注意的是：古典教育，實際卽是人文的陶冶教育。因此，各大學裏面的文史系，主要應該負起這種責任。我國大學裏的文史系，當然主要開的是古典方面的課程。但幾十年來的風氣，教書的人，一面教古典，一面又認為古典毫無意味。甚至假使有少數好學深思之士，能費力把古典的意味發掘出來，多數人便會視為異端，加以非笑。因此，文史系便完全失掉了目標，不知到底它是為了什麼而存在？尤其是中文系。各大學的中文系，都成了文化的垃圾桶。

專門教古典的文史系既然如此，一般知識份子的浮薄，更是可怕。有家報館的社論，再三提出，目前我們最大的病痛是「歷史病痛」，而他們所說的歷史病痛，卽指的是由古典所發生的對人生教養的影響。現在在臺灣，只要有人談到古典的意義、教養等等，一批年輕的人，便會立刻無條件的認為這是誤國的罪人。假定要出風頭而又不冒風險，只要懸空的大罵傳統文化，罵得越毒辣，便越會被視為這是現代的好漢。作為一個人所必不可缺少的基本教養，早在知識份子中連根拔盡了。我眞不知道大家赤裸裸地要走到什麼地方去？

一九六二、三、十　華僑日報

傳統與文化

我已經說過，民族性、社會性、歷史性、實踐性、秩序性，是傳統的五種性格，而前三者又是它的構成因素。但要了解傳統在一個民族整個文化中的作用，便還應作進一步的分析。

一

首先，若把傳統看作一個橫斷面，則一般之所謂傳統，應分成兩個層次。一是「低次元的傳統」，卽普通所說的風俗習慣，它是屬於民俗學所研究的範圍。低次元的傳統，多表現在具體事象之上，成爲大家不問理由，互相因襲的生活方式。合乎風俗習慣的便以爲是；不合乎風俗習慣的便以爲非。所以在此一層次的傳統中，大家缺少對生活的自覺，因而裏面含有很有意義的東西，也含有毫無意義的東西。有與時代要求相適應的東西，也有遠落在時代之後的東西。這是使社會可以得到安定，但同時也會使社會趨於保守的一股無言地力量。在低次元的傳統中，沒有自己批判自己，改進自己的力量。

另一是「高次元的傳統」，這在 Eliot，則稱之爲「正統」，這指的是形成一個民族精神的最高目的，最高要求，乃至人生的最高修養。這種傳統的創始者，總是某一宗敎的敎主，有如釋迦、耶穌。或者是某一民族的聖人，有如我國的孔子、孟子、老子、墨子。創始以後，更由各代的大宗敎家、大賢人、大藝術家、大文學家、大史學家等等，加以繼承、充實，而成爲一個民族的宗敎、哲學、史學、藝術思想的主流。這些思想，必有若干實現於該民族的低次元的傳統之中，而成爲指導的原理與信念。但因時間的限制，及人的具體生理存在的限制，將永無全部實現的可能。並且一經在具體事象中實現以後，便容易凝滯、僵化，忘掉了原有的精神，甚至發展到相反的方向去。高次元的傳統，它是理想性的，精神性的，必須通過人的高度反省、自覺，而始能再發現，使其「再生」。在反省、自覺的再發現中，常是把歷史的過去連結到現在，以通向未來，作人類大方向、總方向的探索，在這種探索中，對於低次元的傳統，會發生批判的作用，並對新鮮地事物，會意識的加以吸收，以形成新的傳統。

二

若把整個文化，也切成一個横斷面來看，便同樣可以分爲兩個層次。一是由前面所說的低次元傳統所形成的「基層文化」。另一則是由少數知識份子所追求的「高層文化」。每一個時代，尤其是當著某種轉變的時代，總有若干少數知識份子，由個性解放的要求，新鮮事物的刺激，便常常從傳統的束縛中，突圍而出，以追求新知識，開闢新境界，獲得新事物。這種努力，便形成一個民族的高層文化。

高層文化與基層文化，一是前進，一是保守；一是重自由，一是重規律；所以二者之間，是要發生矛盾衝突的。但日人務臺理作氏在其「歷史哲學中的傳統問題」一文中却說：「沒有基層文化的民族，也便是沒有高層文化的民族」，這又是什麼原因呢？因爲人類的生活，常常表現爲兩種互相矛盾的要求，而且又是二者不能缺一的。一方面要求前進，一方面又要求安定。一方面要求新鮮，一方面又眷念故舊。一方面要求自由，一方面又要求規律。一方面要求個性解放，一方面又要求社會諧和。所以一個安定而進步的民族，必定要使兩個層次的文化，並進不悖。

三

兩個層次的文化，原是互相矛盾衝突的。然則有什麼力量能使其並行不悖以保持一個文化的統一呢？這便有賴於高次元的傳統。務臺理作在上述論文中，以爲高次元的傳統，既不屬於基層文化，也不屬於高層文化，而係從二者之內部加以融和調整，以保持一個民族文化的諧和統一的。高次元的傳統爲什麼有這種功用？因爲高次元傳統的自覺，是把過去、現在、未來，連在一起的。是把個人和社會連在一起的。是把一個民族和世界，連在一起的。不如此，便不會有此自覺。在連在一起的思考、體驗中，基層文化中落後的東西，高層文化中過於突出的東西，都會得到淘汰與折衷。其中符合於人類兩種相反相成的需要的東西，都在高次元傳統的精神、理想提撕統攝之下，各得到應存的地位，以形成新的秩序，亦卽形成新的傳統。人類文化在安定中的進步，卽表現在傳統自身，是在不斷地形成之中。因此可以了解，由高次元傳統之力所形成的傳統，對過去的承傳，同時卽是對過去的超越。

關於傳統的不斷更新、與形成的情形，可以用武漢的江漢會合情形來作比喻。長江流到漢陽龜山脚下，漢水從西北方流下來入於長江之內。漢水入江的口子，激流洶湧，行船要特別小心。並且水也分成兩種顏色。但再下去一段，便看不見激流，也看不出那是江水？那是漢水？而只覺得它是一條浩蕩的長江，順着自己的河床，有軌律的向東流去。長江的河床，便是把許多舊流、新流，融和在一起的力量。假使新流一下子衝垮了原有的河床，便不僅會氾濫成災，連長江和漢水，也都會消失掉。一個民族由許多大聖大賢大思想家所創出的民族精神的內容、理想的方向，正如河流的河床一樣。誰能認爲只有衝垮河床，才能容納新流呢？誰能認爲只有澈底否定維繫一個民族所自來的精神、理想，才能容納新的事物呢？

一九六二、四、八　華僑日報

一個新的探索

人非僅由歷史所決定，人也能決定歷史。換言之，人才是歷史的中心。

——西諾特

一

西諾特（Edmund W. Sinnatt），是美國現代的一位生物學家。他在一九五七年，把若干著作，收錄爲「世界展望叢書」，而他個人則是站在生物學的基礎上來了解人生，展望世界的。從他所企圖的方向來看，對西方而言，尤其是對美國而言，可以說是一個新的探索。他完全不知道中國文化；但在他的探索中，假定有人能告訴他，他所探索的方向，正是從中國周初以來所探索的方向；我們探索的成果，對於他所要說明，而尚未能完全說明；所想達到，而尚未能完全達到的；實際且已提出過深切地說明；實際早已開闢過宏深的境界；

這將會使他如何的高興，因而也可使中國文化，在人類面對當前最大危機時，貢獻出一分力量。可惜現代中國的知識份子，早已把自己的文化，忘記得乾乾淨淨了。下面，我先就西諾特的序言，簡單介紹一點他的若干看法。

西諾特首先說明，他所收錄的叢書，「把主題安放在從基於現實的新鮮形像所知覺的宇宙來看人生的人生觀之上」。要把握住正在各方面發生變化的宗教、科學、政治、經濟、社會等的相互關係，而加以敍述，發揮在現代有最高自覺與責任感的人們的智慧。

西諾特稱現代是「世界時代」，卽是人類的自身，及人類所面對的問題的解決，超過了國家民族的界限，而應具有世界性的規模。因此，各著者對其各個主題，不應僅由猶太教、基督教、或東洋與西洋等狹隘觀點來加於處理，而應站在「世界共同體」這種廣闊視野來加以處理。

二

西諾特深深感到現代正面對著一個虛無、黑暗、而絕望的世界。大家正「遇著還是由人來否定虛無？或者是由虛無來否定人的問題」。爲了解決此一生死問題，應開闢出眞正地世界史。這樣的世界史，須「超越單純地私欲」，而要求有由自覺而來的「精神地革命及道德地革命」。他認爲現在開始覺悟到，「人類各種社會組織與正義、自由、和平的確立，並不能僅靠知識而獲得，而是要與精神及道德的改善，相並而行的」。他認爲「知識的過剩，却產生自覺的後退」。現代自然科學，雖然正在作輝煌的躍進；但其結果，「使因果律與自然的統一性的傳統假定，爲之瓦解；減弱了人的精神與道德兩方面的價值，降低了人在宇宙中的地位」。

同時，他說：「對於自然與人生的理解，反對採取機械論的世界觀，以及實證論的世界觀。因爲他們以爲哲學不過是給情緒以滿足，而加以輕視的原故」。他在「人間、精神、物質」一書中，更强調感情才是人與一般動物分家的最大特性。因爲離開了感情，便無所謂宗敎、道德、藝術。

他指出「現代世界缺乏個性的、量的集體文化，是如何地無實質，是如何地危險，已經有一部份人了解到；但還未十分引人注目」。而「平等正義等等，並非僅作爲數的概念所能加以把握的」。所以他主張應從人與自然、時間與空間、自由與保護等，互相分離中，「注目於有機統一體的新人間像，迎接過去未見其例的，包含各種質與智慧的豐富而廣大的歷史」。

三

西諾特認爲「人非僅由歷史所決定，人也能決定歷史」。換言之，人才是歷史的中心。他以爲以觀念爲中心的近代史觀，以神的啓示爲中心的基督敎史觀，均應讓位於有了新宇宙觀的「新史觀」。而他之所謂新史觀，即是「戰勝貪欲與野望」，最後倚賴道德之力的道德史觀。

他對於道德的看法，似乎與許多西方的科學家、宗敎家不大一樣。他繼承西方的傳統，主要以「正義」代表道德。但他承認正義爲人性所固有，這便有點接近於孟子「義內」之說。而他下面幾句話，最值得注意：「與古代的看法一樣，人能自己成爲神；能想出可以與存在於宇宙的偉大諸力相一致。人不是靠祈禱，只是靠行爲，而可給宇宙以影響。並且現在再度感到對於宇宙、社會、朋儕間要得到調和的自覺，不是靠祈禱，而只能靠行爲實現的。」

我曾經指出過，中國在周初已覺悟到人的問題的解決，應當由宗教的祈禱，轉向道德的行爲。而通過人在道德上的自覺，以建立天人、羣己的諧和一致的關係，正是中國文化一貫的努力。西諾特似乎也正探索向這一方向。他說：「西歐的民主主義，從物質，或從科學技術方面來看，都非常強大；但在尊重人格的這一點上，都走錯了道路。從道德及精神方面說，却面對着空前未有的危機」。他的目的，是要從人的靈魂深處求得「將感情與思考，加以直接連接的全體」，把由現代知識，將人生加以分割了的破片，重新集合起來，「由正義加以統一」。「一面提高宇宙與人生的交流，一面恢復人之所以爲人的本來面目」。再具體的說，他要求「從精神與道德的廢墟中，擊破虛無、黑暗、絕望；在東西兩世界，再準備一次文藝復興」。

一九六二、四、十九　華僑日報

論傳統

上學期快要結束的時候，東風社幾位同學約我在這學期作一次講演。那時候我決定講的題目是「中國藝術精神與現代藝術精神」。材料也大概準備好了。但到了這學期，我又臨時改變題目爲「論傳統」。這有兩個原因的：第一、因爲胡適之先生死後，他的朋友和學生多說他立身行己，合乎儒家精神；毛子水先生還稱讚他是聖賢。胡先生一生是反傳統的鬥士，在他心目中無所謂聖賢。他在文學上，認爲凡是文言的東西都是死的；前年還公開說作律詩楹聯的人是下流。但他死後，大家却把他放進儒家的傳統中去。並且連治喪委員會的祭文及絕對多數的輓聯，都採用了爲胡先生平日所呵斥的傳統形式。然則傳統爲什麼有那麼大的力量呢？從歷史上看，可以說大多數的人，都是從傳統中來，死後依舊又回到傳統中去。這到底是什麼原因呢？值得我們反省。第二、現在一般青年，還沒有養成獨立思考的習慣，而只隨着風氣轉。目前的風氣，大家一談到傳統就討厭。但我不能迎合這種心理來講話。前次我給東風社演講，曾對同學提出三點希望。一是要保持純潔的心靈。二是要養成獨立思考的習慣和能力。三是要把自己的生活和社會連繫在一起。後來這篇演講也曾在「東風」上刊出。不過我是半路出家的人，不是偶像；所以我的話對你們並沒有發生多大的影響。你們正如許多人一樣，不是靠自己的思考來判斷，而是靠從外面捧來的一個偶像作判斷。我舉個大家捧偶像的例子來說吧。從前孫中山先生曾說過「我們對於科學要迎頭趕上」。大家便一直捧着孫中山先生的話，不求甚解的說來說去。但不久以前，吳大猷博士在中央研究院演講說，「科學只能從基本的研究工作做起，一步步地做；怎麼可以說迎頭趕上呢？」胡適之先生也跟着說同樣的話。因爲這兩位都是大家心目中的偶像，對於他們的話便只有無條件的信仰。我相信，連國民黨的黨員，在短時間內，也不敢再說「迎頭趕上」了。其實，只要稍稍用自己的頭腦思考一下，則「迎頭趕上」和「從基本研究工作做起」，這中間有什麼矛盾呢？譬如以現在進步的速度說，二十年前的機器，和十年前的機器，五年前的機器，可能有很大的不同。連儀器、技術的情形，也都是一樣。假如要建造一個工廠，我們該用十年前，二十年前的舊機器呢？還是用最新的機器呢？我們建造一個工程，是用最新的技術呢？還是用老技術呢？學校的實驗儀器，是用最新的好，還是用老的好呢？又譬如研究物理學，我們是應該教學生讀由古典物理學所編出的教科書呢？還是根據新物理學所編成的教科書？每一門科學，有了重大的發現，便影響到若干基本觀念，於是在基本研究工作中，就我們的情形來說，依然應當有「迎頭趕上」的觀念來作努力的大目標。至於有人拿「迎頭趕上」作吹大砲之資，那完全是另外回事。現在的人因爲吳大猷博士是科學家，胡適之先生是名學人，就以爲他們的話，與中山先生的話是不相容的，其實是大錯。所以我們在贊成和不贊成一個說法之前，應該切實觀察、思考、體驗一番，然後再加判斷。中國的落後，就表現在一般人只會隨風飄來蕩去，而不敢、也不能用獨立思考的情形之上。我雖沒有學問，但我的社會經驗相當豐富。難道說還不了解羣衆心理！我今天所以要講不合羣衆心理的題目，就是要告訴大家，任何文化上的問題，不是像一般人所直感的那樣的簡單。因此而希望能啓發大家了解獨立思考的意義。

對於傳統這個問題，我分三段來講。每一段話的後面，包含有許多連帶的問題，今天不可能完全講出，也不可能完全解釋清楚，希望以後大家能進一步去研究。第一是講何謂傳統，第二是講傳統的横斷面。第三是講中國五四時代反傳統以後的歸趨。

一 何謂傳統

從文化上了解，中國過去有「傳統」的名詞，它大約最先出現於後漢書東夷傳。但所指的只是統治者的權位繼承而言，與今天所講的「傳統」的內容是不相同的。中國過去又有「道統」的名詞，但道統也不等於傳統，雖然它可以構成傳統的一部分。傳統這個字，大概是從英文的 tradition 這個字翻譯過來的。而英文的 tradition 則從拉丁文的 traditio 出來，traditio 又從 tradere 出來，其意義是「引渡」，是一件東西從一個人傳到另外一個人的意思。因此，我們所說的傳統，是某一集團或某一民族，代代相傳的生活方式和觀念。因為是代代相傳，所以從時間上看，有其統緒性；因為是某集團的，所以從空間上看，有其統一性。我覺得把 tradition 翻譯成「傳統」，到是非常恰當的。但要進一步了解傳統，便應了解傳統是具備五種基本的性格或構成的因素。缺一種性格或因素，就不能成為傳統。

1民族性——日本青木順二在他所寫的「民族意識與傳統」一文中說：「傳統一定包含民族，民族也一定包含傳統。」T.S. Eliot 在「神異的探求」一書中也說：「傳統是意味着住在同一空間的同一人種的血肉連繫。」他的話，依然是認爲傳統和民族是不可分的。民族是由血緣、語言文字、共同利害等許多因素所逐漸形成的，但是在上述許多因素中，必須醞釀出共同的感情願望，並產生共同的生活方式，某一集團才會以民族的成員出現於歷史舞臺之上。所以離開了民族，便無所謂傳統；離開了傳統，也無所謂民族。民族意識的覺醒，同時必會伴着某種程度的傳統意識的覺醒，這是歷史上及當前民族主義運動中，隨處可以找到證明的。

2社會性——G. K. Chesterton 在所著的「妖精之國」中說：「傳統是由健全的大衆所創造出來的」，「傳統是代表人與人之間的共同之聲。」由此可以了解，傳統是社會性的創造，它卽生根於社會之中。S. Spender 在一九五三年寫的「創作的要素」中，認爲近百年的文學傾向，是由離開傳統，又同向傳統；由離開社會，又同向社會。他所講的文學的意義，我們今天不談。我只想借此說明傳統一定是有社會性的。所以反傳統的人，若把反傳統的思想，在自己的生活行爲上實現，便一定是反社會，或是從社會中孤立起來的人。反傳統的思想，要得到社會大衆的支持，只有通過兩種途徑：一是隨時間之經過而讓自己的主張加入於傳統之中，以形成新的傳統，有如今日的白話文等等。另一是展開所謂「社會運動」，有計劃地對社會加以說服或强制，有如許多革命者之所爲。

3歷史性——傳統是大多數人在不知不覺中共同創造，約定俗成的。傳統一定要在歷史的時間之流中才能產生、形成。傳統與歷史是不可分的。T. S. Eliot 在「傳統與個人天賦」中認爲眞正偉大的作品，一定是與傳統連在一起的。但人要得到這種傳統，必定要有歷史的感覺。由此我們可以了解，在一種閉鎖的心靈狀態下，只能以自己當下的利害、感情爲活動的中心，而不能擴大到歷史世界中去，這種人便會覺得歷史乃是毫無意義，或與當前生活並無關涉的存在。這種人縱然生活於傳統之中，但在他的生活意識上，一定表現爲反傳統。因爲不了解歷史的人，一定不能了解傳統。

4實踐性——凡所謂傳統，大多都是與人們具體的生活關連在一起。換句話說，一般所說的傳統，不是存在於書本或講壇之上，而是生存於多數人的具體生活之中。某種觀念、思想，假定成爲一種傳統，必須是屬於文化的價值方面，對社會的實踐發生了影響。文化中的知識系統，常是日新又新。但若不與某種價值系統相結合，它本身便不會成爲帶有排斥性的東西。歷史上文化的衝突，有的以新舊知識衝突的姿態而出現，實際只是因爲這些知識，牽涉到傳統中的價值問題，所以在本質上依然是不同價值間的衝突。因爲價值佔傳統中的主要地位，它是與實踐連在一起的。

5秩序性——凡是談到傳統的，一定連帶談到秩序，認爲傳統是代表一種共同生活的秩序。這裏所說的秩序，是就個人與羣體的諧和，自由與規則諧和來說的。傳統，乃是大家所不約而同的共同生活方式。在現實生活中，必定含有許多異質的，因而在理論上是矛盾的東西。但這些東西，一旦成爲傳統，則各種異質的因素便各自構成生活的一部分，而得到大家不言而喩的「相安無事」；理論上的矛盾性，便消解於大家共同承認之中，而構成使生活得以安定的秩序。

二　傳統的橫斷面與文化的橫斷面

要了解傳統在整個文化中的意義，還須作進一步的分析。我下面所說的，主要是根據日本一位哲學家務臺理作氏在「歷史哲學中的傳統問題」一文中所提出來的觀點。

要進一步了解傳統，只有從它的橫斷面去看。傳統的橫斷面可分為兩個層次。一是「低次元的傳統」，另一是「高次元的傳統」。前者務臺理作稱為「傳承」，後者T. S. Eliot稱為「正統」。一切風俗習慣，也就是民俗學所研究的範圍，都是屬於低次元的傳統。它有兩個特性：第一、它的精神意味比較少，而是多半表現在具體事象之中。第二、它是被動的，即是所謂「百姓日用而不知」的。因為是具體而又缺少自覺，所以它是靜態的存在。因為是靜態的存在，所以它便富於保守性。它的自身，正如同「黃河之水，挾泥沙而俱下」，有許多是合理的，也有許多是不合理的；有許多是可以適應時代的，有許多在時代上是落後的。並且它沒有自己批判自己的能力。它不感覺到自己包含有不合理或落後的成分在內。因此，低次元的傳統，本來就缺乏自己改進自己的能力。

高次元的傳統，則是通過低次元中的具體的事象，以發現隱藏在它們後面的原始精神和原始目的。它常是由某一民族的宗教創教者、聖人、大藝術家、大思想家等所創造出來的。它是精神地存在，不是目可見，耳可聞，而須要通過反省、自覺，始能再發現的。並且由這種再發現，而會給與低次元的傳統以批判。在批判中，它自然會把過去、現在和未來連接在一起，而同時加以思考的。一切的批判，一定會以時代為對象，以時代為基盤；斷乎沒有離開時代性的批判。不過，批判力小的，常只局限於當下的時代。批判力大的，便會把過去、現在和未來連結在一起，以找出一種基礎更爲廣大的批判尺度。所以高次元傳統的本身，便含有超傳統性的意義。更具體的說，它含有下面幾個特徵：第一、它是理想性的。這正如基督教的儀式是低次元的，但它的博愛却是高次元的，是理想性的。第二、因爲它必須經過人的自省自覺而始能發現，所以一經發現，它對低次元的傳統，也一定是批判的。因爲是批判的，所以第三、它是動態的。因爲是動態的，所以第四、它是在不斷形成之中，是繼承過去而又同時超越過去的。

其次，我們要了解傳統在整個文化中的意義，便須先談到整個文化的橫斷面。整個文化的橫斷面，也可以分成兩個層次。一是「基層文化」，另一是「高層文化」。基層文化，即指的是社會所傳承的低次的傳統。高層文化，則是少數的知識份子，對於知識的追求，個性的解放，新事物的獲得，新境界的開闢所作的努力。基層文化是與高層文化，常是不斷矛盾衝突的。基層文化是無意識的，是保守的，是以社會性爲主的。而高層文化，則是由知識份子個性的覺醒所產生出來的；它是前進的，解放的。所以高層文化，常表現爲要求自傳統中解放出來。因此，它便常常要求打破傳統。但無論那一國的文化，一定都包含這兩個部份。沒有無基層文化的民族，也沒有無高層文化的民族。沒有基層文化，其民族的生活是飄浮無根。沒有高層文化，其民族會由僵滯而消滅。只不過歷史中有些時代偏向在基層文化，有些時代又偏向高層文化而已。這兩個層次的文化，既然不斷地矛盾衝突，爲什麼還能同時並存呢？原因很簡單，那是因爲人的要求，常常是相反相成的；人一方面要求進步，一方面又要求安定；一方面要求自由，一方面又要求有規則。一方面喜新，一方面又念舊。務臺理作說：「高次元的傳統，既不屬於基層文化，也不屬於高層文化；而是在它們之間，從內在的關連使二者得到諧和。」所以高次元傳統的作用，是在融合解消兩層文化的衝突，使這兩層文化得到折衷而構成生活上的秩序、諧和的。高次元的傳統，爲什麼能在整個文化中發生融合兩層文化的作用，這只要想到前面所說的高次元傳統的特性，便可以了解它。

務臺理作在他這篇文章的最後說：「傳統（指高次元的傳統）是一種熱情，沒有這種熱情，卽不會有創造文化的氣力。」所謂熱情，是說高次元傳統的自覺，必須來自對民族、社會、歷史的責任感。這種責任感，才是創造文化最有力的動機，並成爲創造過程中的一種規整大方向的權衡力量。

最後，我再重複提醒一下，所謂傳統，是在不斷地形成中進行；這種情形，使我想到小時候到武昌讀書的一種感想。大家都知道，長江和漢水，就在那地方交會；在漢水和長江交會之處，波濤洶湧，坐船從那裏經過，要特別小心。並且在交會的地方，也可以看出水的兩種顏色。這是因爲漢水這一新力量加入時發生的衝激力所產生的必然現象。但是再往下不遠，不但衝激力量消失了，甚至在交會處所看到的長江和漢水的兩種顏色也分不出來了。長江之水，卽是由這許許多多的新流加入，而不斷形成的一條因有固定河床，因而是有規範的巨流。假定長江因漢水的加入而把河床衝垮了，便沒有長江，也沒有漢水。長江就如同傳統，漢水及其他諸水，就如同加入傳統中的新因素。S. Spender 說過，「若有完全創新的文學加入到傳統中，給傳統以衝激，則傳統中整個文學的秩序，卽會因此而重新構造，重新安排和重新估價。」這對整個傳統來說，都是如此。可以這樣說，新事物因加入到傳統中而得發揮其功效，傳統因吸收新事物而得維持其生存。

三 中國五四時代反傳統以後的歸趨

中華民族的歷史，是經過了不斷地反傳統，及傳統的再形成而延續下來的。否則的話，中華民族早已死亡了。中國傳統與西方傳統不同之點，在於西方最大的傳統是宗敎。宗敎是以組織的力量支持一種信仰，所以它有很大的排斥性。中國傳統最主要的却是儒家。儒家沒有組織力量的支持，其性格也是沒有排斥性的文化。中庸上說：「萬物並育而不相害，道並行而不相悖。」正說明儒家思想的性格。中國社會的停滯不前，主要是來自農業社會及專制政治，而不是來自儒家對外來事物的排斥性。唐太宗在大秦景敎碑的序文裏面，就表現了任何宗敎都可以融合在一起的思想。康有爲氏曾說中國民族，是最富於破壞性的民族，這當然是站在一個反面的立場來說的，但事實上也是如此。唐君毅先生曾說，中國文化是「沒遮攔」的文化，這是從正面來說的。由此可以了解，中國的傳統，是排斥性最少的傳統，是維持力最弱的傳統。

以五四運動爲中心所發生的反傳統運動，從歷史上看，是有其必然性的。自鴉片戰爭以後，與西方多方面的接觸，使我們遇着歷史上所未曾有過的新情勢，不是傳統可以應付。民主科學，未曾在傳統中出現，但必須澈底加以接受。爲了接受新事物，應付新情勢，在傳統未被重新調整以前，常須出之以反傳統的方式，這在歷史上是數見不鮮的。所以五四時代的反傳統，是有其意義的。但我們要了解，政治的統治，和社會的傳統，並不是一樣東西。反對不合理的統治，是那一國的傳統都承認的。我們兩千年的專制政治，也自然會浸透到我們的傳統中去。爲澈底打倒專制，也必須把傳統中的專制因素加以淸除。不過當時所走的路，第一個錯誤，是把不合理的統治，與文化中的傳統混在一起，而要加以一齊打倒。例如，他們把反對君主，和反對父母，看作是一樣事情，以爲父權社會，和專制君主，同樣是罪大惡極的，因此而主張澈底打倒傳統的家庭制度。但他們沒有想到，有許多人受到專制的毒害，却很少有人受到嚴父的毒害。第二個錯誤，他們以爲傳統與科學是不相容的；要接受科學，便必須澈底打倒傳統。殊不知許多大科學家，依然過着傳統生活的樣式；而現在守着傳統的家庭，也決不會反對自己的子弟研究科學。第三個錯誤，他們不了解有許多傳統的風俗習慣，是由新事物的出現而自然會改變的。例如新式紡織業出，農村的紗織便自然淘汰；交通發達，社會生活頻繁，原有的大家庭制，及以祠堂爲家族活動中心的自治體，也自然解體。有了電燈，便自然不會眷戀「一燈如豆」。諸如這類無言的淘汰、演進，只待新鮮事物不斷地出現，用不上喧嚷、叫喚的。但當時却以爲必須一一由文化運動來加以廓淸，反而很少作積極建設的努力。在我的印象中，當時的文化運動者，叫喚的工作做得太多，像「民生實業公司」、「三友實業社」這類的事情做得太少。第四個錯誤，他們根本不了解低次元的傳統，與高次元的傳統，有很大的區別。更不了解高次元傳統的自覺，對落後的不合理的風俗習慣，同樣是一種批判力量；對民主科學，同樣是一種推動的力量。却把中國文化中的高次元傳統，視作爲與包小脚、吃鴉片煙是相同，乃至是不可分的東西，而要加以澈底打倒。爲達到此目的，吳虞們便要打倒孔家店，錢玄同們便稱孔子爲「妖道」而主張廢除漢字，廢除漢語，以便把中國文化斬草除根。殊不知誰站在中國文化的立場，而會贊成包小脚、吃鴉片呢？在我的記憶中，我的父親便是痛恨包小脚，連水煙都不准沾一點的人。嚴復、林紓曾反對科學嗎？孫中山、梁啓超、梁漱溟、張東蓀、張君勱、熊十力、唐君毅、牟宗三，這些先生，有誰人不主張科學，有誰人不主張民主，有誰人反對吸收西方文化？近來有許多人駡我是義和團，但我對西方文化的追求，乃至於對新鮮事物的興趣，似乎比駡我的人知道得多一點，吸收得也多一點，最低限度，似乎比口裏喊現代化的人，對於新事物的興趣要高一點。更奇怪的是，許多喊現代化，駡我是義和團的人，除了千方百計，想當外國人以外，自身既不研究科學，更不敢面對民主。而我們一般朋友，對民主到還能始終保持一種堂堂正正的態度。也從來不曾妨礙到自己的兒女、學生，對科學的學習。所以五四時代的澈底反傳統的運動，對於科學民主來說，有許多是沒什麼必要，而只是徒增紛擾的。

不過，人類的行爲，遇着情勢劇烈轉換的時代，矯枉每每會過正。五四時代的反傳統，實在是「事有必至，理有固然」。當時反傳統反得太過，事實上也是不易避免。所以今日我們只可加以反省，而不必去深責。只要讓其自然發展下去，這一股激流，便會完成它應有的任務，而平靜下來。這卽是新傳統的形成。在新傳統中，有淘汰、有吸收，以保持整個文化的諧和、進步。並且五四以後，文化的發展，大體上也是走的這一條路。由反傳統而向傳統的復歸，以形成新傳統，這可以說是人類的天性，是歷史的規律。若要完成五四時代澈底打倒傳統，而不稍加折扣，事實上只有訴之於暴力。假定既反對暴力，便只有走我們以高次元傳統的自覺，融和中西，以形成新傳統之路。在文化的大方向上，除這兩條路以外，我看不出有第三條路。最可怕的是：反傳統者反的是傳統中最好的，而提倡傳統者却提倡傳統中最壞的。這樣便沒有文化之路可走。

不過，我們目前所走的路，在民族意識消沉，社會心理浮動，每一個人只有當前，而沒有過去與未來的情勢之下，是最艱難的一條路。但我們只有把個人的生命，融入於民族、社會，及連結過去與未來的歷史感覺之中，來走我們艱難的路，以規整我們文化發展的大方向。

一九六二年五月　東風

中國文化的層級性

一

要把握中國文化，首先應把握到中國文化的若干特性。在以思辯、概念為主的文化傳統中，思辯、概念的構造，常常與大衆生活無關；因此，思辯、概念的破產，同時即是文化自身的破產，現在西方有不少人，宣佈傳統哲學已經完結，正反映這一情勢。

但中國文化，却是以生活體驗為主。以生活體驗為主的文化，在表現的形式上，常不及西方哲學乃至宗教的堂皇、富麗。因為生活的自身，即是一種限制。但它既是從人生體驗中來，又向人生體驗中去，所以儘管在某一時代知識份子的意識中沒有中國文化，但廣大的社會生活中，依然會保存有中國文化。此即所謂「百姓日用而不知」。所謂「禮失而求諸野」——也即是我前次所說的「中國文化的伏流」。

現在我更提出另一中國文化的特性，卽所謂中國文化的「層級性」。不了解中國文化的層級性，也很難接觸到中國的文化。層級性，是指同一文化，在社會生活中，却表現許多不同的橫斷面。在橫斷面與橫斷面之間，却表現有很大的距離；在很大的距離中，有的是背反的性質；有的又帶著很微妙的貫通關係。所以執著某一橫斷面中的某一點滴，固然不能了解中國文化；卽使能擴大而掌握到許多橫斷面中的某一橫斷面，還不能說是了解到中國的文化。看出了橫斷面與橫斷面之間的背反關係，而不能看出橫斷面與橫斷面之間的貫通關係，還不能說是了解到中國的文化。當前的所謂「漢學家」的風氣，是抓住某橫斷面中的某一細小的題目，以「在豆腐中找骨頭」的心理，作所謂「狹而深」的研究；這種研究，有時可以解決文化中的某一小問題；有時又因其把問題孤立化、誇張化，反而蒙混了文化中的大問題。這種研究的結果，可以換取博士學位；但若因爲換取到了博士學位，而便以爲了解到中國文化，大談中國問題，那便是盲人摸象，只證明這是一個無知的專家罷了。

二

政治，可以說是文化的集中表現；許多人說，有某種文化，便產生某種政治，這不能說沒有道理。由此一觀點對中國所得的結論是：在中國歷史中所實現的是專制政治，所以中國的文化，是支持專制政治的文化；專制政治打倒了，所以中國文化當然也應當打倒。這是最流行而又最動人的一種說法。但司馬遷作史記，認爲自從周代的幽厲之後，擔當保護我們羣體生活之責，使此一羣體，依然能生存發展，而不至於毀滅的，不是各種形態繼起的政治領袖，而是孔子及由孔子所影響的學派。此一觀點，乃司馬遷的歷史哲學，所以串貫於史記全書之中，尤其著見於十二諸侯年表的敍論。司馬遷的這一觀點，乃非常明白的說中國歷史中的政治，和由孔子所傳承、創造的學說，是兩個不同的文化橫斷面，在歷史中盡著正反兩種不同的作用。爲什麼今人可以混爲一談呢？由宋儒所強調的「道統」，也是自孔子以後，沒有人會把一個帝王，乃至一個宰相，列入到道統中間去，這由孔廟兩廡中所列的牌位，也可以看出。「道統」不像西方的哲學傳統一樣的，是純認知的系統，而是通過人格的建立，擔當我們民族生存的責任。這種責任擔當者，連好的帝王也不能排列到中間去。這也正說明道統之與政治，乃是文化的兩個不同的橫斷面。若用「文化」一詞的原有意義，則道統是文化，而專制政治是反文化的。不過，在這裏，對文化一詞，乃是採用隨俗的意義的用法。

在上述的兩個不同的橫斷面中，互相滲透，無形中形成一種合理與非合理的混雜地帶。例如唐代的三省制，完全是宰相制度被專制之主所破壞以後的產物，有人把它解釋成中國的議會制度，當然是附會。但其中也含有若干開明而合理的因素在裏面，却是無可否認的。因此，僅從中國的政治史來斷定中國整個文化的性格，固然是荒唐；即就政治橫斷面中的某一事項，而一口斷定其是非善惡，也常易流於武斷。

三

把政治置之不論，僅就社會而言，社會中原始性的風俗習慣，與文化所追求的理念之間；個人由原始生命衝動所發出的行爲，與由文化生命所發出的行爲之間，其層級性更爲顯著。例如在先秦，已經把原始宗教，轉化而爲偉大的道德精神；把不可證知的神，轉化而爲內在於人生命之中的道德主體，這是人類宗教最高最後的形態；但一直到現在，社會還流行著最原始的動物精靈崇拜，這二者之間的層級性是如何的巨大。諸如此類的，可以說是舉不勝舉。但層級之間，依然有其相互間的滲透，同樣會形成一個廣大的混雜的文化地帶。最顯著的例子，水滸傳一書，可以說是在賣人肉包子的黑店，與講義氣的英雄之間進行。中國人能欣賞這部小說，但西洋人恐怕很難欣賞它。

這種層級性，是由長期的歷史文化的積累，及長期在專制政治下的殘暴愚昧的兩種相反的因素，交織而成。有如中國的食品，從最原始最樸素的食品，一直到最複雜、最奢侈、最美味的食品，同時存在。前者是表示我們落後的一面，後者是表示我們長期積累的一面。我們一切的情形，都是如此。不了解這種層級性，可以說便無從了解中國文化，無從了解中華民族。此一層級性，是要在民主政治、產業發達的進步之下，始能逐漸縮小以至於消滅的。

一九六二、九、廿二　華僑日報

今日大學教育問題

當前因為科學技術的飛躍發展，引起一切活動速度的增加，空間距離的縮短，社會關係一天比較一天的密切，因而形成了變動得非常迅速的時代。如何適應這種變動，這是大家所面對的難題，大學教育也不能例外。

一

目前大學教育，概括言之，正面對着兩大難題。一是如何調整學問的分化與學問的統合的問題。二是如何調和社會需要與高深研究的教育基礎的問題。日本東京大學文學部（卽文學院）目前所決定的改組計劃，正是爲了解決這種難題的努力。

學問，是以分化、專門化而得到進步。但同時，若不把分化的知識加以統合，若不把知識問的境界線加以塡補，學問也同樣不能得到發展。例如就社會學方面來講，最近多半是把社會學與心理學作共同的研究。而在哲學與文學方面，較之以一國家一民族爲單位的研究，更特別重視比較哲學，比較文學方面的研究。過去以專科爲教學基礎的學系制度，是不適宜於作上述的研究的。

同時，大學文學院的課程，多半是爲了奠定繼續作高深研究的基礎而設計的。但大學畢業之後，只有極少數學生進研究所；絕大多數的學生，是向社會求業。中文系畢業的學生，懂得了聲韻學，但不懂得辦公文；英文系畢業的學生，懂得了沙士比亞，但不懂得英語會話乃至商業文件，這對於就業而言，可以說是一種諷刺。而大學的教育，使多數學生念那些自己並不需要的專門學科，這不算得太合理。

二

日本的東京大學，爲了解決上述問題，從去年下季起，設了一個「制度委員會」，將文學部細分作十八科（系）的現行制度，加以檢討，而提出了新的方案，將文學部的制度加以改組，並預定於明年春季始業時實施。早稻田大學及慶應大學，也開始考慮到這種問題。而日本東大的理學部，也設了「將來計劃委員會」，作繼起的改進。所以日本東大文學部的改制，乃是日本整個大學改制的開端。

日本東京大學文學部，原來是分爲十八個系，每系設立有若干必修的專門課程。此次則決定把十八系編成爲四個「學類」；由「學類」的這一新造名詞，而表示了學術上統合的趨向。他們所編成的四學類如下：

（一）文化學類：哲學、倫理、宗教、宗教史、美學、美術史、中國哲學、印度哲學。

（二）史學類：國史、東洋史、西洋史、考古學。

（三）語學文學類：國文、英文學、法文學、德文學、中國文學、言語學。

（四）社會、心理學類：社會學、心理學。

由上述的改編，可以了解兩點：一是把過去分得很細的課目，併爲幅度相當大相當廣的課目，這是表示由重視專門的教養，轉而特別重視「一般教養」。另一是學生對功課的選擇，保有自己需要的自由，而不至像我們的中文系，把文字學、聲韻學之類的東西，規定學生非修通便不能畢業一樣。實際，這種觀點和要求，本來是可笑的。

三

把教育的重點，轉放在「一般教養」之上的改制，不是沒有困難。知識的統合，應當是來自每一專門知識內在的關連，及對現實人生、社會問題能作比較完整的把握；而不能靠拼湊式的統合。中國過去曾有「由一經以通羣經，由羣經以通一經」的說法。若改用現在的意味來說，卽是「由一個專門學問以通向其他學問；由許多其他學問以澈底了解一門學問」，這是非常困難的事情。同時，由各專門知識所建立的封界，只能用現實人生的問題來加以突破。例如由邏輯實證論所提出的對道德的否定，站在現實人生來看，那只能算是打胡說。但對人生大問題，大原則的把握，又是談何容易。若這兩點作不到，則所謂「統合」云者，必定走向拼湊式的、概論式的方向，而使學術水準低落。

同時，學生的興趣和需要，有時不是一個大學生可以完全自己把握得到的。興趣在乎培養，需要決定於環境；而作人治學，總需要有若干基本的知識和訓練。課程選擇性的自由太大，可能因青年的浮薄心理而造成基本的缺憾。

日本東大此次文科的改制，可以說是「通才教育」的擴大。通才教育，是第二次世界大戰後由美國所倡導的新趨勢。不過，在通才教育的上面，假定沒有研究院的設置，其結果，不過是騙人的洋式村塾而已。今日大學已面臨到非改制卽無以適應學術發展與社會要求的關頭。但這種改制，既需要知識的努力，更需要負責者為國家下一代設想的誠意。

一九六二、八、四　華僑日報

再談知識與道德問題

知識，起於對客觀事物的了解；道德，起於對自身生活的反省。兩者都是由實際生活的需要而來；但對知識感到需要比較容易；對道德感到需要，却比較困難。因在常識範圍之內，了解客觀的事物比較容易；了解自己的生活，却比較困難。因此，在人類文明的自覺過程中，大抵是知識走在前面。

一

最先引起古代希臘人追求興趣的，是自然現象，於是在前七、八世紀時，希臘開始出現了自然哲學，這是屬於知識方面的。等到蘇格拉底出來，喊出「你應知道自己」的口號，於是道德意識，才出現於古代希臘文化之中。不過，當時蘇格拉底，有强烈地道德意識，却把道德與知識的密切關係，看成了知識卽是道德；他對道德的要求，實際只成爲對知識的要求，所以蘇格拉底以後，追求知識，依然是希臘文化的主流，而道德始終不曾在這一支文化中生下根。此一趣向，實際延續到古羅馬的初期。等到奧古斯丁出來，向大衆呼喚着，「你們多知道一顆天上的星，對於你自己的身心，對於你所遭遇到的問題，有何裨補呢？」於是許多人在此一呼喚之下，拖着瘡痍滿目的身心，投依到基督敎裏面。這便出現了以宗敎爲中心的「中世紀」。

二

宗敎，當一個人以「神愛世人」之心爲心的時候，可以說這呈現出了最高的道德。當一個人只憑若干儀式以求神的恩賜的時候，可以說這既非不道德，但也很難說他是道德。當一個人挾神以自重，無形中把神變成自己的征服意志，用組織之力，以强迫保有不同信仰者，壓迫保有不同信仰者的時候，可以說這實際是一種不道德，反道德。因此，道德在宗敎中，也並沒有生穩根。就我所了解，西方一直到康德出來，才把道德與宗敎，結爲一體，想使宗敎植基於道德之上。但許多牧師、神父們，又叫喚起來說，「若如康德之說，是把神成爲道德的附庸，也即是把宗敎變成爲道德的附庸」。實際，神與道德之間，沒有附庸不附庸的問題；感到這種問題的，只是吃神飯的人在現實中的利害。不過，因爲如此，康德的這一部分思想，只是作爲思想的意義而存在，對西方的歷史、社會，並沒有發生「敎化性」的作用。

文藝復興後，歐洲經過理性地啓蒙運動而得飛躍地發展。這種發展，主要是科學知識上的成就，產業經濟上的成就。但在這中間，倫理也不曾被忽視過。著有國富論的亞當斯密，同時也有倫理學方面的著作。甚至有人說，英國此一時期的最大成就就是倫理學。總之，在歐洲文化的上昇過程中，倫理、道德，也盡到一份責任；最低限度，兩百多年間，歐洲沒有人懷疑到道德的存在問題，更沒有人懷疑到道德與知識，能否並存的問題。其中當然有所謂懷疑主義；但懷疑主義，不僅懷疑道德，並且也懷疑知識；所以我們談到道德與知識關係的時候，對這一派，可不加以考慮。

三

不過，近代歐洲的倫理學，主要還是立基於知識之上。順著知識去找道德的根源，在許多哲學家中，便常常把道德的根源，安放在思辨性地形而上學裏面。這類的形而上學，是思辨的，當然也是知識的。既是知識的，便不能不受知識本身的規定。知識本身主要規定之一是可以通過某種檢證以測定其眞假。從十九世紀的三十年代到五十年代，在哲學方面，可以說是黑格爾的世紀。人類的精神、道德，都表現在他那一套堂皇富麗地形而上學的堂殿之中。到了十九世紀的五十年代以後，由自然科學的突飛猛進，知識的成就，壓倒了一切。黑格爾的堂殿，首先受到知識規定的考驗，而逐漸崩潰了下來。以此爲標誌，所崩潰的不僅是黑格爾的形而上學的問題，而是倫理道德，在學術文化中的地位，以至生存的問題，受到了考驗。於是從十九世紀之末，倫理、道德，一天天地趨於沒落、黯淡。到了二十世紀的四十年代以後，在最流行的思想中，有如分析哲學之類，更公開地拿著知識來打擊道德，否定道德。認爲道德不道德，乃是人在某種環境下的情緒問題，求知識便要排斥情緒，所以求知識便必須排斥道德。

四

這裏先不牽涉到整個人生、社會的問題，而只提出：假使沒有起碼的道德，又誰人會相信知識呢？例如，「人生要誠實，不可說謊」，這是道德的要求。知識當然決定於驗證。但在日常生活中，並非每一句話，每一個問題，都能一一加以驗證後才去選擇；因爲，假使如此，每一個人，將無法生活下去。人與人相接，張三可以接受李四的話，在一般情況之下，並非張三直接去驗證了李四的話，才相信他，而是認爲李四的話是「誠實」的。此時卽是以李四的道德，來保證了李四口中所說的知識。現在把這一道德要求否定了，於是許多人，不僅在一般利害的關係中行使詐術，並且爲了其名譽地位，也是在學術本身來行使詐術，這在他們認爲既無所謂道德問題，則這種詐術，在他們是不會感到有良心的譴責。但由於這種「誠實不欺」的道德的否定，誰人又能相信從說謊者口裏所說的，能算是知識呢？因爲「說謊」是反道德，同時也是「反知識」。所以我在這裏先說出一個結論：道德的沒落，必會引起知識的混亂，墮退。這是今日談思想文化的人，所應注意的大問題。

一九六二、十二、十二　華僑日報

過份廉價的中西文化問題

——答黃富三先生

一　討論的基礎

在正式答復以前，我想先提出幾點意見，作爲彼此討論的基礎。

第一、討論是以彼此的文章爲基礎。彼此的批評，都應根據對於兩方文章所作的順理成章的解釋。加在對方身上的批判，一定要從對方的文章中推出來。曲解對方的文章，不以對方的文章爲根據，乃至斷章取義，由此所下的批判，都是無的放矢的話。目前這種風氣，我希望大家共同努力加以矯正。

第二、這次的辯論，可能還會繼續發展下去。但我提議，每一次，限定一個範圍；不要在一篇短文中，漫無邊際的談到一切文化問題，以免毫無結論；更不可出之以懸空地謾駡。我這一次，只就我和黃先生彼此有關的文章來談。至於在兩文章裏面所包含的其他具體問題，等把文章本身的問題弄清楚以後，再一樣一樣的談下去。

第三、對於批評與謾罵，似乎應有一個起碼的界定。凡以對方言論爲根據所推演出來的結論，是批評。沒有根據，只是隨便加到對方身上去的，便是謾罵。我希望辦刋物、寫文章的人，不要以謾罵爲目的。

第四、此次爭論，起因於胡適博士去年十一月六日在亞東地區科學會議席上講演中主要的兩句話：「現在正是我們東方人開始承認在那種古老的文明中，很少有靈性，或者沒有」。首先應當確定胡適博士所說的「古老的文明」的這句話，是一個「全稱的命題」。因胡博士是把東方文明與西方文明相對而言；所以凡是產生於中國印度的（東方的範圍可以更大，但就胡所說的內容看，實際只指中國和印度而言）文明，都是「古老的文明」。在時間上應包括自其發生以至其傳承的整個歷史。因爲在他的命題中，並無時間的限定。這一點，旁人不必爲其故作曲解；除非胡博士自己出來更正。

第五、我非常贊成黃先生「撇開一切情感的因素，來對這一件事，作一客觀的評判」的態度。因此，我和黃先生的爭論，只對付「這件事」。假定在辯中發現兩方，在某一句話，在某一意義上，的確犯了無可爭辯的錯誤，只好各自加以承認，使其告一段落，以便逐步提出新問題來討論。在目前，只有在擁胡派心目中的胡博士，才是一無錯誤；我和黃先生都不是胡博士，彼此應有承認錯誤的誠意。

以上我所說的討論的前題，對於黃先生而言，只是「徐先生等於在通知我們說，白紙是白的一樣」，毫無意義。但「人莫不飮食，鮮能知味也」，事先提醒一下，以免不斷地浪費時間精力，總是好的。

二　怎樣會轉移到中西文化問題上去？

黃先生的大文，是因對我的「中國人的恥辱，東方人的恥辱」一文（以下簡稱原文），「實不敢隨意苟同」而發的。首先使我吃驚的是，在我的大約四千字的文章中，是在什麼地方討論到「東西文化」的是非得失的問題呢？假定我在我的原文中並沒有討論到東西文化的是非得失問題，則黃先生根據什麼來和我論「東西文化」呢？不錯，我在其他的學術性的文章中，也有就中國文化中的某一點，和西方文化中的某一點作過比較的研究。但我雖愚且妄，還不至於在短短的一篇文章中，「一口吸盡西江水」似的來論整個的東西文化。對於由東西文化比較所得出的結論，可以簡單的說出來；但後面的根據，不是簡單可以說出來的。以我和黃先生的學力，恐怕不配討論這樣大的題目。假定文星的編者事先以黃先生的大文見示，我便會很誠懇地要求把題目改小一點，以免為學術工作者竊笑。

其次，黃先生所以提出這個大題目來，是認為我犯了主張「復古」，反對西方文化，「故步自封，神遊古代……然而對國家民族，這是一種自我陶醉，自我摧殘的」等等大罪。不過，在我原文中，只提出六點來證明胡博士的講辭是非常的失態；並說明胡博士並不眞地了解西方文化，不了解現代文化。即使我的論點都錯誤了，黃先生是在那一句話裏面可以得出我是在反對西方文化呢？並且我在原文中，提出了愛因斯坦，E. Spanger, A. Carrel, John B. S. Haldane, H. J. Laski，等，以作我立說的根據；是不是這些人因為沒有拿起麥克風來喊「我們的文化領袖胡適先生」，而被擁胡派把他們從西方文化中開除出去了呢？

即使是如此，在我的原文中，有那一句話是貶抑了西方文化，而要麻煩黃先生來爲西方文化向我大興問罪之師呢？不錯，我因爲胡先生說東方文明沒有靈性，等於是說東方人不是人；因爲凡是人便有靈性；所以我說他「以中央研究院院長的地位，在國際性會議的正式講辭中，而能說出這種話，是中國人的恥辱，東方人的恥辱」。這種話在擁胡派聽來是有些刺耳的。但我在「當前的文化問題，答客問」（見元月廿四、廿九、卅日自由報）中，深深惋惜他沒有好好地繼續研究西方文化。又惋惜他在美國住了許多年，對於西方思想家在兩次大戰後爲人類前途所作的各種探索，他都一無所知；而只能背誦自己三十多年以前的文章，來伸張現在的地位。假定黃先生認爲我對胡先生的責難不對，黃先生儘可舉出反證來爲他作辯護。黃先生的辯護勝利了，也只能說徐某對胡先生的責難是胡說八道。黃先生用什麼方法可以由此而得出我是反對西方文化？黃先生的想像力未免過於豐富了吧！

又其次，我在原文中，主要只爭一點，即是胡先生不能說東方文化中沒有靈性。我爲東方文化爭靈性，小而言之，即是爲每一個人的祖宗爭靈性。在我的推想，恐怕只有古代的奴隸主，才會認爲奴隸是沒有靈性；否則他們的鞭子便不能狠狠地打下去。近代大概只有掠奪非洲黑人去販賣的白人，才會認爲被掠奪的黑人是沒有靈性；否則他們的瘋狂掠奪的買賣，應當爲自己的良心所不容。但寫「黑奴籲天錄」的人，却認爲黑奴也有靈性。在擁胡派中，能發現出有那一個西方的學者，會說出東方文明，是沒有靈性的文明的這種話嗎？他們之不這樣說，是出於受有良知良識的限制。因此，我對胡博士的抗議，不僅是作爲一個中國人，作爲一個東方人，所應有的抗議。同時也是作爲關心人類整個文化的任何人，所應有的抗議。在我的原文中，黃先生從那一字，那一句，可以看出我「就斷定我們今日的文化也壓倒西方」，因而斷定我是「故步自封，神遊古代，固然能引人自我陶醉，然而對國家民族，這是一種自我麻醉，自我摧殘的行動呀」！「我想敬告這些復古愛國主義者……並不是大聲疾呼力倡回到一個皇帝，幾本經書的封建時代，就是愛國。所以徐先生這種做法，表面上是冠冕堂皇的愛國者，其實，這種抱殘守缺的觀念，是有害於國族生機的」。黃先生根據什麼邏輯，而可以在我的原文中，推出這些罪名呢？當我研究古代思想史時，我到眞想「神遊古代」。也同於一個研究古生物學的人，會神遊古生物世界；作過殷墟發掘的人，不說在發掘之時，即使在發掘之後，也可能還會神遊殷墟。難說做學問的人，要像現在許多人一樣，隔着學問十萬八千里，大罵大捧嗎？難道說一個神遊古生物世界的古生物學家，便是要復到古生物世界去嗎？即使在他個人問題範圍之內，要復到古生物世界去，但若他不假借政治權力勉强他人接受、實行，他又何致犯下「有害於國族生機」的大罪呢？這裏，我很誠懇地向黃先生請教兩點：第一、你在我所有的一切文章中，能提出我是「力倡回到一個皇帝，幾本經書的封建時代」的證據嗎？假定你拿不出任何證據，你便是以說謊、栽誣的手段來對我作人身的攻擊！你爲什麼要如此？第二、黃先生爲什麼一看到我主張東方文明中是有靈性的話，便這樣怒憤填膺，咬牙切齒？東方文明中的靈性，與黃先生有何寃何仇？我主張東方文明中有靈性，即使是日據時代臺灣總督府下的特高課，也不致因此而定下我是犯了摧殘國家民族的大罪。認爲奴隸沒有靈性的奴隸主，認爲黑奴沒有靈性的黑奴販賣者，他們自身才眞是「利令智昏」的沒有靈性！

黃先生要在東方文明有無靈性的這一基礎之上來和我討論東西文化，在黃先生心目中的東西文化，未免過份廉價了吧！我可以再進一步告訴黃先生，我在大學的中文系裏敎書，敎的、研究的，當然是中國傳統的東西。世界大概找不出在大學的文科中，不發掘、研究各自的傳統文化的情形吧！同時，我是半路出家的人，在學問上所得的也自然非常有限。不過，任何人學問上所能學到的，都只能是整個學問中的一部份，所以也可以說每個人都是抱殘守缺，我更不能例外。但若就一個人做學問的精神態度而言，在今日的臺灣，恐怕很少人有資格在我面前能用「抱殘守缺」四字來責難我。我常常和同事的先生們聊天，希望中文系裏每一門課，都能由過去落實到現代。舉例說吧，我常想：應當以「語言學」代替現在的「文字學」、「聲韻學」；應當以「詩學」來代替現在的「詩選」「詞選」；應當以「戲劇學」代替現在的「元曲」。現在所教的這類材料，都應歸納到每一門學問的系統中去，接受每一門學問有系統的知識的解釋。但這在目前，是任何大學都做不到的。我經常鼓勵中文系的學生應當好好學英文。常常提醒他們，不能了解西方有關的東西，便也很難眞正了解中國傳統的文化。因爲我們是要站在現代的立場去了解傳統，所以不能以過去的人所了解的爲己足。並經常告訴學生，我們對傳統的東西，必須重新評價；而今日評價的尺度是在西方，我們應當努力求到這種尺度。我教中國哲學思想史，最辛苦的準備工作是西方的哲學史。我教史記，最辛苦的準備工作是西方的史學思想與方法。我教文心雕龍，最辛苦的準備工作是西方的文學理論。我當然所能求得的是非常有限；但我是天天在追求。我們對中國文化，也正是像姚從吾先生所說的，做着「經過洗滌，使眞珠與魚目區分」（見人生二七一〇合期顧翌羣先生信簡）的工作，我對中國傳統的政治思想，這種工作做得相當的澈底。我多少次說明中國的文化思想，是受了二千年中專制政治的干擾、歪曲、壓迫、毒害。所以作研究工作的人，首先要從這種歪曲毒害中把它洗滌出來。我寫的「中國孝道思想的形成、演變及其歷史中的諸問題」一文，正可以作此類工作的範例。我們的研究結論，只有用更進一層的研究，才能加以修正。我們是認爲在中國文化中，有可以補西方文化不足之處。但我們的說法，無一不是經過「洗滌」而來。洗滌的結果，對，或者不對，應當根據我們寫的東西，作具體的分析、批評，而不能懸空地誣衊謾駡；因爲世界上沒有任何一門學問，會告訴人，可以採取這種下流的態度，尤其是稍稍受過一點西方文化洗禮的人。

三　我在什麽地方反對過「强調科學」

以下，就黃君大文，逐段討論下去：

「首先，徐先生反對胡適之的強調科學，並謂科學並非萬能，今天所謂萬能，有兩種解釋，一是一切都能，一是形容有極大的能耐。我不曉徐先生是用那一種說法。假定用前者的話，我想徐先生等於在通知我們說，白紙是白的一樣；因為世界上的確沒有一種學問，能完全解決一切的問題。假定用的是後者的含義，那我們可以大膽的說，科學是萬能的；讀過世界史的人都知道，西歐的進步，是近百年的事。……這種科學發展的成果，是任何人所不能否認的」。

按：「强調科學」與「科學萬能」，完全是兩種意義。任何學問，都可以由各研究者加以强調。譬如一個藝術家强調藝術，這與旁人有何關係？但若有人說藝術是萬能，一切學問都從藝術中出來，那便會發生爭論。在我的原文中，只不承認科學是萬能。但黃先生可以找出那一句，或由那一句的含義，乃至由我其他的一切文章中，曾反對胡博士乃至任何人「强調科學」？這種「裁贓問罪」的辦法，站在中國文化立場上看，有人格上的問題；站在西方文化立場上看，是出於無心的概念不清，便有知識上的問題！若出於故意如此，便也有人格上的問題。在黃先生的大文中到處採用這種辦法，這固然爲中國文化所不許，恐怕也爲西方文化所不許。其次，在拙文中，只說過「科學萬能」，並沒有說過「萬能地科學」；儘管兩種說法，有時意思並沒有分別；例如一個人做禱告時常常說「萬能地上帝」，實際也是「上帝是萬能」；但在我所用的語句中，「萬能」只能作科學的判斷解釋，而決不能作對科學的形容詞來解釋。黃先生不能就我的話去作歧義的蔓延。又其次：黃先生說，「讀過世界史的人都知道，西歐的進步，是近百年來的事」；今年是一九六二年，倒推上去，近百年便是一八六〇年左右；因此，我願意告訴黃先生，「讀過世界史的人，都『不』知道西歐的進步，是近百年來的事」，而是近三百年的事。

上面還只是字句的問題，更重要的是「科學萬能」的觀念，不僅是胡博士個人的觀念，而是許多人的觀念。科學萬能不萬能，這是「可以爭論」的問題。胡博士說東方文明沒有靈性，固然是以科學萬能的觀念爲背景；但若胡博士僅主張科學萬能，而不說東方文明沒有靈性，我縱然和他爭論，那却完全是另一層次的爭論；我便決不會用「中國人的恥辱，東方人的恥辱」這一類的話去譴責他。因爲卽使站在科學萬能的立場，也不能說出東方文明沒有靈性這種話；因爲東方沒有現代科學，東方在很長的歷史中，却有很豐富的「前科學」的活動，亦卽是有科學的靈性。當解決的問題不能解決，只是因爲傳統在作怪；傳統投降了，却對傳統無法收容，覺得只有盡坑降卒四十萬，才妥當而痛快；但傳統坑盡之後，並沒有一個新社會來作反傳統者立足之地。而且最奇怪的現象是，凡是極端反傳統的人都是在新的思想上，新的事物上，乃至在一切學問事功上，完全交白卷的人。錢玄同這種人不待說，胡適先生自己，除了背着一個包著瓦礫的包袱以外，誰能指出他在學問上的成就是什麼？「好人政治」的提出，連「民主」的招牌也丟掉了。

傳統是由一羣人的創造，得到多數人的承認，受過長時間的考驗，因而成爲一般大衆的文化生活內容。能夠形成一個傳統的東西，其本身卽係一歷史眞理。傳統不怕反，傳統經過一度反了以後，它將由新底發掘，以新底意義，重新回到反者的面前。歐洲不僅沒有反掉宗敎；而昔日認爲黑暗時代的中世紀，拉斯基在其「歐洲自由主義之發達」中，敍述了自由主義的成就後，接着說：「不消說，其代價（自由主義的成就）也是非常底大。卽是，因此而我們失掉了使用若干中世底原理的權力。——這種原理之復興，在我想，認爲確實可成爲人類的利益」。（日譯本第九頁）這是歐洲反傳統得到了結果以後，所發出的反省之聲：我們反來反去，却反出一個共產黨來，這還不值得我們的反省嗎？

「徐先生又說，真正懂得科學的人，都不是對科學的讚頌，（按：我是針對胡博士而言，所以這裏的原文是「現代只要配稱得上是一個思想家……」黃先生不可以在這裏改成「真正懂得科學的人」；因為我說的話，都有相當謹嚴地分際，即使在概括性的引用時，對於其中主要的字句，也不可隨意改動，以免概念混淆。下面凡有這種情形的，只加按語更正，不另說理由。）而是對科學的反省。我不知徐先生對科學如何下定義，也不知徐先生這話從何而來的？而那些對科學反省過的人，他們的結論是什麼？這些問題，徐先生均沒有交代清楚。但是我願意說一句，時至今日，任何對科學稍有認識的人，都莫不承認科學的價值……」

按拙文上面有「按從胡博士講辭中……的話看來，他所說的科學，係指自然科學而言」。我爲什麼要先說這幾句話？目的是要先把本文所說的科學加以界定——自然科學——以確定原文內牽涉到科學時的範圍。我在原文中，未涉及進一步的內容分析，因爲所需要的，只是以這種「界定」作討論的前提爲已足，而不需要進一步下定義。黃先生說我沒給科學下定義，是覺得在我的原文中涉及科學時，有什麼概念上的混淆呢？還是性情太急，沒有把我原文的前後語句，作一有關聯的了解呢？至於說沒有對科學下定義，又問對科學反省過的人結論是什麼？則在我原文中不是分明引有愛因斯坦及生物學家A. Carrel，生物統計學家John B. S. Haldane等等，對我的看法的來源和結論，已經有簡單而淸楚的交代嗎？黃先生何以成見如此之深，把我交代得淸淸楚楚的東西，硬要加以抹殺。並且在文星同期以謹愼縝密之筆，寫「胡適之與全盤西化」一文，以證明胡博士決無錯誤的徐高阮先生，過去便曾譯過被稱爲現代世界聖人的許懷徹（Albert Schweitzer）的語錄，那不是對科學的大反省嗎？徐先生的文章寫得很好；但他的內心，對胡博士東方文明無靈性的說法，到底是贊成還是不贊成？他寫了這長的一篇文章爲胡博士辯護，但對於引起此次辯論的胡博士的講辭，却隻字不提，這固然是畫龍而不點睛，使他整個的辯護失掉了主題；但也正是他有不得已的苦衷的地方。還有現代科學史的權威 G. Sarton 博士，在他所著的「古代中世科學文化史」的序章中，不是很淸楚指出這種反省嗎？這是一部大書，只要肯看看他的序章，也是非常有益的。英哲羅素，在他所著的「倫理學及政治學的人間社會」的最後「開幕乎？閉幕乎」的一章中，他認爲從知識（科學）進展的情形看，世界還在開幕之中；但從知識以外的情形看，世界却又可隨時閉幕。他說「……然而人間最好的，値得讚頌的，不僅是知識，或者爲主的也不是知識，而是美的創造；還有能具有對於全人類的愛或同情，並能具有爲了使全人類爲一體的大希望……」；換言之，他認爲人類的前途，除了科學（知識）以外，還有賴於藝術與道德，而科學是不能代替藝術與道德的。總結的說，對科學的反省，是來自各種角度，得出各種結論；但我在這裏，只以引用足以證明「科學不是萬能」，因而爲道德、藝術、宗教開路爲已足。並且在我的引用中，不涉及許多人所攻擊的形而上學的哲學家的論點。以淹貫西方文化自命的黃先生，當然比我這種抱殘守缺的人，看到此類的材料會更多，還要向我提出質問？至於黃先生提到科學的價値問題，我在本文中已說過「自然科學在文化中處於支配的地位，早成事實」，我曾經否認過科學價値嗎？上面隨便所引的都是著名的科學家（許懷徹是外科醫生）或科學地哲學家，其中有一個人否認科學的價値嗎？黃先生向我宣傳科學的價値，倒眞大可不必了。

四　科學與理想

「一、徐先生說，科學是無顏色的，顏色是外加的（按我的原文是「科學技術，要由用的人賦予以顏色方向，亦卽所謂理想」。「用的人」不能改為「外加的」。）又說科學是必然性的（按我的原文是科學的法則，是有必然性的），則人類應該是向著同一的理想前進，今日世界，應無衝突的危機。由這句話看來，徐先生好像認為科學並非必然性的。如果這句話能成立，那麼今天的許許多多偉大的科學成就與價值，豈不因他這句不科學的而動搖。徐先生根據今日危機的存在，而斷定科學的非必然性，這種推論是錯誤的……」

按：我原文的這一段話，是針對胡博士以科學技術「確實代表著眞正的理想和靈性」的說法，而加以辯難的，所以一開始便引用他的話，以作爲此下辯難的前提。科學技術，當然代表人的靈性的一方面。但這一方面的靈性，只能產生爲了達到理想的有力工具——科學技術的自身不能產生理想；人類的理想，只能從靈性的另一面——道德、藝術——產生。正因爲如此，所以我們不能承認科學是萬能的。我的原文是「假定人類的理想，是出自必然的法則，或者此必然性的本身即是理想，則今日各強國間向科學技術的競賽，實際乃是向同一理想的競賽，當前的世界，還有什麼危機可言呢？」這段話乃是證明科學自身不能產生，或代表人類的理想；而是「要由用的人賦予以顏色、方向，亦即所謂理想」。我不知黃先生爲什麼能從我的原文中，可以得出「徐先生好像認爲科學並非必然的」這種非常奇怪的結論。大概黃先生鼓着一肚子氣來看我的文章，沒有把前後相關的語句連貫起來看，才會發生這種可笑的誤解。

或許又有人懷疑我認爲科學的本身不能產生理想的話，是不能成立的，那便在下面再一度引用愛因斯坦的話：

「信心，是由經驗與明析地思維所支持，這是事實。在這一點上，不能不讚成極端合理主義者的主張。但是，他們想法的弱點，乃在下面的一點上，即是：對於我們的行為或判斷所必要的，而且又是成為行為、判斷之規準的各種信心（按實即我們所說的理想），不是僅僅順著堅固地科學方法所能找到的。因為，科學方法，僅可以告訴我們事實是如何地互相關連，及互為條件。並不能告訴我們以超出於上二點以外的東西。……我決不輕視各位（按，指當時聽講的科學家）在此一分野得到的成果與英雄的努力。但同樣明瞭的事實是：『這是如是』的知識（按即科學知識），決不能為我們打開通向『這應當如此』（按即倫理道德）的門。我們即使具有許多明瞭而完全地『這是如此』的知識，但不能由此而演繹出人生願望的目標，應當是如此。客觀的知識，為達到某種目的而可為吾人提供強力的工具；但究極地目標之自身，及追求此目標之憧憬，須從其他源泉產生出來……」（日譯愛因斯坦晚年思想二五頁）

愛因斯坦所說的科學，是指用科學方法所求得的客觀知識而言，把社會科學也包括在內。所以黃先生在下面的文章中，以爲人類的理想，可以從社會科學中產生出來；隨社會科學之進步、普及，而可以使人類走向共同的理想，也是不能成立的。最低限度，在我並不是如此看。現代極權國家對社會科學的研究，決不在自由國家之下；並且他們各種整齊劃一的社會，經濟的計劃，都是要以他們在社會科學方面研究的成果爲根據的。換言之，社會科學的自身，也是一種客觀知識，和自然科學一樣，只能在政治、社會、人生上，給人以對其理想之有關事物，發生釐清的作用，並提供以實現的手段。在釐清對象時，可給人的理想以某程度的修正；但其自身並不能產生理想。不過，社會科學與自然科學不同之點，在於社會科學研究的對象是人的行爲；人的行爲多來自人的理想（廣義的用法）；因此，所以由社會科學知識所發生的釐清作用，對人的理想所發生的修正作用，比自然科學知識方面來得大；而研究社會科學的人，無形中常把自己的理想，滲入到解釋中間去，以圖適合於自己理想的可能性，也常較自然科學的研究者爲大；所以在這種地方容易引起誤解。

五　拿社會科學來作一連貫的栽誣

「二、徐先生又說『原始生活的民族，亦有價值的心靈活動，胡先生憑什麼而能斷定中印兩大文化中，只有極少的心靈活動，乃至根本沒有呢』？不錯，人類天賦的大腦，同是要作精神活動的；然而你不能說，每個人的精神活動結果，就完全相等。如果相等的話，你徐先生還能在大學當教授嗎？中印兩大民族過去曾締造極輝煌的文明，這是事實。而西方文明在文藝復興後，學術突飛猛進，至今他們的文明壓倒我們，這也是事實。如果以我們古代文化曾壓倒西方，就斷定我們今日的文化也壓倒西方，這種反邏輯的推論，徒然引人發笑。舉個例說，中國古代首先發明火藥，你能說我們今日的火藥武器比人家犀利嗎？」

按：我的原文是針對胡博士的講演而發。胡博士是說中印兩大文明中沒有靈性，而不是說雖有靈性，但靈性的結果與成就趕不上西方；所以我對他的詰難，只限於在中印兩大民族中有無靈性的問題上面，不節外生枝去談到結果與成就的問題。每寫一篇文章，都要設定範圍，以免流於泛濫、橫扯。黃先生在我的原文中，找得出那句話是認爲「每個人精神活動的結果與成就完全相等」，而須要黃先生來加以指教？黃先生是在我這篇文章中，乃至是在我所有的文章中，找得出曾作過「以我們古代文化曾壓倒西方，就斷定我們今日的文化也壓倒西方」的「違反邏輯的推論」？這些栽贓問罪的話，從何而來呢？並且我還可以告訴黃先生，我們當比論東西文化時，只就文化中的某一方面，某一問題上來絜長較短，連「我們古代文化曾壓倒西方」這類的籠統話我也不說。因爲文化是多方面的，不可輕易採用這個籠統的論斷方式。尤其是我們衡斷文化，是以文化某一方面，某一部門的自身價值作衡量，並非以現實上的勢力作基準（有時僅作輔助性的例證）。當羅馬滅亡後，希臘文化，僅寄托在阿拉伯集團中保持殘喘；當它偶然由阿拉伯人手上轉回到意大利時，當它由君士坦丁堡陷落而少數人抱着殘編斷簡奔向意大利時，誰能想到後來它會開歐洲三百年的文運呢？談文化，只問它本身有無價值，不應問它在現實中有無勢力。這是學人和商人市儈，最大不同之點。黃先生接着說：

我仔細地探索，發現徐先生和一般人犯了同樣的毛病，以為我們自然科學雖不如人，但我們社會科學方面，遠比西方優越。這是天大的錯誤，任何接觸過西方思想的人都知道，西方自然科學的發展，實奠基於社會科學。我們只知有形的自然科學，比人家落後一百多年；而無形的社會科學比人家落後了好幾百年而不知，這種現象實在太可怕」。

按：近代自然科學，經過了十六世紀的準備時代，由加利略（Galilei 一五六四——一六四二）到牛頓（Newton 一六四二——一七二七），可說完全奠定了基礎。加利略的斜塔落體試驗，大約是在一五八三年前後；牛頓完成其引力研究，爲一六八五年。社會科學最先成立的是經濟學；其次，才是政治學；最後才是社會學、人類學。奠定經濟基礎的是亞丹斯密（Adam Smith 一七二三——一七九〇）的「國富論」，它出版於一七七六年三月九日。只要稍稍了解一點西方文化情形的人，應當都知道西方的社會科學，是受自然科學的影響而逐漸成立的。除了經濟學一直走著堅實發展的道路以外，玻旺卡勒曾說「這是方法最多，而結果最少的科學」（三木淸著社會科學概論，波岩哲學版九八頁）。我相信決找不出一個像黃先生這樣，認爲「西方自然科學的發展，實奠基於社會科學」的說法。同時我更可以負責地說，在我的任何文章中，找不出「但我們社會科學方面，遠比西方優越」的語句，或這一類的意味。並且也可以斷然說在文化教育界中，也決找不出像黃先生所說的「一般人」犯了這種毛病。我不願受栽誣，文化教育界更不應受栽誣。在社會科學方面，我們的確有些落後，但我也想不出「落後好幾百年」。我也不了解自然科學與社會科學，可以用「有形」與「無形」來加以區別。老實說，黃先生實在不知社會科學是什麼？所以有上面許多莫名其妙的「有形」與「無形」來加以區別。並且對我現在所說的話會引起若干疑問；但爲了節省篇幅，這裏只說到此處爲止，等黃先生將來提出問題時再答覆。如因沒有看淸楚我的文章或意存誣衊而來的質問，我當然不必答覆。黃先生接着說：

「舉例說，你能挑出相當水準的思想家、哲學家或政治理論家和外國一比嗎？說到這裏，我忍不住要敬告這位愛國教授，故步自封，神遊古代，固能引人自我陶醉。然而對國家民族，這是一種自我陶醉，自我摧殘的行為呀！」

按：中國有沒有相當水準的思想家、哲學家、或政治理論家等，姑置不論。如果沒有，我眞不了解這位黃先生，為什麼不去問問領導中國最高學術機關數十年的胡適博士，却「忍不住」問到我這個半路出家，近十年來才沾上學術文化界的邊緣的徐復觀呢？以黃先生所把握的西洋文化水準來看，我只好甘認是「故步自封」；但我個人的故步自封，怎麼會影響到胡博士的閉鎖王國，年年選舉院士，却連相當水準的人才也沒有呢？「愛國」、「摧殘」等等，這都是黃先生所幹的「封神斬將」的勾當。我寫文章，只是出於自己不忍之心，沒有想到這是愛國不愛國的問題。不過，假使愛國不是罪名，則若有人因愛國而誤國，總比存心賣國，因而要把國家的根基完全拔掉的一輩，或者容易補救一點吧！

六　黃先生的時間觀念

「徐先生提出三個有關中國文化與包小脚（按我的原文不會說得這樣含糊不清的。可覆按）問題來責問胡先生；裏面充滿了對時間觀念的混亂。」

按：胡博士說中國文明沒有靈性，這是一種「全稱判斷」；在時間上，乃是就中國整個歷史時間中的文明而言。就胡博士的原講演辭看，不能有第二種解釋。而他之所以認爲在中國整個歷史時間中的文明是沒有靈性，其根據爲包小脚。因此，我只要在整個歷史時間中能舉出某一段時間不曾包小脚，這卽把他作爲「全稱判斷」的根據推翻，因而卽可證明他的全稱判斷爲僞。這種非常淸楚明白的論證方法，黃先生從什麼地方看出我「充滿了時間觀念的混亂」，而一再還問我「學過邏輯問題沒有」呢？黃先生繼續說：

「他①提出外國人的著作來證明婦女在中國文化中比任何其他文化的地位爲高。我們不能否認在如古代文明當中，中國文化比較地尊重婦女。然而西方封建時代的『婦女第一』，尤其是近幾百年來的婦女運動，早已把這種情況推翻了。徐先生怎能斬斷歷史，將古代的比較，演繹到現代的比較呢？」

按：歐洲中世紀的封建時代，僅騎士階級特別崇拜婦人；而「他們的最高的熱情，除了吵鬧與不休的飮酒以外，便是盡情放浪的性慾滿足」（日譯伯伯爾婦人論七八頁）。「他們的熱心，決不是精神的，實乃追求最現實的目的……這種對愛的讚頌，是以正妻爲犧牲，而將愛人加以聖化」（同上七九頁）。由此可知「西方封建時代的婦女第一」的說法，是太近於籠統了。此外，西方的婦女解放運動，可以說，進入到十九世紀才眞正開始；到了二十世紀初年，才算在敎育、政治上告一段落，似乎找不出「近幾百年的婦女運動」。我的原文是「……古代任何有文化可資稽考的民族中，只有中國文化，對婦女的地位最爲尊重」；這分明只就「古代」而言；黃先生在上面的語句中，爲什麼能找出我是「將古代的比較，演繹到現代的比較」呢，這豈不是睜著眼說白話？

七　黃先生的邏輯知識

「②根據包小脚，及問在包小脚之前，中國有沒有文化？徐先生到底學過邏輯沒有？大家都知道，在中文裏的『代表』與『是』並不就是『等於』的意思。譬說×先生是人，並不是說×先生等於人，而是說×先生是所有人中的一人。而『代表』兩字，當然是『部份』的意思。在中國文化中，包小脚這件事，大概誰也不能否認吧！而且在胡適之的演說辭中，其重心在比喻。徐先生故意歪曲原意，這未免太過份了。難道說事實與比喻的話，分都分不清嗎？」

按：黃先生又在我面前擺出邏輯來了！先看看黃先生的邏輯吧。黃先生說「在中文中的『代表』與『是』，並不就是『等於』的意思。按在中文中的「是」，當表示兩項關係時，可以有兩種涵義。其中一種涵義不就是「等於」。但有一種卻可以說是「等於」。a是a，也可寫作a＝a。「人是理性的動物」，也可寫作「人＝理性的動物」；黃先生一口斷定「是」「並不就是『等於』」，說得還不周衍。其次，「是」是外延的解釋，而「代表」則是內容的解釋；在黃先生的邏輯中，又把「代表」與「是」，看作完全是相同的意義；譬如「中華民國的元首是中國人」，和「中華民國的元首代表中華民國」，這兩個命題中的「是」與「代表」，是相同的意義嗎？「代表」，一定有「被代表」者。代表的範圍，也一定以「被代表者」爲範圍。假定代表的實質沒有問題，則就邏輯而言，代表者之代表性，應爲「被代表者」之全部。「元首代表國家」，能說這是代表國家的某一部份嗎？假定在此一命題之下，發生了「部份」與「全部」之爭，那一定是實質的問題，而不是邏輯的問題。黃先生根據什麼邏輯而認爲「代表兩字，當然更是部份的意思」呢？黃先生又說「胡適之的演說辭中，其重心在比喩」，更從黃先生說我「難道說事實與比喩的話，分都分不清嗎」的話看來，可知黃先生之所謂「比喩」，決非印度因明中之所謂「喩」，而係兩物相比，由此物以喩彼物的意思。兩物相比，雖兩物間有若干相類似之處，但兩物決非一物。例如「其人如玉」，「人」與「玉」決非同一物。胡博士所說的包小脚若只是一種比喩，則包小脚與中國文明決不是一物，而我們所要追究的將是包小脚與中國文明的類似點何在？我看了胡博士的講辭以後，不敢作此「曲解」。看黃先生「在中國文化中，包小脚這件事，大概誰也不能否認吧」的話，則黃先生也是認爲包小脚是中國文化中之一，並非認爲包小脚是中國文化的一種比喩。黃先生與胡博士不同之點，是黃先生認爲包小脚是中國文化之一，而胡博士則是認爲包小脚是代表中國文化，黃先生如何能說這是比喩的說法，而反以我爲歪曲原意呢？

把黃先生的邏輯程度拜領了之後，再回到本問題上來。現實地人，常常是理性與反理性，混合在一起；在自覺時兩者會互相鬪爭；在一般生活情形之下，二者（理性與反理性）又常「並行」而不以爲悖。所以人類的活動，常有走向「文明」與「反文明」的兩種傾向和現象。因此，到現在爲止，任何民族的社會中，有合理的東西，也有不合理的東西。我們依照文明 civilization 文化 culture 的中文及外文的原有意義，更應將合理一方面的思想、觀念、制度、物質成就等，稱之爲文明或文化。文化一詞，更表示生活中的價值意義或理想性。

在現代人類學中，把人類生活的一切都稱爲文明或文化，乃是方便的用法，非其本義。因此，包小脚，不論站在道德上、知識上來看，這是從專制宮廷中所蔓延出來的一種「野蠻風習」，也和美國現在尙有崇拜毒蛇敎一樣，不可以稱爲「文明」或「文化」。至於胡博士所謂「忍受」，則在中國的道德、宗敎、藝術、法律的任何一方面，都沒有承認包小脚是合理的風習，而把它包容在裏面。再退一萬步，照胡博士的意見，說包小脚是文明或文化，則胡博士的話若列爲三段論法是：

凡在忍受着殘酷無人性規定的文明中，沒有人性。

中國文明中忍受著殘酷無人性規定的包小脚，

所以在中國文化中沒有靈性。

依同式：凡在忍受著殘酷無人性規定的文明中，沒有靈性。

希臘羅馬文明中，忍受著殘酷無人性規定的奴隸制度，所以在希臘羅馬文明中沒有靈性。

上面的推論所以成爲問題，不在其形式，而是在成立此一形式的前提；卽包小脚在中國文化中的代表性問題。若中國文化爲a，b，c，d，e……，而a項是代表包小脚，則包小脚乃中國文化中之一「部份」。胡博士由包小脚以推論中國文明中沒有靈性，正是「以偏概全」，沒有弄清楚「部份」與「全部」的關係，而我所要說明的也正在這一點。黃先生不敢以此去責胡博士，却顚倒到我身上來，這是黃先生的邏輯知識使然？抑是在權威面前的膽量太小呢？黃先生繼續說：

「③徐先生推斷說，現在不包小脚了，中國文化應該消滅了。這種反問，實在令人遺憾，包小脚，我上一論點已經說過，誰告訴你沒有包小脚，中國就沒有文化？相反地，沒有包小脚，中國文化才能再生，才能更新，請看今日，是不是比包小脚的時代進步了一點？而所以沒有充分進步，就是因為有你這種包小脚式思想的人在作祟」。

按：胡博士既因中國的包小脚而便全部斷定中國文明中沒有靈性，卽是認爲在中國歷史中，除了包小脚以外，便沒有其他的文明。不然，他爲什麼可以作這種「以偏槪全」的論斷，而還會得到黃先生這種人來擁護呢？胡先生旣以除了包小脚之外，再沒有其他的中國文明，則中國文明應當隨包小脚之消滅而消滅，胡博士便不必再駡中國文化！所以我說他這種駡是「無的放矢」。假定包小脚消滅了，而依然有中國文明，卽可證明在包小脚之外，尙有中國文明；則胡博士在常識上，不能因包小脚一事而駡整個中國文明沒有靈性。我原文「四」的整段文章的用意，都是如此，這是任何有常識的人所能看懂的。黃先生代胡博士作發言人，對我作答覆，是要針對我向胡博士所提出的三個反問，而依然能證明胡博士的說法是天經地義。我的三個反問，是對胡博士對中國文化判斷中的辯論所必須有的反問，黃先生「遺憾」什麼？黃先生的答覆是「誰告訴你，沒有包小脚，中國就沒有文明」？除了胡博士外，的確沒有人這樣告訴過我。旣然如此，那便是承認中國除了包小脚以外，尙有中國文明。胡博士的論斷是根本不能成立的；黃先生爲什麼「不遺憾」到胡先生那一方面，却遺憾到我這一方面來了呢？我在家庭中的經驗，凡是我和太太發生任何爭執時，小兒女一定認爲我是錯的，媽媽是對的；這在家庭感情生活的氣氛中，勢所難免。我希望面對社會討論問題時，不必如此。至於黃先生說到沒有包小脚以後的中國文化的進步，那的確是有的。廢除包小脚的本身，即是一大進步。在文化方面，它的進步，從五四運動一直到抗戰發生時爲止，可看得清清楚楚。這種進步是表現在由愛國運動而發生對傳統文化的反省，對科學民主的熱烈要求，是表現在民國十三年以後，大家以研究代替喊口號。是表現在大家漸漸學會自己用頭腦去判斷問題，而不摸着偶像來爲自己壯膽。是表現在大家漸漸知道說話要有根據，判斷要有邏輯上起碼的推理常識。憑空地駡，憑空地捧的情形，便很少出現了。但若就擁胡派來看，則浮囂淺薄，狠戾混亂，連做任何學問的氣質都看不出來，又有什麼進步呢？因爲我主張在東方文明中有靈性而成爲「包小脚式思想」，則你們專以侮辱祖國文化爲職志的天足式思想，豈僅在西方很難找到同調；即在全世界也很難找到同調。我不知道在石敬塘下面，在劉豫下面，有沒有這種天足式思想？

「④徐先生拿印度宗教的階級問題，並和希臘、羅馬的奴隸及中古歐洲階級制度比，以說明印度種性制度的合理與靈性。這種說法，實在可笑，為什麼歐洲的階級就不合理，而印度的階級就特別合理呢……」

按：我的原文是「古希臘、羅馬，都容忍了奴隸制度，這比印度教的階級制，又高明多少？誰人能因此而說他們的文化，毫無靈性？」因爲胡博士對東方文化，是採取以偏概全的論法。若胡博士不因古希臘羅馬之有奴隸制度，便認爲在古希臘羅馬中，完全沒有靈性，就不可以因印度教有階級制度而便認定印度文化完全沒有靈性。因爲兩方面除了這以外，還有其他的文化。我對兩方情形的比較，只說一句「又高明多少」？黃先生是在那句話中，可以推論得出我是在「說明印度種性制度的合理與靈性」？我在什麼地方認爲「歐洲的階級制度就不合理，而印度的階級制度就特別合理」？黃先生是在何種精神狀態之下，受有何種壓力，以致非拿著我的話公開說謊不可？下面再看黃先生以教訓的口吻向我擺出來的西方文化的知識：

「且歐洲封建制度，是自然發展而成的，而印度種性制，是外族侵入印度後，以政治力根據種族而劃分的」。

按：歐洲封建制度，似乎與蠻族入侵有密切關係吧！

「社會主義精神是反宗教，反階級的。關於基督教、印度宗教、和社會主義，是有極大的不同，請徐先生多翻幾本書看看就明白了。」

按：我不必翻幾本書看，便可以知道宗教是宗教，社會主義是社會主義。在我說社會主義受了宗教的影響，乃至有意或無意的接受了宗教的若干觀念時，決沒有把宗教與社會主義混而爲一的嫌疑。不過從黃先生的話來看，似乎認爲社會主義之極不同於宗教，便是在它的反宗教，反階級。馬克思這一支的社會主義，是反宗教的；但他們也在「原始基督教」中去找他們的根據。其他許多社會主義的政黨與團體，則並不反宗教。佛教及原始基督教，同樣是反階級的。僅從這兩點，不能劃分兩者的界線。

「但我要強調一點，中古的財產共有，其實是封建領主的獨有；而社會主義是將財產當為社會公有」。

按：社會史家，雖然在若干部落裏面，發現有「村落共同體」這類制度的存在，但從來沒有人把中世紀的莊園制度稱爲「財產共有」。

八　面對黃先生的教訓

下面又同到黃先生對我的教訓上來（前已提過的不再提）。黃先生說「徐先生何必那麼看重面子呢」？按：「愛假面子」、「假愛面子」，固然要不得！但比連起碼的面子也不愛的總還要好一點。不愛面子，即是「不要臉」，不要臉的原因是因爲「無恥」；「知恥近乎勇」；未必黃先生以爲不要臉的人才能吸收西方文化；要吸收西方文化，便須以不要臉爲前提條件嗎？黃先生也認爲在中國文化中，有爲人類所需要，而且是有永恆價值的部分。但我在什麼地方高喊過「全部命題」的「中國文化最高明」？黃先生在什麼地方發現我「提出恢復舊觀」的辦法？這種對我所作的信口開河的誣衊，希望黃先生根據正確的材料，使用正確的語言，把它一件件的說清楚。

不過黃先生勸我「如僅而故意爲筆戰的話，那你又何不節省時間多讀幾本書呢」？這意思倒是非常好的。我可以告訴黃先生，我以遲暮之年，想在學問中求得一點精神上的「自我陶醉」，是相當忙碌的。三年以來，不是出於萬不得已，決不願寫批評性的文章。去年四月間，以中央日報爲首，各報刊爲了推卸自己責任而向我發動了一次圍攻，我不曾答覆。政治評論接連兩次登載對我的人身攻擊的文章，其中許多很明顯可以構成誹謗罪的，我不曾答覆。居浩然幾次在「文星」上發表對我的懸空謾駡的文章，我不曾答覆。後來他來到我家，我當面問他何以如此，他當時都承認自己的錯誤；臨走，並再三要我如到臺北，應給他一個電話；可見那次談話，彼此並無惡感。後來我在一篇文章中很保留地、委婉地談到此一談話的經過；在我的敍述中，並沒有一點惡意，我且保留有許多話不曾敍出，決不像許多人隨意增飾歪曲。接着居浩然以「文星」爲陣地，一直到現在，還繼續對我作人身攻擊，我沒有答覆。「現代藝術的歸趨」一文是發表在香港，我根本不知道臺北有現代五月畫會這類的活動，結果遇着劉國松的質問，我答覆了一次，不答覆第二次；黃先生以爲我是無話可答嗎？後來又出來虞君質先生在報上指名來敎訓我，我只好答覆了。但我的答覆，只是根據他敎訓我的文章向他提出反問，是在什麼地方對他作了人身攻擊呢？可是虞先生却完全用人身攻擊來作答覆；並且在他的答覆中，把孫旗、嚴靈峯、居浩然、劉國松諸位都拉在一起，以表示滙成一個强大陣線，於是我便把兩人已經發表過的文章一起發表出來，以使社會知道此事的首尾，這比許多人斷章取義，甚至曲解誣衊，總公平得多吧！接着他假批評我的「文心雕龍的文體論」之名，繼續作人身攻擊，但我只答覆他關於文心雕龍的部份，而不答覆人身攻擊的部份。這次胡博士以中央研究院院長的身份，在國際性的會議中，作正式講演，公然宣稱起東方文明沒有靈性。所以我便寫篇文章答覆他。黃先生這次指名要和我討論中西文化的問題，這樣大的帽子，我又如何不答覆？非常遺憾的是：這次爭論的主題是東方文明倒底有無靈性，亦卽是在包小脚、種性制度以外，還有無文明的問題。更深一層去看，科學是否萬能的問題？黃先生大文的表面上好像與我是同調；例如承認科學不是萬能，承認我們過去有過光輝的文化，當然中間有靈性；語意間又承認包小脚只是中國文化之一，這豈不都是與我同調？但黃先生寫文章的目的，是在捧胡駡我，這樣一來，黃先生的大文，只在駡我這一點上，有强烈地表現；而對問題的本身，却是曖昧遊移，甚至陷於自相矛盾而不自覺。更遺憾的是：有的是可以爭辯的問題，有的是不可以爭辯的問題。可以爭辯的問題，是各有理由、根據，爭論常是來自態度的不同；爭論的結果，是把各人所主張的妥當範圍弄清楚。這種爭論是有意義的。不可以爭論的問題，只是出於某一方面的錯誤，而沒有理由可說。這種爭辯，可以說是沒有意義。我對黃先生文章的答覆，完全是針對黃先生對我的誣衊及他所犯的不可爭辯的錯誤，這是非常不幸的。這倒眞是「故意爲筆戰而筆戰」。至於專門以駡人、捧人爲目的，而不惜出之以誣賴、歪曲、喊口號、斷章取義等，這又意欲何爲呢？我雖然修養不够，下筆時常未免下得重了一些，但我從來不存心去誣罔他人；並儘可能要做到不說沒有根據的話。大家都如此，自然少許多筆戰；並且筆戰也是有意義的。假定黃先生以後的文章，還是和這次的一樣，則在現時環境之下，作一個中國人而不遭到侮辱、迫害，幾乎是不可能的。那也只好聽其自便了。決不再答覆。

黃先生勸我多讀幾本書，這眞是金玉良言。但希望黃先生針對我的「殘」、「缺」、「包小脚式」等的毛病，而告訴我幾部有益的書。我不能看英文的，我將會找日譯本來看。

同時，我也順便勸告黃先生，世界上有兩種行業，決不可缺少歷史知識：一是幹政治的，一是幹新聞雜誌的。沒有歷史知識，便很難了解現代問題。此外，貝爾德著的「美國國家基本問題對話」（王世憲譯，正中書局出版。能讀原著更好），我懇切勸關心政治與文化之間的朋友們，不妨抽暇一讀，它會對我們目前所爭論的問題，可以能有若干啓發性。

一九六三年二月　文星

社會將如何返老還童

一　兩種胡鬧

「社會如何返老還童」，這是出給我的題目。我對此題目的第一個印象，是覺得自由談編者眞算得最有骨氣的。我家裏，還有三個孩子，老妻整天爲他們忙得水流汗瀉。吃飯爭菜，四季爭衣服，月初爭零用錢，連聽收音機也有時爭座位的遠近，聲音的大小；對於某樣東西，要的時候，一齊都要，寧願要到手後把它扔掉。不要的時候，一齊都不要，寧願過後再在另一氣氛中去爭去搶。所以我對於「童」的總印象是「胡鬧」。若以此作衡量，我們社會的標準，則我們的社會，早已「童」得够受了；還有勇氣要它再「童」嗎？雖說自由談編者受了老子「如嬰兒之未孩」的思想的影響，難道說要我們的社會，由「嬰兒」進步到只知道張着口等奶吃的「孩兒」嗎？

不過，我不僅愛自己的小孩，也愛旁人家的小孩。爲小孩胡鬧而生氣的時候比較少，把小孩的胡鬧當作藝術欣賞的時候總比較多。不待說，對於社會上上下下的胡鬧，自然形成絕對相反的情緒。由此可知兒童的胡鬧，和社會的胡鬧，大概會有某種本質上的分別。因而自由談編者希望社會能返老還童，大概是希望由社會胡鬧的本質，回到兒童胡鬧的本質。而決非認爲當前社會，胡鬧得不够，要來一個在胡鬧上更加上胡鬧。假使是如此，自由談編者決不會找上我這樣的一個窮教書匠，而會去找各種各樣的領導人物。因爲這些人物，才有能力與責任，把社會領導向胡鬧更加胡鬧，胡鬧得熱烈緊張，因而能把共產黨用一個掌心雷打下去。

二　兩種不同的本質

小孩的胡鬧，是來自他們的精力彌滿，天眞無邪。他們的爭、吵，實在是他們的遊戲；是由精力過剩而來的「無所爲而爲」的藝術活動。他們彼此之間，根本沒有仇恨，所以爭吵與親切，只是遊戲動作中的兩個方面。他們彼此之間，根本沒有私心，所以當他們安排集體遊戲時，常是安排得合情合理，是非分明，大家都服服貼貼的玩得興高釆烈，各得其所。換言之，他們胡鬧的本質，是天理的流行，是藝術精神的躍動。他們的生命，在胡鬧中成長；從胡鬧中可以看出他們有不自覺的信心，因而，每一個孩子都是樂觀主義者；他們正在不自覺地走向自己的希望、理想。

社會的胡鬧，我在這裏抄一段莊子齊物論裏的話作代表。附帶的解釋，與一般註解不大相同，但都是有根據而費過一番研究的。

> 大智閑閑。有大智的人忙着劃勢力範圍。小智間間。有小智的人，只幫着大智者去窺探他人。大言炎炎。有地位的人吹起大泡來，吹得像火一樣的氣勢。小言詹詹。地位低的人吹起小泡來，嘮嗦煩碎，不休不盡。其寐也魂交。做夢時以魂去做活動。其覺也形開。醒了後便以身體去活動。與接為構，只要有什麼東西與他接觸，他便纏住不放手，在他所接觸的東西中去打主意。日以心鬥。縵者、窖者、密者。有的主意打得很笨，有的打得很深，有的打得很精。小恐惴惴，大恐縵縵。打了主意以後，又怕犯案。怕犯小案的疑神疑鬼。怕犯大案的，如痴如呆。其發若機栝，其司（同伺）是非之謂也。有時動作快得若機括，是因為抓住他人的辮子。其留如詛盟，其守勝之謂也。有時守秘密守得如詛咒盟誓一樣，是因為要保持住自己由打主意而來的利益。其殺若秋冬，以言其日消也。這種人的冷酷像秋冬一樣，正因為他們的人性，一天一天的在消失。其溺之（於）所為之，不可使復之也。他們沉溺於勾心鬥角，沒法使其回復人性。其厭（塞）也如緘，以言其洫也。他們心靈的閉塞，像用繩子綑起來一樣，這是證明他們生命力的老而枯竭。近死之心，莫使復陽也。他們走向死的心靈，無法使他們再有一點生氣。

莊子所描寫的社會胡鬧，到今日還似乎可以應用。而這種胡鬧的本質，據莊子的分析，是因為「老洫」，「近死」，與兒童們恰成一明顯的對照。自由談編者所說的「還童」，即是莊子所說的「復陽」。但這種事，連莊子都認為沒有辦法，而自由談編者却要我提出辦法來，未免期待太過吧！

三　復陽（還童）的仙丹靈藥

其實，莊子寫齊物論，即是他對社會「復陽」所提出的仙丹靈藥。在莊子所提出的各種仙丹靈藥中，最重要的，無過於「以無用爲用」。小孩們的遊戲精神，卽是「以無用爲用」的精神；卽是對自己切身的利害，採取「無所爲而爲」的精神。孟子說：「大人者，不失其赤子之心者也」。赤子之心倒底是怎樣，我們無法知道。但留心觀察所得出來的，只是赤子的「無所爲而爲」的不停的活動。這種「無所爲而爲」的活動，便蘊含了道德精神，同時也蘊含了藝術精神。道德精神與藝術精神，才眞正是人的無限生命力之所在。生活於現實社會之中的人，對於個人利害，不可能完全不作打算。但一個人若能把個人的利害打算，在某些時機，暫時放下，而順着人性固有的「無所爲而爲」的精神，作若干活動，便會產生下面兩種結果：

第一、可以產生眞正爲社會共同利益着想的社團活動。人是在孤獨中衰老，在沒有勾心鬬角的共同生活中年輕。一個孩子，當他做完功課，而沒有人同他一起玩的時候，常常是無精打采。一旦聽到同伴來了，叫他一聲，馬上眉飛色舞的出去，發揮他的精力，實際也是在創造他的精力。各個人互相勾心鬬角的團體，不能算是團體。因此，臺灣目前正缺乏眞正的社團活動，這叫大家怎樣不衰老？

第二、可以產生許多藝術性的活動。人是在藝術的生活中恢復其疲勞，在實用的生活中消耗其精力。藝術之所以能恢復疲勞，正因爲藝術是無所爲而爲的活動，使人的精神可由緊張而輕快，或由束縛而解脫。藝術才是「精神自由的王國」，這早已成爲定論。但由大陸帶過來的「打麻將」的風氣，爭輸爭贏，完全是反藝術的娛樂，完全是催人老、催人死的娛樂。四個人龜縮在一張桌子上，日以繼夜，用盡心機，追求「一條龍」、「青一色」，希望由此而裝滿自己的口袋；這種消磨生命力的情調，與睡在坑上吃鴉片煙完全相同。但品格較吃鴉片煙的人遠爲汚下；因爲人在吃鴉片煙的時候，並不會打他人的主意。一個充滿麻將風氣的社會，一定是生命力枯竭的社會，一定是走向死亡社會。我是提倡怕老婆的人；因爲怕老婆也可以使人年輕。但整天在牌桌子上的老婆，決非值得一怕的老婆。假定我們社會上，把花在打麻將牌上的時間、精力、金錢，轉用在無所爲而爲的藝術性的活動之上；例如個人的寫字、畫畫、集體的演劇、旅行，我想，我們的生命力便立刻蓬蓬勃勃地發揮出來，每一個人都會帶有一份孩子氣，這比吃蜂王漿這類的補品，會神效得多了。

當然，生命力的發揮和蘊積，最重要的因素是求知識。春秋時代的閔子騫有兩句名言是「夫學，殖也。不學將落。」殖是生長，落是凋落。學則生命猶如生物之生長；不學則生命將如生物的凋落。這兩句話該是如何的警切。一個未上學的孩子，和一個正在上學的孩子比較起來，未上學的孩子自然顯得萎縮。兒童的最大特徵，便在於他們的上學。要「還童」，便要還到「上學」的生活上來；這是「還童」的最具體方法。我於民國四十一年，由臺中坐火車往臺北，手上拿著一本二程遺書在看。忽然看到程伊川「不學則老而衰」的一句話，當時心情非常感動，回來把這句話寫好貼在壁上。十年來雖在學問上沒有成就，但雖病而仍不老不衰，我覺得這是伊川這句話所給我的最大啓發和效驗。臺灣的西化派，十年來雖然不會譯出過一部名著；但因藝文印書館的倡導，世界書局、廣文書局，以及其他若干書局的努力，却印出了不少的中國古典著作，使大家於流離轉徙之中，容易讀到許多平日不易入手的書，這眞提供了我們返老還童的仙丹靈藥。爲什麼大家不從牌桌子上起身來共同享受一番呢？

一九六三、十二、十　於東海大學

一九六三、十二、　自由談十五卷一期

為馬來西亞的前途著想

一

馬來西亞獨立國的出現，是東方所共同慶祝的一件大事。爲了建立一個獨立國家，必須有某程度的民族精神作支持，這是任何人所能了解，也是應當寄與以同情的。但在目前，他們的領導者，似乎走上了歧途，深深地影響到他們作爲一個獨立國家的命運，這是我們作爲一個保有十分善意的友人，所不能不貢獻一點芻蕘之見的。

談到民族，自然有人種的血緣關係。但若僅認定人種的血緣關係，而否定形成一個民族的其他重大因素，有如地緣的因素，經濟結合的因素，及文化、歷史等的重大因素，則這乃是古代氏族社會的氏族主義，而不是近代民族國家的民族主義。即以中華民族中的漢族而論，也是由許多氏族融合而來。辛亥革命成功以後，立刻宣佈五族共和，連被打倒的滿清，也無條件的取得了平等的地位。中國現時雖在苦難之中，但作爲一個民族國家而言，却是屹立不動的。而近代更顯明地例子，則是美國。假定美國以血緣關係爲立國的基幹，那還能存在一天嗎？連黑人也終必以平等的地位組入到他們的國家裏面去，否則只有走上衰微之路。

馬來西亞要作爲一個獨立國家而興盛起來，不可能走以巫族的血緣爲主的民族主義之路。不僅華人，已由歷史所決定，早經形成馬來西亞半島中的主人之一，也卽是形成馬來西亞民族國家中的有力民族之一；卽以巫族而言，他並非僅存在於馬來西亞範圍之內。若以巫族血統爲立國的基礎，其勢若不能向凡有巫族生存的地方擴張，便必須聽任另一巫族勢力向馬來西亞擴張。所以目前無形中以巫族爲建國主幹的運動，完全是自己造成內憂外患的運動。

二

其次，還有一個更深刻的問題，便是文化問題。所謂文化的最根本意義，乃在形成人們所共同保持的健全地人生態度。其他的政治、經濟、科學、技術，都要在這種共同的健全地人生態度上生根、消化。文化是慢慢積累起來的，不是隨時隨意經少數人的强制力量，所能立刻造出的。世界七大文化圈（依英國歷史家湯因比的說法），現在還活着的，其產生之始，常限於某一地區，某一民族；但產生以後，假定它是有價值、有意義的，則其性格必是世界性而屬於全人類的。因此，不僅文化落後的地區，爲了加强進步，而需接受已經有了成就的文化；即使是文化很進步的國家，也要儘可能的吸收異質的文化。這才是很本立國之道。

文字是文化傳遞的工具，其本身也是文化的成果。爲了吸收外來文化，每一國家，都花上很多的經費與時間，學習外國文字，尤其是學習文化較高的外國文字，從來沒有人懷疑這會影響一個國家的獨立性。美國是經過與英國一場血戰而後得到獨立的。假定他當時要另創一種文字，以保障自己的獨立，則勢必使他的文化囘到原始狀態；還會有今日的輝煌成就嗎？尤其是日本。日本與中國是屬於兩個不同的語言系統；但他爲了吸收中國文化，一方面製造假名，另一方面大量的使用漢字，並把漢字的吳音也移植過去，以形成他們今日語言文字中，除了「訓讀」以外，更有「音讀」的一大系統。德川二百七十年中，日本的漢學大興，官學以朱子爲主，民學以王陽明爲主，深入社會的每一階層；其中以完全的漢文，著書立說、吟詩塡詞的，不可勝數。現在日本的史學家，都得承認德川時代，是他們眞正地建國時代；明治維新，正賴有此一基礎。但在什麼地方，曾影響到日本國家的獨立性呢？

三

馬來西亞的組成份子中，有一半是華人，由華人使用的漢文，也和巫人的使用巫文一樣，在政治上應當有完全平等的地位。但從文化上說，漢文所代表的文化，決非由巫文所代表的文化所能比擬於萬一。馬來西亞有一半人口，能直接通過漢文以吸收中國文化，這正是馬來西亞建國的最大資本；較之日本、朝鮮，實在佔了莫大的便宜。賢明的領導者，應如何利用此種優越條件，提倡漢文，以加厚他們建國的基礎。乃通過我的學生所了解的，他們計不出此，却出之以强迫華人學習巫文的政策，這是强迫自己的國民，由高文化水準降到低文化水準；是通過文化政策而將國民的精神分裂爲二；立國之道，恐不會是這樣的。

華人的成爲馬來西亞的公民，是由歷史、地緣、經濟、生活等所決定的。華人把中國文化帶到馬來西亞，也等於基督教徒把基督教帶進羅馬帝國；由君士坦丁堡的陷落而該處的學人把希臘文化帶進意大利一樣。這一系文化產生於中國，但並非中國人所得而私有；也和希臘文化、希伯來文化，不是希臘和希伯來所得而私有一樣。認爲習中文，吸收中國文化，便損害到自身獨立的想法，是完全不了解文化、也不了解建國之道的想法。我希望馬來西亞的賢明領導者，乃至所有東南亞各國的領導者，對此一根本問題，能作一大大地反省。

一九六四、九、廿六　華僑日報

我們在現代化中缺少了點什麼——職業道德

一

我常常談到傳統的問題，一是珍重人類文化的積累；一是在困惑的時代中，要人能站穩自己的地位；尤其是要中國人站穩中國人的地位。沒有偉大地傳統的啓發，而只靠在時代的橫斷面中，作點滴的知識追求，不可能把握住人生的方向。迷失了方向的人生，不可能眞正找到自己的立脚點。所以我的談傳統，豈僅不是反對現代化，正是要從人的根源之地來形成現代化的動力。「現代化」中含有許多可資警惕的問題；但現代化中的問題，依然要在現代化中解決。我們所說的傳統，是在現代化中的傳統。現代化與傳統，應當是彼此互相定位的關係，而不是互相抗拒的關係。

誰也不會懷疑中國需要現代化。但現代化却何以進行得這樣緩慢，這是每一個人所應思考的問題。這裏可以擧出歷史的原因，可以擧出社會的、政治的原因。但過去的知識份子，以爲只有先去掉了這些原因，才能進入現代化。但事實上也可以倒轉來說，只有在現代化的過程中，才能解決上述的困擾。這裏不進一步去談鷄生蛋，還是蛋生鷄的問題；而是想說明在上述問題之外，另有一種使現代化遲滯不前的重大原因，乃在於知識份子，缺乏眞正地職業觀念，因而缺乏眞正地職業道德。

二

在一本西人寫的研究文學的書裏（書名一時忘記），曾談到文學與道德的關係，他即以職業觀念來代表道德。我當時覺得這是很淺薄的說法。但過了兩年以後，才慢慢地想到，職業道德，才是近代道德的最具體地內容。任何職業，都含有許多社會關係者在裏面。把某一職業做得好，即是通過某一職業而對於它所含的社會關係者，有所貢獻；這不是最眞實地道德嗎？因爲怠玩職業，而使與該職業有關的社會關係者，例如：餐廳的食客、學校的學生，都受到損害，這不是最大的不道德嗎！這是問題的一面。現代化的最基本問題，是知識、技術的問題。每一樣職業，都需要某種知識、技術的支持。爲了做好一樣職業，必定會不斷地追求與某一職業有關的知識、技術，做到老，追求到老。於是廣大地職業活動，即是廣大的知識、技術的進步活動。職業不斷在進步，支持各種職業的各種知識、技能，都不斷地在進步，這不是現代化是什麼？離開這一具體內容以言現代化，那多半是以現代化作行騙之用的文化騙子。

我們最多數的人都有職業，爲什麼對現代化的助力很少呢？卽是職業觀念，職業道德的缺乏。所謂職業觀念、道德，是在自己職業的本身，於有意無意之中，承認它具備有無限的價值。認爲實現職業的價值，卽是實現自己人生的價值，因而把自己的生命力，完全貫注於自己職業之中，把職業的進步，當作自己人生的幸福；此之謂職業觀念，職業道德。就一般人來說，這種職業觀念、道德，要靠合理的待遇來加以刺激和維持。但假定根本沒有此種道德，待遇再好也沒有用處。

三

我們由科學所形成的知識份子的心理狀態，是澈底地實利主義。對於職業，只從報酬上評價值，不從職業本身上評價值。職業的選擇，只是報酬的選擇。這固然是人情之常，未可厚非。但因爲沒有在職業本身發現價值的習性，報酬不好，當然敷衍塞責；報酬好，也依然會敷衍塞責。因爲報酬的好壞，只是相對的；而僅爲了得到一種好的報酬，也常限於以維持現狀爲已足。求知識技術的進步，要有內發的意欲，不可能僅靠外面的刺激。我們一般知識份子，這一股內發的意欲完全沒有了。

一九六〇年我在日本，看到日本左翼份子瘋狂的反政府鬬爭。但同時也注意到他們從鬬爭同到自己工作的崗位時，很自然而然地專心於各自的職業；此時和鬬爭的情態，判若兩人，好像不曾發生過什麼事情一樣。我當時卽感到，這才是日本眞正現代化的力量。一九五一年我看到日本的研究工作者，很少能穿一件不打補釘的褲子，但他們還是研究如故。這更是職業道德的另一表現。目前就我們教書的這一行來說，從小學到大學，要把自己名下的課程教好，應該如何從有關各方面去追求探索，以求保持時代的水準，並適應實際的情況。但是，幾個人眞會這樣的勤勉從事呢？似乎大家永遠在說廢話、討便宜中度日。

從前程明道曾感嘆地說，「我們在人倫上有多少未盡分處。」分是指各人在人倫中應擔當的盡責任，盡分是盡到了自己所應擔當的責任。程子的話，是就人倫道德上說的。我們今日應把盡分的觀念，推擴到職業上去。每一知識份子，應痛責在自己的職業上，沒有能盡分。要現代化嗎？從知識份子的「盡分」開始吧。

原載華僑日報　一九六四、九、五　民主評論

被期待的人間像的追求

一

因爲新物理學的發展，進一步探索出了許多宇宙中的秘密，所以第二次世界大戰以後，科學、技術進步的速度，連二十世紀初年的人，想像也不容易想像得到。但是，這種進步，增加了人的知識能力，却並不一定能增加人的安全和價値，所以便形成所謂「危機的世紀」。在危機世紀中的思想活動，大體上說，分成兩個動向，一是直接反映此一危機，有如「意識流」的文學，「超現實主義」的藝術，這可以說是火上加油的動向。二是想從危機中脫出，因而想在科學技術飛躍發展中，建立能與此一趨向相適應的新地人間像，由英國J・赫胥黎所編集的「新人文主義的構造」及由法國查爾坦（Pierre Teilhard de Chardin）所著的「作爲現象的人間」等，都是代表此一動向的努力。

日本文部大臣有一個咨詢機關，稱爲「中央教育審議會」，從前年九月開始，經過一年多的努力，發表了長約一萬八千字的「被期待的人間像」的試案，這可以看作是上述動向的進一步的努力。所以在序論的第一章，便指責自然科學文明，將人機械化、動物化，而要求提高人性，開發人自身的能力。這一試案，本是以受高中教育的學生爲對象，希望受高中敎育的學生，在人生態度上，能得到適應時代的正確地修養。但人生是無法在年齡上加以割斷的，所以實際是對於一切青年，提出了一種人格形成的原則。這不能說沒有重大地意義。

二

人不是孤立存在的，一生下地，是人的一個單元，但同時便加入了家庭的關係，社會的關係，國家的關係。在各種關係中，都應當有與各種關係相適應的責任和人生態度。所以在日本的上述試案中，對於人的形成的原則，分成四個方面來加以敘述。在本文第一章，首先談到作爲「個人」的原則，擧出了六個項目：（一）自由。（二）發展個性。（三）能成爲正當愛護自己的人；這卽是中國所說的「自愛」。（四）成爲可信賴的人。（五）是建設性的人。（六）是幸福人。這一章所述的，可以說是「人的形成」的基礎。而「建設性的人」的提出，針對自由中國的人們來說，是非常有意義的。因爲自瀆性的人太多了。

第二章是談作爲「家庭人」的原則，分成四個項目：（一）應該愛護家庭。（二）開明的家庭。（三）家庭是可以得到休息的處所。（四）家庭應當成爲敎育的處所。在上述的四項目中，所謂開明的家庭，當然是針對着日本傳統式的家庭尙保留若干封建氣氛而言。第三第四兩項目，針對自由中國的中上層家庭而言，有特殊的意義。第三章是談作爲「社會人」的原則，也分成四個項目：（一）成爲熱心於工作的人。（二）成爲能支配機械的人。（三）勿沉溺於大衆文化及消費文化。（四）成爲重視社會規範及社會秩序的人。這四項，針對自由中國而言，也非常有意義。尤其是由於二十年來文化工作者怠工的關係，大家根本不了解每一個人，對於學術文化，應該是在不斷地開闢過程之中，卽是應在不斷地提高之中；由易而入難，由淺而入深，把不懂的變成能懂的；這樣才可由各個人學術的進步，形成社會文化的進步。自由中國目前的風氣是每一個人都以自己當下知道的一點，當作學術文化最高的準繩。遇著學術上的眞正問題，因爲都爲大家所不懂的問題，便都成爲大家所排斥的問題；有一個花錢很多的綜合性的雜誌，在創刊詞中宣言他們只要高中學生能懂的文章。於是大家在文化上只有天天喊些莫名其妙的口號。有個報紙的社論說四書是一部目錄，沒有任何內容。有的報紙認爲凌波狂、狂人樂隊，才是我們現代文化的條件。所以自由中國，正由文化的庸俗化而走向文化人根本沒有文化的道路，連大衆文化也說不上。

第四章是作爲「日本人」的原則，分爲五個項目：（一）成爲正當地愛日本的人。（二）是心胸寬廣的日本人。（三）是美地日本人。（四）是壯健的日本人。（五）成爲有風格的日本人。上面的第一項，是針對戰後一部分自卑自賤的日本人而發。在自由中國，許多人目前正瘋狂地恨中國人，瘋狂地愛外國人。假定在臺灣有人喊第一項的口號，立刻會被人戴上復古派和義和團的帽子。

三

試案所企圖的是對人自身的形成，提出一種具體地圖像。關於人自身的問題，不論古今中外，都是最紛歧複雜的問題。試案發表後，當然會引起許多批評。有的說，它缺乏一種說服的能力，難使青年人接受。有的認爲項目太多，多得使人感到迷惑。其實這兩種批評，也是模糊而且不實際的。因爲說服力是教育時的問題。而把項目融入到各種教育的活動中去，也不致使人感到迷惑。

我的想法，試案最弱的一環是在作爲「個人」的第一章。因爲六個項目，都是平面拼湊起來的，不曾把握到人的本質，不曾把握到所以成爲一個人的基本內容。例如「自由」當然重要。但自由是要求解除外力束縛的觀念，是對應於社會、國家而來的觀念。若僅就個人而言，則在自由之下，人可以成爲聖賢，也可以成爲禽獸。所以，對一個青年的個人，而提出自由作修養的原則，這將使青年人得不到什麼具體內容。並且各項目之間，沒有內在地關連；而作爲「個人」的原則，對於下面作爲「家庭人」、「社會人」、「日本人」的各原則，更沒有原則上的貫通性。尤其是在家庭和社會方面，相當强調了道德的意義；可是這些道德意義，如何能在作爲「個人」的身上生根呢？中國文化中所把握到的個人的本質，或者說「仁且智」（論語），或者說「智仁勇」（中庸），或者說「仁義禮智」（孟子），不僅相互之間，是一脈貫通；而且在實踐時，必然要由個人以貫通於家庭、社會、國家、天下。所以在這一試案中，沒有彌補住現代化中的「個人的迷失。」但在家庭、社會兩章中，卻很值得我們重視。

一九六五、三、五　華僑日報

朱熹與南宋偏安

一

最近臺北有一家報紙發表了一篇香港的通訊，裏面說南宋大儒朱熹，是「以哲學理論腐蝕士人的反攻意志」。南宋的反攻，是民族大義性質的反攻；朱熹在中國文化史中，居有特別的重要地位，所以錢穆先生再三宣稱，他要用三年時間寫一部研究朱子學術思想的著作。若是朱熹的哲學，會腐蝕南宋士大夫的反攻意志，這等於說中國文化中缺少了民族大義的成分，則我們的民族，是怎樣生存下來的呢？

朱熹的哲學，可以用「居敬」「窮理」四個字作一簡單地概括。居敬是發現人生價值，建立人格尊嚴的一種工夫。窮理是窮究倫理、事理、物理，以擴充人的知識。若是居敬窮理的哲學而會腐蝕士人的反攻意志，則反攻意志必是出自生活糜爛、無知無識的一羣人。這對現實而言，可能是一種「實存性質的眞理」；但頭腦稍稍冷靜一點的人，能接受這種實存性質的眞理嗎？

二

朱熹居敬窮理的哲學，對於當時的現實政治問題，到底作何看法？這要由他當時所上的「封事」「奏劄」這類的文章來加以證明。他第一件重要的封事，是在他三十三歲的時候所上的「壬午應詔封事」。他在這一封事中，所面對的問題是「祖宗之境土未復，宗廟之讎恥未除；戎虜之奸譎不常，生民之困窘已極」。他面對這種問題所提出的主張是「修政事，攘夷狄」。在攘夷狄的這一點上，他認爲當時的和議，「有百害而無一利」，「進則失中原事機之會，退則沮忠臣義士之心」。因此他要求「自是以往，閉關絕約，任賢使能，立綱紀，厲風俗；使吾脩政事，攘夷狄之外，了然無一毫可恃以爲遷延中已之資，而不敢懷頃刻自安之意。然後將相軍民，遠近中外，無不曉然知陛下之志，必於復讎啓土，而無玩歲愒日之心；更相激厲，以圖事功。數年之外，志定氣飽，國富兵强；於是視吾力之强弱，觀彼釁之淺深，徐起而圖之；中原故地，不爲吾有而焉往」。總之，他是主張要有決心，作實事，但不存僥倖之念。而在政治上他特提出「斯民之休戚，臣則以爲繫乎守令之賢否」。更指出當時「姦貪」、「肆虐」，都是朝廷宰執臺諫之「親舊賓客。」所以他要「以朝廷爲先務」，卽是要從中央政府整頓起。這在今日看來，便未免犯上腐蝕反攻意志的大罪了。

朱熹在五十歲時，又有「庚子應詔封事」，他在這一封事中主要提出的是「省賦、理軍」兩事，即是主張要整理財政和軍事。當時賦稅尅剝煩苛的情形，在此封事中有痛切的陳述。而對於當時軍事的徒有虛名的情形，更是說得非常痛切。他說：「今將帥之選，率皆膏粱子，厮役凡流。徒以趨走應對爲能，苞苴結托爲事……其所以得此差遣，所費已是不貲。以故到軍之日，惟務裒斂剝削，經營賈販，百種搜羅，以償債負。債負既足，則又別生希望，愈肆誅求。蓋上所以奉權貴而求陞擢，下所以飾子女而快己私。……軍士既已困於刻剝，苦於役使；怨怒鬱積，無所伸訴；平時既皆悍然有不服之心；一旦緩急，何由可恃。」這一段話，難說在大陸時代還用它不上嗎？所以他主張要「選將帥、覈兵籍，可以節軍貲；開廣屯田，可以實軍儲；練習民兵，可以益邊備。」而且一切病痛的根源，無不出自專制皇帝的自私與愚昧，所以他更一貫的要求皇帝正心、誠意、窮理、講學，要對皇帝自身加以改造。假定他生於千百年後的近代，他還不和中山先生一樣，要求推翻專制，實行民主，以實現天下爲公之實嗎？

三

在朱文公文集中，從卷十一到卷二十一，都收的是上述這一類的文章。他和同時的陳龍川不同之點，陳的上孝宗皇帝書，中興論，重點是放在謀略的一方面；而朱子則是把重點放在政治改造的一方面。一個是謀士，一個是學者型的政治家。朱子在當時，有做官的機會，而沒有改造政治的機會，他便乾脆連官也不做，以講學救社會，救後世；元代許衡們，猶得憑藉他們的學術，以馴伏一個强大而野蠻的遊牧民族，使中華民族得以脫出一個大的黑暗時代。陳龍川罵講學是「風痺不知痛癢之人」；然則陳龍川「知痛癢」的事業，又在何處呢？若是大言壯語，可以解決天下的問題，則古今凡是做官的都會大言壯語，天下便不會出問題了。何況今日許多是說謊性的大言壯語？何況是托庇於外人之下的大言壯語？

朱竹垞在朱文公文鈔序中謂「獨取其有關時事出處者，俾後之論文者覩其感奮激烈。」陳澧認爲朱子集中封事奏劄諸篇，爲「必不可不讀之文」。他們兩人是針對有一批自己無頭腦，無志節，標榜考據，盲目地反對程朱，認程朱所講的是與現實無關之學的人，所以特別主張把朱子與現實政治有關的一面，表達出來。

今日流行著以說謊的方式來反對自己文化的人們。除了寫下流的黃色小說外，什麼也不懂。某報誣衊朱子的文章，通篇都是謊話。我知道這位先生，他們反對中國文化最基本的理由，說這些都是「泛道德主義」。這些人以反復地謊言，誣衊主張維護道德的人士，即是反科學，反民主的人士。他們認爲這樣便不配做美國人的朋友。其實我們的不如美國，非僅在技術科學方面，可能還在道德方面。一個美國人，會因爲合法的離過婚而影響到他的政治前途；但我們，則一個人未經合法的離婚，誘佔部下的妻子，會依然官運亨通，聲名煊赫。美國因離婚而影響自己政治前途的人，並不反轉身來罵泛道德主義；而我們則會反噬的說，政治中沒有道德不道德問題。在這種地方，大概也會值得大家想想吧！

一九六五、六、九　華僑日報

在蘇聯的人性的考驗

一

從第二次世界大戰發生以前的一九三一——三八年，曾在莫斯科當過報館的特派員，現時充任早稻田大學教授的丸山政男氏，去年應蘇作家同盟總會之邀，參加蘇日兩國作家的討論會，在蘇聯活動了兩個月。返國後，寫了一篇「久別二十七年後的蘇聯」的文章，把這次親見親聞的印象，和他在二十七年以前的印象，作了一次比較的報導。正因爲這是一篇報導而不是一篇論文，所以它的內容特別使人感到親切。因此，下面簡單地介紹一部份。

該文首先對莫斯科的街道、建築物及住宅等較之二十七年前進步的情形，作了一個概括地敍述。但接着說「莫斯科外觀的壯大，雖然使我覺得感動；但進入到內部的市民生活中一看，馬上注意到和以前並沒有什麼改變。消費物資還是粗劣而昂貴；外觀豪壯的建築物，內部的加工、裝飾等，却特別粗雜。這表示重工業雖然發達，而輕工業則特為落後」。最成問題的是，蘇聯輕工業的出品，既特別粗劣；而蘇聯人民對消費品的選擇，胃口却越來越高。因此，工廠出產的許多東西，堆積如山，無人過問，結果只能作廢品處理。而適合於蘇聯人民要求的消費品，當然特別缺乏。對消費品要求價廉物美，這是人性的一面。蘇聯十月革命後，他們所强調的無產階級性，並沒有代替掉這種普遍地人性，沒有改變對於價貴而物惡的消費品的摒棄。蘇聯的當局若不能反回到大饑餓、大恐怖的時代，他們只有向這種人性低頭。

二

蘇聯的專家們，對於輕工業生產品特為惡劣的情形，並不認為這是由於蘇聯的國民性在製造輕工業的才能上有什麼先天的缺點，而是「因為從來的經濟機構及其管理，已經起了動脈硬化的現象。」例如各生產消費品的企業，從中央的官僚接受一定的生產配額，按這種配額而生產；再把產出的物品，强制配給商業機關。消費者的好惡，商業機關的希望，賣得掉或賣不掉，一切置之不問，只要能生產到限額便可以了。「這種辦法，不可能期待產品的增加，品質的向上；於是經濟機構的動脈，便硬化起來了」。

蘇聯目前補救的辦法，總括地說一句，即是把資本社會中的利潤觀念，重新導入於他們的經濟機構之內。這可以分兩點說明。第一、是各企業的生產計劃，不再由官僚所强定的計劃和統制來決定，而是由商業機構的定貨單來決定。生產成績，不是以生產的數量來計算，而係以能賣出的數量來計算。因此，在製造時便要預想到消費者的需要。第二、一直到現在爲止，假定某一企業有了盈餘，其大部分都被國家提走了。今後則將這種盈餘作爲利潤，用作本企業擴大生產的基金，技術改良的用費，及從業人員的報償。這種辦法，他們在去年十月四日，正式發佈命令，大概今年可以實行。這是想由利潤的刺激，使他們的輕工業能生產出爲人民所樂用的消費品。

還有蘇聯企業中的人事制度，雖然不至像臺灣的公營企業樣，擠滿了不相干的閒人；但各企業的人事配置，依然是由中央的紙上計劃所決定，多與實際情形不合，也成爲生產的一大障礙。所以爲了配合利潤制度的復活，便把企業的人事權，也完全交給各企業的負責人。當然這種負責人，不會像某些土酋國家一樣，當作恩賞來賜予。

三

蘇聯上述的改變，對共產主義而言，幾乎可以說是本質的改變。因爲共產主義，認爲利潤制度，是一切剝削罪惡的根源。但蘇聯的經濟專家，並不認爲這是向資本主義走回頭路。他們認爲在資本主義國家中，這些利潤，是由個人的資本家所獨佔，而他們則是由全體企業，由全體從業員，作合理的支配。這種解釋，我認爲不應當加以抹煞。今日世界大的趨向，是社會主義與資本主義的互相接近。蘇聯的這一改變，也正是有力的說明。

不過，我介紹此文的動機，乃在說明共產黨的階級理論的落空，最低限度，不能用階級性來抹煞普遍地人性。人性的全面構造，是欲望和理性。共產黨不承認有普遍地人性，認爲無產階級的階級性是絕對地善，而與無產階級相對立的階級性是絕對地惡。所以經過無產階級專政，把敵對階級消滅以後，作爲制壓工具的國家便開始凋謝，人類便飛躍向自由地王國。誰知蘇聯經過了五十年的革命以後，却依然要回頭來乞靈於人性中的欲望，以求挽救自己的經濟危機；則所謂無產階級的大公無私，到甚麽地方去了呢？儒家認爲人類的罪惡，是從無節制的欲望出來的；但並不認爲欲望的自身卽是罪惡。所以對統治階級而言，是要求節制自己的欲望；對人民而言，則須滿足他們的欲望。並且認爲只有先滿足人民的欲望以後，才可加人民以敎育，此卽所謂先養後敎。同時，儒家認爲一個人在不自覺時，是由他的環境（包括階級）作決定。有了自覺時，則是由自己的人性作決定。這便比共產黨，乃至其他與共產黨相反的理論健全得多了。

共產黨對利潤的導入，這是他們對人性中欲望的這一面低頭。丸山氏在該文中所報導的蘇聯人民對史太林的普遍的深惡痛絕，這實際是人性中理性這一面的不可得而磨滅。蘇聯的統治階級，對前者有了認識，而對後者則似乎還沒有眞正地認識。但人類的前途卽在於人性的自身，由蘇聯革命的考驗，可以說是得到了保證。同時，一朝權力在手，以爲便可以瞞天過海的妄人，總不要忘記人性的最後力量。

一九六六、一、廿八　華僑日報

一個偉大知識份子的發現

一

在中國歷史中，幾次遭遇到較歐洲蠻族入侵更爲殘暴的嚴重情況；但畢竟不像古代羅馬樣，民族的命脉，不因這種殘暴的入侵而歸於消滅，大概有四個基本原因：一是得力於倫理與生產合一的家族制度，能在社會中既獨立而又自然團結的頑强地生根。二是得力於中國農民的勤苦工作精神，在天災人禍的間隙中，也不肯荒廢一塊可以利用的土地，保持住生命延續的物質條件。三是得力於聖賢之敎，深入於廣大社會之中；卽使是不識字的人，對於人禽之辨，華夷之辨，能保持若干基本觀念，以保衞人類自身的尊嚴，爭取族類的延續。四是得力於在中國文化中生了根的知識份子，不論在任何鉅變劇難中，也不改變對於自己民族忠貞的志節，以自己的言論、行爲，標示黑暗中的方向。

承滿淸腐敗政權及民國軍閥割據之後，在事實上我們無法抵抗日本處心積慮數十年的侵略。但八年抗戰，終於得到勝利了；這一方面固然是因爲現代世界空間的縮小，中日戰爭，結果成爲世界性的戰爭；而最基本的條件，還要追溯到由長期歷史文化所形成的上述的四大因素。

在抗戰發生以後，先是東北方的知識份子，接著加上了東南和華中大部份的知識份子，組成了亘古未有的許多亘大行列，由敵區移向西北西南，又由後方走向戰線。但是，我們的國家是這樣的大；抗戰一起，淪陷地區又是這樣的廣，不可能每一知識份子都能夠隨著政府遷流。於是有許多知識份子，雖陷身虎口，而依然以各種方式，維護自己的民族國家；更以無言地身教，維繫社會廣大的人心於不死；其志潔、行芳，與流離播遷者不異；而苦心孤詣，或且過之。十年前，我偶然讀到陳垣先生的「通鑑胡注表微」，他把胡三省在元人統治之下所激發的民族感情，一寄托於他所著的通鑑注裏面，澈底闡發出來，蓋卽以此表示他居夷處困中的民族志節，我讀時非常感動，所以便花錢把原書托人鈔存一部，因爲此書當時尙未由世界書局轉印，故此間得之極爲不易。表微小引有謂：

「日讀後晉紀開運三年胡注有曰『臣妾之辱，唯晉宋為然，嗚呼痛哉』。又曰『亡國之恥，言之者傷心，矧見之者乎；此程正叔所謂真知者也。天乎人乎』。讀竟不禁凄然者久之，……自考據學興，身之（三省字）始以擅長地理名於世；然身之豈獨長於地理已哉。其忠愛之忱，見於鑑注者不一而足也。今特輯其精語……其有微旨，並表而出之……庶幾身之生平抱負，及治學精神，均可察見，不徒考據而已。鑑注成於臨安陷後之九年，為至元二十二年乙酉。表徵之成，相距六百六十年，亦在乙酉，此則偶合耳。中華民國三十四年七月新會陳垣識於北平興化寺街寓廬」。

陳氏以胡身之注通鑑時的心情來作「表徵」，成書雖在抗戰勝利之前一月，但十餘萬言的著作，動筆當正在抗戰極爲艱苦之時，是決無可疑的。

二

在前八、九年，偶然看到余嘉錫先生所著的「四庫提要辨證」，驚其精博平實，遠出時流以考據樹幟者之上。顧在讀此書以前，未曾耳其名；此固由我的見聞固陋；但亦可見凡樹立黨羽，霸佔地盤者的必不認眞治學；而認眞治學之人，必爲埋頭閉戶，不務聲華之人。後於香港書肆書目中見有「余嘉錫論學雜著」二册，亦輾轉托人買到；並於去歲十二月，終於在臺北領到了手，坐在囘臺中的火車上，以欣慰之情，隨便翻閱下册中的「楊家將故事考信錄」，始發現余氏對民族忠義之氣，鬱勃不能自制，乃借此文以發之；其處境，其用心，與陳垣氏相同；而其憤悱振勵，一往直前，或且過之遠甚，讀時不覺爲之流涕。只有在中國文化中才能孕育出這樣的偉大書生，但並沒有被社會眞正發現。若被發現，亦將被罵爲義和團份子，由人身攻擊以誣衊他在學術上的成就。不過，在全盤西化掩護下的新漢奸運動，一天顯明一天的時候，爲了維護我們民族的尊嚴和生存發展，我依然要以感激的心情，把這位偉大地書生向社會提出。

三

在「論學雜著」的前面，有周祖謨的「前言」：

「余先生字季豫，湖南常德人，生於一八八三年，卒於一九五五年。……所著有目錄學表微、古書通例、世說新語箋疏、四庫提要辨證等書。」

又謂「本書所收多爲著者於一九四五年以前所寫」；而「楊家將故事考信錄」前面有一九四五年七月三十一日「書於北平不知魏晉堂」的序；蓋原署當爲民國三十三年七月三十一日，付印時爲編者改爲西曆，此時余氏仍在北平，正日寇憑陵佔領的最黑暗時期。其自稱「不知魏晉堂」，卽明白標示其不知有倭寇與僞組織的決意。他在此文的序中說：

「……余賦性疏愚，不通人事。雅好讀書，時時作為考證文字；偶有會心，輒欣然獨笑，自以為得意。舉以告人，人或不解。而余讀書愈多，於世事益無所解，遂憤然不復與世接。由是杜門却掃，息交絕遊者七八年於玆矣。（按由此可知，自北平陷敵後，余氏卽杜門不出），年老多病，心力日衰。向所讀書悉屏去不觀，遂瀏覽小說以自娛。積習所在，又復弄筆有所評議，以為藉通俗之書，以達吾之所見；無非常異義可怪之論，迂闊遠於事情之說；持此問世，庶幾其許我乎。……今年五月，無意中得『楊家將』通俗演義，日晨無事，取而讀之，其文去水滸遠甚。然楊業祖孫三世，皆欲為國取燕雲以除外患……豈不誠大丈夫哉。此所以國亡之後，遺民嘆息歌詠楊家將，久而不置也歟。……『楊家將』之作，如板蕩之刺時，雲漢之望中興，其殆大義之未亡，一陽之復生者歟……其後元之所以亡，明之所以興，其幾蓋在於此。錢辛楣乃謂小說專導人以惡，夫豈其然？屬稿既定，名之曰『楊家將故事考信錄』，凡四篇，將以俾好事者覽觀焉，其或者有所感發也乎？」

按余氏在「宋江三十六人考實」，及「楊家將故事考信錄」兩文中，其貢獻有三：一爲對史事的鈎稽，極詳極審極慎；這是眞正考據家的本色。二爲承認小說對社會的廣大敎育作用，特加以重視，這是傳統的學者所難。三爲從社會的心理背景以說明某一小說出現時的歷史意義，這一點尤爲卓見，非一般考據家所能企及。他在「楊家將考信錄」「故事起源第一」中有謂：

「余以為楊業父子之名，在北宋本不甚著。今流俗之所傳說，必起於南渡之後。時經喪敗，民不聊生；恨胡虜之亂華，痛國恥之不復。追惟靖康之禍，始於徽宗之約金攻遼，開門揖盜。因念當太宗之時，國家強盛；倘能重用楊無敵（業）以取燕雲，則女真蕞爾小夷，遠隔塞外，何敢侵陵上國？由是謳歌思慕，播在人口；而令公六郎父子之名，遂盛傳於民間。吾意當時必有評話小說之流，敷衍楊家將故事，如講史家之所謂話本者。蓋凡一事之傳，其初尚不失實。傳之旣久，經無數人之增改演變，始愈傳而愈失其眞」。

他接著考查出有元劇五種，是形成「楊家將」故事的骨幹。並指出這些劇本的「詞氣不平，必宋遺民之所作」，因而把中國歷史文化所培養出的民族精神至廣且深，指陳了出來。他說：

「當是時，國已亡，天下之人猶追恨姦臣，痛詈醜虜，願保山河社稷。幸而此言發於元時，外族不甚通漢文字，無過而問者。使發於清雍、乾之世，必攖赤族之禍。縱幸而不死，亦必不免給披甲人為奴矣。元人敢形之於言。後之人則不敢言而敢怒。中國雖敗亡，而人心終不屈服於強敵，無古今，一也。」

「人心終不屈服於強敵」，這是他從歷史文化中所得的結論，也正是他和當時許多淪陷在敵區裏的人們的共同宣言。

四

余氏爲說明楊家將故事之流行，乃出於元滅宋後人心思宋的民族精神，遂歷引當時知識份子的態度作例證。他首先引到了胡三省、王應麟；接著引了趙江漢。而其重點則在劉靜修（因）郝伯常（經）。因此二人之祖父已爲金人，而自己已身爲元人；祖爲金人，身爲元人，而猶不能忘漢，這更是民族精神不能泯滅的切證。楊家將這類小說，正是在此一精神狀態之下產生的。他說：

「夫靜修、伯常，其祖父皆金之人，身又仕元；而仍係心中國，深恨宋之不能取燕雲。況宋之遺民，抱亡國之痛，未嘗食元之祿者乎？目覩君父之讎，肆然而為帝，行其虐政於天下，忍之則不可，言之則不敢，宜乎發憤於楊六郎、岳武穆，抵掌而談，眉飛色舞以舒其抑鬱不平之氣；觀元雜劇可以知之矣。充此志也，山可移，海可填，日可復中；曾不百年而朱氏興，遂驅胡，復禹域，此豈一手一足之烈哉；正賴國亡而人心不死，有以致之耳。『楊家將』事雖雜劇小說，先民之志節，立國之精神存焉；何可非也。」

余氏以劉靜修、郝伯常的民族精神，乃得力於理學經學，因而將其委曲之情，堅貞之志，表白於天下後世。他對劉靜修說：

「靜修，江漢（趙）之門人也，悦程朱之道，盡心焉。雖嘗出仕，未幾卽辭歸，再徵不復起……豈有學為程朱而不明夷夏之防者乎」。

更引靜修感事詩是：

高天厚地古今同，共在人形視息中。四海堂堂皆漢土，誰知流淚在金銅。

又引書事詩五首，其中一首是：

朱張遺學有經綸，不是清談誤世人。白首歸來會同館，儒冠爭看宋師臣。

余氏謂此首係指文文山被虜至燕，曾立馬會同館而作。觀此詩，可知劉氏余氏都能了解理學；也由此，可以了解今人何以瘋狂地反對理學。

郝伯常曾出而仕元；余氏對他的說明是：

「若夫郝伯常，亦江漢之徒也，其學深於春秋。春秋之義，黜吳楚而內中國，尊王室，大一統，伯常講之熟矣。其所以出而仕元，則見於其所作『時務篇』。（略）……其前之所言，春秋之義也。後之所言，急於出仕，託於經世行道，不得已之權詞耳。然謂不能為苻秦元魏之治，則其心未嘗與元也。故力說忽必烈毋攻宋，而譎之以請俟後圖。其後宋人拘之十六年，幾不得脫，而後失望焉。然猶改修三國志為續後漢書，尊蜀為正統，以示不與金元。」

余氏更將宋亡以後的民族精神，作一綜合的敘述：

「二子之心，天下人之心也。蓋自有元之極盛以及其衰，始終為民所不與；故靜修伯常之詩作乎上，雜劇小說之文成乎下。觀乎二子，委曲以致其義；雜劇小說，詭譎以達其情；此春秋之教，所為亘萬世而不敝者也」。

又說：

「二子雖不幸而生於元；試取其詩文，玩其辭以逆其志，二子之心，豈願為元人者哉。雖然，不獨二子已也；元人之作，似此者不可勝數。試更取其雜劇小說而觀之，往往取兩宋名將之事，演為話本，被之管弦，莫不欲驅胡虜而安中國。故扮演楊繼業（業）父子，為其能拒遼也。裝點狄青，為其能平蠻也。描寫梁山泊諸將，為其招安後，曾與征遼也。推崇岳武穆，為其能破金也。……由斯以談，當元之世，有心之人，盈天下皆是也，豈徒劉郝二子哉。特其辭譎而意隱，非熟察之，未易知耳。吾故取二子之詩，附入此篇，以與雜劇小說相發明，庶讀者有以見名臣大儒之所言，皆自天理流出，夫婦之愚，可以與知者，雖言詞俚曲之中，亦往往有之。向是窮古今之變，考其民風國俗之所以然，知聖人之道，深入人心；春秋大一統尊中國攘夷狄之義，亘萬世而不敝，則愛國之心，油然而生矣。」

余氏上文收尾的幾句話，或是對於當時若干敗類而發。

五

余氏以自己之民族精神，發現劉靜修、郝伯常，及流行於元代雜劇小說中之民族精神；更推而嘆聖人之敎，入人之深，維繫國家民族於不敝的恩澤之大且溥；這與克羅齊所說的「只有現代史」的史學思想，完全相合。由此我們可以了解對自己民族沒有感情的人，決讀不通自己民族所遺留下來的任何典籍——除非完全是誨淫誨盜這一方面的東西。更由此可以了解懷有漢奸本質，藏有漢奸禍心的人，自覺的，或不自覺的，必由仇視自己的歷史文化開始，進而作多方的誣衊、破壞。不論這種誣衊、破壞，可在各種口號掩護之下進行，但其實質與歸趣，總是一致的。余氏所述宋代滅亡以後的人心，在昔年臺灣分割以後，得到了完全相同的實證；在抗戰發生後的廣大淪陷區，更得到了完全相同的實證，而由最近「忠奸翻案」事件的前因後果看來，又得到了完全可作對比的反證；則我們主張把歷史文化和科學民主，鎔鑄成爲文化的一大方向，也正是我們民族在生存發展中自然而然地必走的大方向。

民國五十五年三月一日於東海大學

一九六六年四月　民主評論　十七卷第四期

民主評論結束的話

一個刊物，在創刊時有話可講；但在結束時，又有何話可講呢？並且只要想到「古今無不散的筵席」這句意味深長的諺語，則當民主評論向作者、讀者作最後的告別時，作爲創辦者之一的我，並沒有一絲一毫的嘆息之聲，不是不能理解的。下面的話，只算是爲了敷衍此一收場的場面，而勉强凑數的。

民國三十八年春，奉化蔣公退居溪口，我奉電由廣州前往省侯。當時土崩瓦解之勢已成，奉化蔣公爲了再造國運，正作嚴肅地思考。我因爲下面三個動機，建議在香港辦一個刊物：

一、以當時奉化蔣公對我期望之殷，我沒有理由不參加他的中興大業。但我早了解到，自己愚拙的性情，與現實政治，極不相容。在快要成爲鬪爭最前線的香港辦個刊物，擔當一份思想鬪爭的責任，可以和現實政治保持相當的距離，或者是一種全始全終之道。而在最黑暗中，只能從思想上開出一線光明和希望。所以這一戰線的建立，在當時是很必要的。

二、中興大業的進行，怎麼也離不開國民黨和社會上層的自由主義者。但我也早了解到，國民黨員和中國的自由主義者，只有置境的不同；在私利的觀念上，完全沒有兩樣。若不經過大災大難後的大反省，對於這些只知有自私自利的人們，是不能寄與以任何希望的。反省是訴之於各人自己的良心；但良心的發現，有待於思想的鍼砭和啓發。這便需要一個思想性的刋物。

三、在南京時候，常和牟宗三、唐君毅諸位先生談到：中國的問題，最根本的還是文化的問題。因文化的虛脫混亂，以致中國的知識份子，完全迷失了自己的本性，日趨於腐化下流，使一切建國工作，都無從說起。所以建國的最基本工作之一，還是要從文化方面作一番努力；由文化大方向的奠定，使腐化下流的人們，能够拉住此一大方向的綱維，而慢慢地站起。我們這種看法，最低限度，應當向社會提出，作一番共同的探索、討論。這也不能缺少一個刋物。

辦刋物的意見，得到奉化蔣公的支持。九萬港幣的預算，由鄭彥棻和陶希聖兩位先生，當着奉化蔣公面前，各承擔一半。接着陶先生的一半，沒有拿到，奉化蔣公再撥補足上數。於是經過兩個月的籌備，由張丕介先生負總編輯責任，得於三十八年六月十六日，在香港出了半月刋的創刋號。當時人心惶惶，眞是岌岌不可終日。由大陸逃港人士，都掩護藏慝之不暇；不少的故舊，都爲我揑把汗，勸我不必再白費這種無益的氣力。我們自己的心情，同樣的不僅「不知明年又在何處」，甚至是「不知明月明日又在何處」。在張丕介先生寫的發刋詞中說：「特別我們面臨着急速毁滅的俄頃，使我們不能不嚴肅的正視現實……」，所謂「急速毁滅的俄頃」，正反映出我們當時的這種心情。但也正因爲感到是面臨毁滅的俄頃，我們更覺得責任的重大。我們要在被毀滅的俄頃之前，從文化上撒下使國家得以翻身的種子。我們以近於頑固的信心，開始我們的工作。每期印出後，除了以委托郵寄的方式發行外，王干一、張振文兩位先生，手提着小籃子，親自找攤販作推銷工作。

民主評論出版以後，是依着上述創辦的動機發展。唐君毅先生以深純之筆，開始了中國人文精神的發掘。牟宗三先生則質樸堅實地發揮道德的理想主義。這都是想使大家先從人的條件上站了起來，以針對共產黨把人當作物來看待。兩位先生並從哲學上，批判了毛共的偏激地唯物論、實踐論、矛盾論。錢賓四先生的文章，走的是比較清靈的一路；因他的大名，吸引了不少讀者。胡秋原先生用「尤治平」的筆名，發表了很有份量的「中國的悲劇」。這都是在文化反省方面，所演出的重行頭戲。當然還有其他作者的許多有意義的鴻文，匯集在一起。在政治反省方面，則因爲我了解得較多，所以也發表了幾篇批評性的文章，想把我們的復興大業，奠基於民主政治之上。並想借民主之力，滌舊染之污，開新生之路。至於對中共現實情況的批評，則我和張丕介、王干一各位先生，後來加入了鄭竹園、金達凱兩位先生，一貫地向客觀而深密地方面去努力。我們不是不重視自然科學的提倡，但因爲中共提倡科學，與我們並無分別，所以暫時把它放在這一思想戰線的後面。

問題還是出在我自己身上。有的人開始說：「徐某拿了國民黨的錢，來罵國民黨。」假定不承認由反省而更生的需要，則這一種責難，並不算錯。但離開由反省而更生的立場，我們又何必辦此刊物？假使順着這種責難演下去，民主評論早就關門了。其所以能拖到現在，一是在經濟最困難時，自由亞洲協會補助了我們一部份印刷費。自由亞洲的補助停止後，國民黨再恢復象徵性的支持，直到最後。所以我們不能不感謝奉化蔣公的涵容之量，以及幾位熱心的朋友，無條件地從側面幫忙。幫忙一直幫到最後的，我應當提出老友涂頌喬先生的名字。

大概出到五、六年以後，民主評論的現實政治色彩，一天稀薄一天，而於不知不覺中，轉向專談文化問題的方向。我們談文化問題的重點，原來是放在中西文化溝通上面。但因不斷發現，這一有五千年歷史，爲七億人所共有的中國文化，正被極權主義者和殖民主義者及其走狗們，大規模的、有計劃的加以出乎常情之外的曲解、誣衊、侮辱，以共圖達到澈底予以消滅的目的。面對這種情形，而沒有人堂堂正正的站起來講幾句公道話，這不僅表示中華民族精神上已經死亡；並且這也是全人類自身的恥辱。古希臘、羅馬的民族，早從歷史中消逝了；但他們遺留的文化，尙在人類的學術上、良心中被承傳，被尊重。何以有活生生的七億人口的中國文化，竟自卑自賤到要自加毀滅？或憑藉殖民主義者的勢力來加以毀滅？同時，我十五年前，在一篇文章中已經指出，大陸人民假使能從極權中站了起來，還是要憑藉着以性善爲基底所建立起來的中國文化中的人倫之教。因此，把中國文化從歷史的專制政治的汚泥中澄汰出來，使其以人性純白之姿，向大陸呼喚，向人類呼喚，正是這一代的偉大使命。當我說這種話時，還沒有估計到這樣快的，中共內部便像今日樣，正是以中國文化，展開了對毛澤東極權思想的生死之戰。總之，不論從那一點說，在許多刋物中，讓民主評論挺身而起，爲被夾攻的中國文化講話，並不與創刋時的宗旨相違背。

我們也知道，辦刋物應當以企業的方式去經營。但因本刋的性質、環境，及我們幾位朋友的能力，無法向這一方向發展。同時，因爲我們是站在中國人、中國文化的立場來講眞實的話，所以也不必，也不可能再向任何方面找到足够的支持。

「油乾燈熄」，這正是本刊今日的命運。就我個人說，非常慚愧，自己只有認眞思考問題的態度，却沒有適應現實的能力。所無愧於心的是，我一離開大陸，在生活上，得到華僑日報的幫忙，所以私人不曾開支過民主評論的一文錢，並且還多少賠貼了一點。而凡是參加過民主評論工作的朋友，只拿最少的待遇，或者完全盡義務。如牟宗三、劉百閔、謝幼偉、郎維翰諸位先生，便盡過完全的義務。最後幾年，由金達凱先生唱獨脚戲，其辛苦更不待說。至於停刊後，抽出的登記費，依然會保留作出版有關中國文化方面的著作之用。從民主評論的停刊來說，我們對中國文化的奮鬥，可以算是失敗了。當然，少數人沒有能力戰勝龐大地極權主義者和殖民主義者的聯合壓力。但十八年來，創辦民主評論的幾個基本朋友，每一個人，在以中國文化爲中心的學問研究上，都有很大地進展，更堅强了我們「中國不亡，中國文化不滅」的信心。我們以「凱撒的歸凱撒，上帝的歸上帝」的同樣心情，堅信這一線香火，會在我們身上，使它延續下去。中國文化是在憂患意識中生長出來的文化。它必定在憂患最深、憂患意識最强的祖國鄉土上，重新得到發育滋長。我在這裏，敢作此懸記。

最後，當然要謝謝支持過我們的一切人們和許多作者、讀者。

一九六六、八、九　徐復觀於東海大學宿舍

一九六六、八、十五　民主評論

在歷史教訓中開闢中庸之道

一

科學知識，在有某種新的發現時，可使在新發現以前的舊看法立卽成爲歷史的陳跡，不會有人加以堅持。這一情形，常常影響到人類自身的生活態度，及行爲價値方面，也以爲某種新的理念、新的標準的提出，卽可使歷史中曾經出現過的理念、標準，完全歸於廢棄；甚至認爲不如此，便是人類進步的絆脚石。中國五四運動的人物，都保持這種看法；這一看法，一直由毛澤東的「破四舊，立四新」而得到發揚光大。

但是，關於人類自身的問題，只有在歷史不斷地否定與肯定中，與現代關連在一起，始能得出比較合理的了解，建立流弊比較少的價値標準。由歷史與現代關連在一起所建立起來的這種標準，它的性格常是中庸之道。所以中國由孔子所提倡的中庸之道，我認爲是歷史地偉大智慧。

每當感覺銳敏，性情熱烈的人們，提出他們新的理念、標準之際，雖然從人類文化的歷史看，這不過是某種情勢的反動與反應，只合鑲入於人類整個行爲價值系列之中，發生補偏救弊的作用；但在提出這些東西的人們，却以爲這是必然性地蓋天蓋地的大革命，非全部新起爐灶，卽係辜負了他們此一新的偉大使命。此時若有人指出他們的不全不備，無法把舊的東西全部推翻，便會受到各種各樣的惡毒攻擊，有如頑固、落伍、義和團之類，一齊加在批評者的身上。社會上能用頭腦分析問題的人，少之又少；有點小聰明的人，常在「新」「舊」兩個字眼上做文章，覺得自己站在「新」的一邊，總是容易佔便宜的。於是「一犬吠形，百犬吠聲」的形勢，不是少數人拚著良心理性之力可以挽救於萬一。問題的解決，依然要靠人在歷史中所受的敎訓，及對這種敎訓的反省能力。隨歷史之經過而使人類能够反省自己所受的敎訓時，在過去，「萬牛不回」，「百喙莫辯」的形勢，此時却在一般人的常識中，很輕鬆地給以解答了。

二

這裏我願提出日本朝日新聞八月十五日作爲紀念戰敗投降的一篇社論——「越過世代之斷絕」來作一例證。因爲日本，它對戰敗後二十二年的歷史，表現了這一方面的反省。而朝日新聞，素來是站在自由主義的立場的。

該社論指出：「以戰敗爲一境界，日本人的價值觀爲之一變。甚至用上『斷絕』這種名詞。生活在一個規律之中的戰前世代，與生長於自由而無秩序之中的年輕世代之間，沒有共同的價值觀，也沒有彼此間的對話。舊的世代，隨自信的喪失而放棄了發言權。但最近，又開始表現出復古地傾向」。

該社論更指出復古的傾向，一是受到明治百年紀念的刺激；一是來自對舊日的規律與秩序的鄉愁；同時也和一切權威的崩潰有關係。在該社論中指出了意識形態、軍事力量、科學技術等權威失墜之後，可能成爲日本再出發的契機的起點，則是「我們」這種意識。

該社論認爲「戰前的日本，國與家的觀念特強，『我』能健存在於國家之中。戰後則『我』躍出於表面，無家無國。作爲人的複數概念，只有特別因緣所連結的『伙計』意識。但人是過著社會生活的，不僅不能一個人生，甚至也不能一個人死。所謂『我們』，是和我相對等，而且是不特定的多數之人人在一起過著生活的自覺。……『我們』不能心情很好的活著，『我』也不能心情很好的活著。因此，像運動需要規則一樣的，生活也以規律爲必要……在昔時秩序與規律之中，也能發現很多在現代有意義的東西。這樣一想，便可了解新舊價值之間，有不同之點，也有共有共同之點。在此一意味上，民族的歷史，不能有斷絕的情形。」

三

日本在戰前，規律壓倒了自由。在戰後，則自由壓倒了規律。由上述社論所反映出來的日本今日的要求，是規律與自由能得到調和的中庸之道。這種中庸之道，也可以應用到平等與自由的關係上去。也可以應用到道德與自由的關係上去。但若僅從理論上作這種說教，便因爲中庸的性格而容易被人斥爲老生常談，不易爲人所接受。在前幾年，朝日新聞的社論委員們，也可能不寫這種社論。但若從歷史上一反一復的教訓來看，卽會突破新舊之見，承認這是人類生存發展的一條平坦大道。因爲這是由實際生活所證驗出來的。

該社論又說「對於尚活在現代之中的古的東西，和不可使其復活的古的東西不作檢點、區別的努力，致使伺機恢復舊道德的努力，和拒絕一切舊道德的勢力，形成兩極化，則日本的悲劇，在這裏會重新開始。」這段話實際可用中國五四運動的結果來作證明，也未嘗不可以反映這幾年臺灣文化圈內圈外的情況。我們少數朋友二十年來所作的辛勤努力，實際是要在兩極化之間，開闢一條突破古今中外拘虛之見的道路。

一九六六、八、廿五　華僑日報

保持人類正常的心理狀態

一

人類的災禍，許多是來自愚昧；醫治愚昧的是科學。但更大的災禍，却是來自心理的變態；心理變態者常常可以利用科學來增加他的罪惡，而科學對他的變態心理，却是無能爲力的。眼面前的兩大例證，便是希特勒和史達林。

心理變態的主要現象，是對自己能力的過份誇大和幻想，對他人的過份敵視和懷疑。兩者互相因緣，以組成一套什麼主義或哲學，以號召於低級變態心理者之間，忽然形成某種勢力，這便使這種人要按照他由變態心理所形成或所運用的主義、哲學來改造世界，於是世界便受到莫大的災害。古今中外有能力的暴君，大概都可用這種情形去加以解釋。

但在每一個人的人性根源之地，人的心理，却都是正常的。可是我們的文化教育，常常不把中國之所謂人性當作是人類自身的基本條件，而加以忽視或抹煞，甚至在相反的方向去建立教育文化的基點，有如近數十年來弗洛特思想的盛行，許多悲劇，便由此而起。

我說在人性根源之地，人的心理本來却是正常的，亦卽是本含有人類互愛的愛苗，這不僅是來自我們文化中性善的傳統思想，而是在現實社會中也可隨時加以證驗。

史達林的女兒施華蓮納，若不是受不了由他父親所加强的極權政治，她便不會離鄉背井，在互相敵對的美國求取政治保護。同時，美國人對她父親的觀感，以及對她在政治態度上的期待，她也會清清楚楚的。但她在第一次記者招待會中，一方面指斥了蘇聯的政治體制，另一方面依然一點也不隱諱的表示她對父親敬愛之情。更使人注意的是，她由瑞士飛赴美國之前，在蘇黎世的報紙，發表了她父親在一九三五年六月十五日，一九三八年七月七日，和一九三九年七月二十二日，先後所給她的三封親筆信。她父親——史達林寫這三封信的時候，正是在國內實行血腥的整肅，以陰狠殘酷的手段，殺自己的同志同胞以千百萬計的時候；但在給他女兒的三封信中，却慈祥愷悌，自然地流露出對自己女兒無限的愛心，與一般心理正常的父親無異。這說明了在人性根源之地，父慈子孝，是一切人類所同，也是一切人類所以能成爲人的基本條件；也卽是人類的心理，本來是很正常的堅確證據，連史達林也不在例外。

二

但史達林爲什麼在對自己女兒的時候，流露出正常地心理，而在集中權力，實行獨裁的時候，却完全爲變態心理所支配呢？第一、他的女兒施華蓮納，生於一九二六年。史達林給她的第一封信時，她還只十歲；在第三封信時，她還只十四歲。她的環境，使她可以不當「紅衞兵」去作鬥爭他人的工具，換言之，除了父女天性之外，在史達林的下意識中，完全和自己沒有政治利害的衝突，所以人性可以自由流露出來。面對着沾染上了政治性的成年人，便成爲在他的利與害的計算中的人；爲了得利而除害的現實要求，壓倒了人性中所含的愛苗，他便一切以鬥爭淸算的手段來對付。史達林的太太，也卽是施華蓮納的母親，不也是被史達林迫得無路可走而自殺的嗎？政治上父子相殘的事，爲古今中外所不免；也說明了一加入到了利害的機彀中，人性便爲之變相。

第二、是因爲在文化、教育上，忽視了人性根源之地所含的愛苗，而未能加以培養，未能加以擴充，於是把這種愛苗只能拘限在與自己有直接血緣關係以內。這樣一來，不僅使一個人的行爲，完全受到血緣關係的支配，以有無血緣關係及血緣關係的遠近，形成截然不同的對人態度。並且被完全封鎖在直接血緣關係之內的愛苗，可以反而成爲澈底自私的堡壘；尤其舊社會中在政治上的毒害，多由此而來。宋代程明道程伊川，常認爲根源性的愛苗——他們稱爲天理——連禽獸也具備。只是人能自覺地加以擴充，而禽獸不能加以擴充。按照二程的觀點，可以這樣的說：如禽獸能擴充，禽獸也便是人；所以有「義馬」、「義犬」這類的記載。人若完全不能擴充，則人也變成了禽獸；所以有大獨裁者的出現，及人吃人的社會。中國文化，便在這種地方立定根基，要將「惻隱之心」，加以培養擴充，有如「火之始燃」，「泉之始達」。這用現代的名詞來說，是要把本來是正常的心理，培養擴充出來，使每一個人，能成爲在正常心理下生活的人。有正常心理的個人，才有合作互助，相安相忘的人與人的正常關係的社會。孟子說「老吾老，以及（推及）人之老；幼吾幼，以及人之幼；天下可運於掌上」，這實在是平凡而偉大的眞理。

三

極權主義者的淸算鬥爭，只有在變態心理之下，才能貫徹到底。所以取得了這種領導權的人，常常是有計劃地、大規模地，製造羣衆變態心理；在這裏，我們可以了解他們的宣傳、組織，爲什麼常常作出乎常情以外的活動；而最酷烈的，莫過於利用兒童以鬥爭成年人，促使兒女來鬥爭自己的父母。他們要用這種方法，去改變人性根源之地的心理正常狀態，因而使獨裁的體制，得以傳之無窮，這眞是人類的大災禍。由此可知，培養擴充人性根源之地，使每一個人能成爲保持正常心理狀態之人，其重要性，決不在科學之下。

一九六七、五　華僑日報

中日吸收外來文化之一比較

一

有內政，然後有外交。有文化，然後有內政。過去中日兩國一段悲慘的歷史，影響到東亞整個命運的過程。這一方面是來自日本民族的短視、自私；一方面是來自中國維新的失敗，不僅未能發揮自身應有的力量，以作爲安定東亞、推進東亞進步的中心；並且成爲一個龐大地慢藏誨盜的對象，由西方列强瓜分之議，進而鼓勵了日本人想以蛇吞象的野心。中國與西方接觸的時機，並注意到西方文化所能發生的力量，較日本爲早。但在吸收西方文化以圖富强的進程上，反較日本遠爲落後。其原因，當然首先要想到日本的維新，是以天皇爲中心所展開的，於是政治卽是推進維新的最大力量。而中國則是在滿淸專制壓迫之下所展開的，所以政治卽是阻遏維新的最大力量。志士的呼號奔走，無法抗拒異族專制朝廷的一紙命令，這是我們維新失敗的最大致命傷。再加以袁世凱的愚昧野心，取消了辛亥革命所應得的代價；並造成爾後長期的混亂。因此，我們可以得到這樣的結論：不解決我們的政治問題，即不能解決我們的一切問題。但我們知識份子對吸收文化的態度，與日本知識份子吸收文化的態度，在兩相比較之下，即可明瞭我們知識份子的自身，對上述情勢的形成，也要負很大的責任。

二

中國是創造文化的民族，日本是吸收文化的民族。在我國悠久的文化歷史中，也吸收了不少的外來文化；但在清代乾嘉時代以前，畢竟是以自己所創造的文化爲其主流。我們所吸收的最大的外來文化，要算是佛教；但佛教由禪宗祖師堂的建立，以至叢林制度的形成，便完全成爲中國自己的佛教。有不少的人強調外來藝術對我國藝術的影響；但經過我的考查，除了音樂方面，這種影響較大以外，其餘的藝術，實際都是順著自己所創造的藝術主流而向前發展。因爲我們是由幾個大農業平原構成我們經濟的基礎，所以社會基本組織的變動不大。經過政治上的大破壞後，又努力恢復到原有的狀態。因此，我們在文化創造的進程上，不够迅速，不够顯著。但實際是由文化的自律性而不斷地在創造，則是無可懷疑的。

在日本文化的長期歷史中，當然也有他們自己的創造；但主要却是以吸收外來文化，作爲他們文化活動的中心。相當於中國隋唐時代，他們主要吸收中國佛教中的天臺宗；接著便主要吸收中國的禪宗；所以日本在很長的一段時間，幾乎可以說是佛教之國。到了德川時代，才用全力吸收以朱元晦、王陽明爲主要內容的儒學，形成他們近代建國的基礎。明治維新，則由「蘭學」開端而全力吸收西洋文化，以迄現在，這是人所共知的事實。

三

東西洋有了交通以後，沒有任何民族，在文化上只靠自己創造而不須向外吸收的。中國過去吸收印度的佛敎，從文化的整個影響來說，可以說是中國的不幸。印度佛敎的中國化，是這種不幸中所作的最大努力。但鴉片戰爭以後，中國必須大量吸收西方文化，以補中國文化自身之所缺，以適應富國強兵的急需，這是任何人不應加以懷疑的。但從乾嘉時代起，除了在故紙堆中去弄點訓詁考據之外，文化的創造活動便開始凍結了；而在吸收西方文化方面，連主張全盤西化的人，也始終是一張白紙。於是百十年來，我們便受到在文化上旣不能創造，又不能吸收的空虛混亂的大報應。

假定要追溯何以致此，我感到不能不承認乾嘉以來的中國知識份子，「爲私人的名利而文化」的成份，遠超過了「爲文化而文化」的成份。追求文化的態度，遠不及日本知識份子追求文化的忠誠熱烈。由乾嘉學派所引起的漢宋之爭，表面是爭學問，實際只是爲了自己的名利而爭意氣。這樣一來，爭的人，不求理之當否，只求攀援黨附，以勢力去支援自己，壓倒對方。此一風氣，在以阮元爲中心的這一集團，發展得最爲專橫、愚昧；其流毒至今未已。

在吸收外來文化方面，中日兩方面的情形，更形成明顯地對照。日本吸收西方文化，並不是忙於今天打倒這，明天打倒那，而只是大規模地，並且是持續不斷地，繙譯西方各方面的典籍，輸進西方各種最新的技術。他們常常爲爭取繙譯某一重要著作的時間，動員有關的第一流學人，分別擔任一部書內各章的繙譯工作。他們爲了繙譯聯合國文教組出版的「人的權利」一書而動員了二十五人；爲了繙譯J・赫胥黎編的「人文主義的危機」一書而動員了十五人。這僅是就我買到手上的材料而言。中國主張西化的人，只是今天要打倒這，明天要打倒那；從五四運動一直打到現在；他們認爲只要把中國文化打倒了，西化便完成了。他們豈特不負責爲社會切實介紹西方的學術著作，連他們自己也不曾好好地讀通一兩部厚部頭的書。他們實際是以打倒中國文化，爲抬高自己地位的手段。至於埋頭去吸收西方文化，從內容上去傳播西方文化，他們覺得可能反而會沒沒無聞，對自己的名位並沒有好處。於是在我們文化界中，出現這樣一種怪現象，即是主張西化的人，常常是最不曾吸收過西化的人。只要大家把四十歲以上的西化人物略加考查，便可知道這是鐵的事實。

日本知識份子，爲了吸收西方文化，常常成立許多專門研究西方某家某派某人學說的團體，出版集體的或個別的著作。留法的人，分工合作的繙譯法國的著作；留德的人，分工合作的繙譯德國的著作。他們與留學國的連繫，完全是學術文化上的連繫。我國很少爲了切實研究某一學說，爲了介紹某一國家的著作，而結成合作研究的團體；而只看到留美同學會、留英同學會這類的團體。這類團體，揭穿了說，只在於標榜各人所留學的國家聲勢，以提高自己的名位，獲得權利爭取上的便宜。所以某國若在我國的政治影響最大，留學某國的同學會的門限也最熱。可以說這是供奉外廷的團體，與吸收文化毫無關係。

復興中華文化，和吸收西方文化，是一件工作的兩面；都要靠知識份子對文化的忠誠，對個人自私自利的抑制。在這種地方，我希望日本知識份子吸收外來文化的精神，能多少給我們以激勵。今後的情勢是，能吸收文化，才能創造文化，才能在高度文化基礎之上，推進我們的內政與外交。

一九六八、五　百年來中日關係論文集

中國知識份子的責任

我認爲知識份子和技術人員是應加以區別的。以其知識影響社會的是知識份子；以其技術建造機械，使用機械的是技術人員。當然，有許多知識份子而兼技術人員；也有許多技術人員而兼知識份子；以致二者的分別並不明顯。但只要想到技術的效用是無顏色的；所以技術人員，可以爲各種形態的極權專制者所容；甚至爲他們所需要。而知識接觸到實際問題時，經常是以批判之力，發生推進的作用；所以知識份子必然被各種形態的極權專制者所排斥；他們經常運用閹割大腦的手術，以一批被閹割大腦的人來冒充知識份子。由此便應當了解把知識份子與技術人員加以區分，實有其重要意義。更由此可以了解，凡不是生長在民主制度下的知識份子，必然是帶著悲劇性的命運。而此悲劇性的命運，也成爲眞知識份子與假知識份子中間的檢證器。

由上面的陳述，應當可以導出一種結論：即是，中國知識份子的責任，乃在求得各種正確知識，冒悲劇性的危險，不逃避，不詭隨，把自己所認爲正確、而爲現實所需要的知識，影響到社會上去，在與社會的干涉中來考驗自己，考驗自己所求的知識的性能，以進一步發展、建立爲我們國家、人類所需要的知識。

僅僅這樣說，對問題還沒有交代清楚。

許多人說，凡是知識，都是科學的；凡是科學，都是無顏色的。並且在追求知識時，應當保持沒有顏色的態度。假使這種說法不隨意推廣，我也同樣的加以承認。但我們要知道，只要是一個活生生的人，便必然有顏色的；亦即是必然有某種人生態度的。無顏色的知識的追求，必定潛伏著一種有顏色的力量，在後面或底層，加以推動。此一推動力量，不僅決定一個人追求知識的方向、成果；並且也決定一個人對知識的是否眞誠。簡言之，嚴肅地知識追求，不管追求者的自身意識到或沒有意識到，必然有一種人格作他的支持的力量；否則會如今日許多人一樣，經常玩弄著以詐術代替知識的把戲。而人格必然是有顏色的。

說到以知識影響社會，首先必須知識和自己的人格融合在一起，知識形成人格中的一部份，才會感到有此要求。所以進入到此一階段，以人生態度爲內容的人格高下，更有決定性的作用。就現狀說，較好的知識份子，常常知識是知識，行爲是行爲，應付是應付。較壞的知識份子，便常常歪曲知識，以作趨炎附勢、奪利爭權的工具。要憑著自己所把握的知識去影響社會，在知識後面，更要有人格的支持力量。

但我國有二千年的專制歷史，有千多年的科學歷史。這兩種歷史因素，一起直接壓在中國過去的「讀書人」身上，於是在士農工商的四民中，以「士」的人格最爲破產；在歷史中，由知識份子所發出的壞的作用，絕對大於好的作用。

專制科舉的遺毒，應當由民主、科學來加以掃除。但不幸的是，在軍閥的混亂中，一部分性急的人，却與極權主義接上了種，於是歷史的遺毒，不僅借屍還魂；並且現代極權主義的各種技巧，更爲遺毒來「如虎添翼」；他們連民主、科學也一併吞下，拉出不能作肥料的毒性廢物。這就是中國知識份子現時的「置境」。

在上述「置境」中的中國知識份子，爲了要盡到以知識影響社會的責任，我認爲首先要盡到使自己成爲一個「堂堂正正地人」的責任。

如何是一個堂堂正正地人？這難用概念來下定義，而只有從消極積極兩方面略加描述。消極方面：1.不投機取巧，不趨炎附勢。2.不假冒知識，不歪曲知識，更不以權勢代替知識。3.不以個人現實中的名利出賣自己的學術良心，淹沒自己的學術良心。

積極方面：1.將自己解消於自己所追求的知識之中；敬重自己所追求的知識；也敬重他人所追求的知識；經常感到知識高於一切權勢，貴於一切權勢。2.自己的精神，與自己的國家民族，有自然而然地「同體之感」；有自然而然地在自己的本分內獻出一分力量給自己的國家民族的要求。

有的人可能把我上面所描述的「堂堂正正地人」，和近代的個人主義，對立起來；因爲裏面缺乏權利義務的觀念。我的看法：是中國聖賢立教，對「士」自身的要求，常常遠嚴格過對一般社會的要求。作爲一個知識份子，在面對權勢時，應當堅守自己的權利，限定自己的義務。在面對社會時，則應當忘記自己的權利，擴大自己的義務。西方個人主義所以能發生進步性的功效，是因爲有不少的知識份子，忘記了自己的個人，以要求成就社會上的每一個人。若知識份子成爲自我中心的個人主義者，必然地一轉眼便會變成奴才主義者；對權勢，自己是奴才；在自己可以支配的範圍以內，把他人當作奴才。因此，我願意這樣的說：

「先天下之憂而憂，後天下之樂而樂」的知識份子，才是知識份子個人主義的「正種」。堂堂正正地人，只是一念之間，一念提撕警惕之間的精神狀態。此精神狀態應貫注於自處與處人的日常生活之中；應貫徹於求知與用知之上。這是知識份子為了能盡其他各種責任的發射臺。沒有此一發射臺的營營苟苟地知識份子，除了追求個人的飽食暖衣、蠕蠕而動、偷偷以息之外，還能談什麼責任呢？

一九六八、十二　大學雜誌

中國文化中的罪惡感問題

一

因爲我在一個基督教所辦的大學裏教書，但並不是基督徒，並對基督徒也不表示信賴；於是有好幾次引起外國教友與我私人之間的討論。其中討論得最多的是中國文化中的罪的來源問題。罪的來源所以會當作一個問題，大概是因爲中國文化的主流，乃肯定人性是善的。與基督教的原罪觀念相反。人性既然是善，則惡又從何而來？對惡的問題不能解答，即是對現實的人生問題，缺乏了解釋和解決的力量。所以中國文化較之基督教義，要低一個層次。他們提出問題的態度非常客氣，語氣也非常含蓄；上面的話，是爲了把問題說淸楚而加上了我的推測的。

其實，中國文化中對罪的來源問題，有了各種不完全相同的解釋。但在各種解釋中，即使如二程說「惡亦不可不謂之性」，也不同於基督教的「原罪」。而且對罪孽的解脫，仍賴犯罪者的自覺自力，而不倚賴神的恩寵。甚至認爲倚賴神的恩寵，可能是對於自己罪孽的寬容、逃避。總之，從對於罪孽的來源問題，從對於罪孽解脫的方法問題，來看中國文化與基督教義，二者之間，實在有很顯著的出入。在中國文化中的「罪孽感」，是比一般宗教乃至比基督教要輕微得多，大概不會有太大的問題。

二

這裏對中國文化中何以「罪孽感」較輕的原因，試作常識性的解釋。

宗教中的罪孽感，首先是來自對生命價值的否定。一切宗教，都以爲人生價值，不僅不在生命的自身；甚且認爲生命的自身，乃實現最高價值的一種束縛，一種障礙。這樣一來，生命自身卽是罪孽，有此生命，卽有此無可奈何的罪孽感。生命最直接的表現，是由生理所發出的各種欲望。各宗教對生命自身的罪孽感，落實下來，卽是對欲望的罪孽感。欲望是與生命而俱來，且反而爲支持生命存在的最眞實的條件。各種宗教，必以各種苦行來尅制這種欲望，亦卽是尅制這種罪孽。但生命存在一天，卽欲望存在一天，罪孽亦存在一天。

儒家思想，則視生命爲人生價值的基礎。完成人生的價值，首在合理地保持自己的生命。曾子是以孝著稱的。論語記他臨死時告訴他的學生是「啓予手，啓予足……而今而後，吾知免夫」；卽是以自己生命的保全，爲達到了他對父母的責任。這卽意味著孝的價值，不離開人子具體的生命而存在。當然，在中國文化中：「殺身成仁、舍生取義」，佔有最重要的意義。但其眞正意義之所在，乃在殺一己之身，舍一己之生，以成就更多數人之身，以救濟更多數人之生。這與爲了一種超越的觀念，爲了一種超越的存在，而去殺身舍生，有本質的分別。爲多數人的生命，而犧牲一己之生命，乃是樂於看到多數生命能養其生而遂其性，依然是歸結到生命價值的肯定，對生命自身的喜悅。中國文化，是在自暴自棄其生命時，是在放擲糟蹋生命中最可寶貴的人性時，是在以一己之生命而蹂躪、榨壓到他人的生命時，才發生眞切地罪孽感。對生命的自身，不認爲是罪孽，於是原罪的觀念，自不能成立。由生命而來的欲望，中國文化只主張節制，而不主張斷絕。並且在良心主導下之欲望，欲望也是天理。斷絕欲望是無法作到的，而節制欲望是人人可以作到的；所以中國文化對罪孽的解脫自然較宗教爲容易。

三

生命，乃生存於現世之中。宗教由對生命的罪孽感，自然也引發對現世的厭離，甚至對自然之美，也認爲是魔鬼的誘惑。他們的目的，是要由出世、超俗而進入到天國。把天國建立在人間，乃受了近代精神壓力以後的轉向。中國文化的儒家，肯定了生命的價值，同時卽肯定了現世的價值。在生命中發現價值的根源，並卽將此價值在自己生命上實現；同時也卽是在現世中發現了價值的對象，並卽要求在現世中實現。而且認爲除了在現世及現世的延續以外，無安頓價值之餘地。於是儒家與宗教的對比，乃入世精神與出世精神的對比。儒家對現世，只有無窮的責任感而欲加以改造，並沒有任何罪孽感而要加以厭離。只有在放棄現世的責任時，才認爲是罪孽，決不以現世的自身爲罪孽。

四

還有，一切宗教，認性慾爲罪孽的基本態度，使每一宗教徒經常感到自己是在一股強烈地罪孽衝激之下，危惴不安。性慾是潛伏在生命的一股強大力量，這不待弗洛特的精神分析學，而卽已被許多宗教家所體認到。

中世紀的僧侶，常常夜間起來自己鞭撻自己，卽是與性慾衝激的搏鬥。中國文化，立基於人倫之上，肯定了正常的性慾關係，適當的安頓了這一股激流的衝擊，自然也減輕了由此而來的罪孽感。

宗教是由眞實地罪孽感，因而憤悱向上；中國文化是由眞實地性善體認，因而激昂向上。但是基督教中的新教，把形成罪孽感的眞正原因都去掉了，於是新教徒談「原罪」，主要是來自傳統的教條，及傳教時的便利；他們絕對多數，在其生活中並沒有眞實地罪孽感。於是一方面守着抽象化了的原罪觀念而與自己的生活相游離；另一方面又否定性善之說，使自己的生命陷於幽暗，然則他們到底憑着什麼眞實地力量而把自己向上提，向前推，而不覺得完全墮入於與其抽象信仰相反的物欲之中呢？這可能是今後新教徒要嚴肅考慮到的問題。

一九六八、九、十九　華僑日報

由「董夫人」所引起的價值問題的反省

一

人不僅是生活在物質條件之中，而且也是生活在價值系統之中。所謂價值系統，指的是在某一集團裏面，由組成分子大體上所共同承認的對與不對的是非標準。合於是的標準的行爲，個人因此感到心安理得，羣體由此感到合作諧和。價值系統與物質條件有密切的關係；但我認爲並不是誰決定誰的關係。物質生活條件起了變化，價值系統也當然有互相適應的變化。否則會發生物質與精神失調的現象。但變化有各種程度的不同；有的是重新發現原有價值系統的精神，作因革損益的調整，由此而變化其形式，保存其中某一部份的原有精神。有的則固守原有價值系統的軀殼，在不得已的情形下，採用舊瓶裝新酒的辦法。有的則把舊的精神形式，一起踢掉。有的則什麼價值也不承認，形成價值虛脫的狀態。其中參互錯綜，利弊相乘相伏，不是簡單幾句話能夠說淸楚的。

但有一點可以指出的是：在社會的意義上，價值必須得到多數人的共許而後可成爲規範羣體生活的系統。由此不難想像到，當一個價值系統形成之後，它本身就是一股大的力量。有人在行爲上加以違反時，固然要受到集團內多數人的排斥。即使經過思想上的反省，而提出不同的意見時，也會同樣受到多數人的排斥。但想維持價值系統的去腐生新的作用，依然要靠少數人在思想上的反省，那怕反省的結論是錯誤的，也有一種衝激、考驗的作用。

二

有的朋友說「董夫人」這電影不錯，前幾天我便孤零零地去看了，引起了我若干的感想。

電影的情節，大概是這樣的（我原來不打算寫這樣的一篇文章，所以沒有拿說明書。下面所記的可能有若干錯誤）：

明代一個做邊遠地方官吏的董某，死在任上。留下一位年輕貌美的太太——董夫人，事奉一位婆婆，撫養一個女兒，住在荒僻的山村裏，守節不嫁；一面敎村塾，並爲村人把脈看病；一面亦紡亦織，過着勤苦寂寞的生活。除了一位張叔叔很同情她們，半幫工，半作客的，住在她家裏以外，再沒有第二個男人。因此。贏得村人的信仰，爲她請立貞節牌坊。（電影關於上述背景，只在全片的穿揷中點出。）

因爲地方不安靜，村裏請了一隊騎兵來駐防。騎兵隊長楊校尉被安排住在董夫人家的書房裏（電影從此處開始）。楊校尉看到董夫人後，驚爲嫦娥下界，題詩表示愛慕。董夫人得詩後沒有什麼表示，但潛伏在生命裏的情愫，因此甦醒過來，對楊校尉也發生了一縷深情。中秋晚請楊校尉在院子裏飲酒賞月，當她在厨房弄菜時，楊校尉也溜到厨房裏幫忙；她平日臉上的冰霜，此時露出了和暖的笑語。聽到蟋蟀叫，兩人便找蟋蟀，捉蟋蟀；楊的手先按住一隻蟋蟀，她的手順勢應當按在楊校尉的手上，但她却在這間不容髮的刹那，把手縮回了，兩人對面呆立多時；再分別拿菜餚到院子裏去，這是描寫兩人實已陷於情網，而她却臨懸崖勒馬的高峯。飲酒的中途，她陪婆婆先退到房裏休息；但當院子裏楊校尉藉行酒令而吟詩示意時，她在床上傾聽，顯然露出輾轉反側的神情。誰知她的女兒熱情似火，追楊校尉越追越緊，風聲傳到她耳朶裏，便在夜晚把女兒叫到房裏責問；及問出了眞情時，她便成就了她們的好事，正式結了婚。接着年輕的夫婦都走了；再接着她的婆婆也死了。但古井裏的一點微波，始終是在蕩漾。她想以紡織和教學的勤勞，來排遣她的寂寞，安靜她的心靈，但這種寂寞，連旁觀的張叔叔，也爲她忍受不住；有一天，淌着眼淚告訴她，「你這種生活情形，我不能長久看下去，等貞節牌坊樹好後，我要離開這裏了。」終於在一個黃昏的時候，她失掉了控制力，用砍柴的刀砍死了一隻鷄，盲目的向野外奔去，當然會被張叔叔在後面追回。這是描寫她內心矛盾衝突的高峯。接着旌表的聖旨到了；牌坊樹立起來了；她以嚴肅而悽凉的神情，承受了這一份榮譽。

三

就拍製的技巧來說，唐君毅先生認爲它始終保持一股靜穆的氣氛，在靜穆的氣氛中漂蕩着淡淡地哀愁。我更補充的說，在整個情節中，除了她女兒的動作，無形中受了現代風氣的影響，比較浮動而不深刻，不十分切合於明代少女熱情的表現以外；作爲董夫人的情節和演員表情，始終保持相當有深度的含蓄、蘊藉；更盡量發揮由自然景物所形成的氣氛，使它與主角的情愫相配合而加以烘托，不作過分的叫囂誇飾，以刻劃出舊時代婦女內外生活的形態，這都是成功的。當然，殺鷄狂走的鏡頭，還是在精神分析學的暗示下所誇張出來的，對明代的婦女來說，還是一種突出。君毅先生認爲與日本拍攝的由川端康成（得諾貝爾獎金）作品所改編的「伊豆舞娘」有些相像。我以爲拍攝伊豆舞娘的手法，較董夫人一片，更爲明淨精鍊，那是澈底成熟了的一篇桐城派的文章；而董夫人一片，仍未能將渣滓滌除淨盡。但董夫人的主題，却較伊豆舞娘的主題，爲充實有力。

我所不滿意的在於：㈠可以請騎兵隊來維持治安，並且已經有了三個貞節牌坊的村子，應當是百家以上的大村，而不可能是一二十家的山窩裏的寒村。「校尉」的官銜，在古代是很高的，我雖尚未查明代的官制。㈡露場面的人數，頂多時也大概只有十多個人，沒有反映出村裏的羣體生活；使人感到村子是從社會中孤立的；董夫人的一家，在村子中實際也好像是孤立的。㈢在一年四季中，沒有露出半點農村節日的熱鬧，以增加情節中的活氣。許多人感到沉悶，大概是這種原因。上面的缺點，可能是編導者對我們農村的實際生活沒有眞正體驗到，因而在意識中便自然而然的把它抽象化、單純化了。也可能是編導者不長於對比對照的描寫；恐怕稍一熱鬧，便破壞了主題的氣氛。但更可能的是出的經濟算盤。錢花得越少越好。但總結起來，編導者和主角是成功多於失敗的。我尤其欣賞這位女主角。可惜配角差一點。

四

就全片的情節安排來看，編導者對於由董夫人所代表的舊時代婦女生活的意識和形態，似乎既不是欣賞，也不是詛咒，而只是想作寫實性的報導。但有的影評，却把這一片的主題，扯到「禮教吃人」上去，即是認爲由此所代表的文化價值，可作禮教吃人的證明，這便值得反省一下。

我首先聲明：對婦女守節一事，在今日我認爲既不必提倡，但也不必反對，而只能聽任當事者的自由意志的決定。對於我的朋友的遺孀，假定是再嫁，我是由衷的同情；假定是苦撑，我也由衷的敬佩。但過去因爲把貞節看作至高無上的東西，由家庭中的父母兄弟，代一個弱女子强作主張，逼着非守不可；甚至逼着「望門守節」，乃至逼着「自裁」，以便報請旌表，這不僅是荒謬，而且也是殘酷。但這與志願守節一事，並無關係。同時，五四運動以來，一提到守節一事，即認爲這是違反人性，認爲是妨礙進步，甚至是禮教「吃人」，而不問其是否出於當事者的意志自由，更不深究此事的自身，對社會的眞實意義，這縱然不是殘酷，但也可以稱之爲荒謬。這可以說是價值觀念的對極化。

中國以政治的力量提倡貞婦，大概始於漢宣帝。我的推測，因戾太子之禍，他出生以後的悲慘遭遇，假定沒有一位堅苦卓絕的女性撫養他成人，他便沒有渡過苦難的可能性。此一生活體驗，可能給他以深深地感動。同時，就我的研究，由春秋之末一直到西漢，都是平民家族形成的時期。當一個女人的丈夫死了，而自己尚可以嫁人的年齡，多半是公姑已老，子女尚幼的年齡。此時她假使嫁人以去，她死去了的丈夫所留下的家庭，便會隨之瓦解，乃至消滅。假使有一個婦人，爲了對死去的丈夫及活着的公姑子女，而願爲這一破碎的家庭，犧牲自己的下半生，擔起這一份沉重的擔子，難道說這種婦人，不是情操高潔，代表着一份崇高價值的存在嗎？政府社會，對這種婦人加以推崇，給以名譽，難道較之捧性感明星，不是更能表示一點人的尊嚴嗎？至於只是爲了一份貞節牌坊的名譽而勉强守節，這僅出在文化墮落透頂的士大夫家庭裏面，不是這一事象出現的本來面貌與本來意義。尤其是廣大農村守節持家的婦女，她們根本不會以這一份名譽爲動機。就是片中的董夫人，她一開始便是爲了不可必得的牌坊而投下她生命的賭注嗎？就常情推測，我看不是這樣簡單。貞節牌坊只是事象經過的附加條件。影片的編導者似乎是想用牌坊的一個條件，來解答整個地問題，便未免把問題處理得偏向一邊，因而過份把問題單純化了。即使董夫人僅僅是受了名譽心的驅使，而犧牲其他的幸福，怎麼又不比美國洛杉磯的一位婦人，手拿着「偸人萬歲」的小册子，在十字街頭，大喊大叫，高貴出萬倍呢？西方現代文化，受了弗洛特的學說支配，認爲性慾才是人性，對名譽、道德的要求，則皆驅逐於人性範圍之外；使人性與猪狗同倫；西方之必然沒落，美國之必然崩潰，這便是一個例證。

編導者對「董夫人」情節的處理，一步一步的剝落她的生活環境，剝落到最後，使她孤寂得連張叔叔也爲她難以忍受的田地，就此種事象的本身來說，這要算是非常突出的，甚至可以說是特例。一般的情況，多半是晚景的兒孫繞膝，作爲她一生辛苦的補償。不過，若這樣編導，便有鼓勵貞節之嫌，又恐落到舊劇大團圓的陳套。但編導者所以採用上述的方向，主要是想寫出董夫人難以按壓下去的內心矛盾，即是性慾與名譽心兩相鬭爭的矛盾，以造成本片主題的高潮。許多人便從這矛盾地方指出守節行爲的虛僞，因而是滅絕人性。不過我們應當想想，一個初作壞事的人（臺灣許多老嬉皮，都是在糞坑裏浸透了的人，不能作例證，）常會受到自己良心的抗拒，而發生內心的矛盾。古來立志做聖賢的人，也不斷遇到物欲的抗拒而發生內心的矛盾。理、欲交戰，乃人格形成中的必然過程，問題只看克服向那一方面去。一個年輕守節的婦人，連她內心的矛盾，也說是禮教吃人；我想堅持這種看法的人，其本身恐怕早已沒有保持人的特性了。

中國文學中的想像問題

一

亞力士多德在他的「詩學」中，對歷史與詩的界定是：歷史是敍述已經實現過的事物；而詩則是敍述尙未實現的事物。文學中的許多分野，大體上是由詩發展出來的。所以亞氏對詩的界定，也可適於其他重要地文學分野。由亞氏的界定，立即可使人明瞭，文學乃生活於想像 **Imagination** 世界之中的。

我們今日可以批評亞氏對詩的界定，實際失之於太偏；站在中國傳統文學的立場，尤其是如此。但想像在文學創造中所佔的重要地位，是無可爭論的。

對「想像」的內容，在西方文學理論中，有不少的陳述。其中概括性較大的，應當爲文捷斯特（T. C. Winchester），在其「文學批評原理」（Some Principles of Literary

Criticism）中所提出的三種想像。第一種是創造地想像（creative imagination），這是「從經驗所得的各種要素中，自動地選擇某些要素，加以概括綜合，以創造出某種新事物的作用。」第二是聯想地想像（associative imagination），這是「對於某種事物、觀念，或情緒與情緒上的相類似的心像，加以連結的作用。」第三種是解釋地想像（interpreatative imagination）；這是「認知對象的價值或意義；把價值或意義之所在的部分或性質，加以闡明，由此以描寫其印象的作用。」此種想像作用，借瓦玆瓦斯（William, Wordsworth）的話來說，這是「沉浸於對象的生命之中」，以闡明對象中最深奧的價值的想像。

（註）這裏應附帶說明一句，在概念上可以很清楚地把想像分為三種；但在實際活動時，則常是互相摻和而不容易指出僅屬於三種中之某一種。

在中國文學的理論、批評中，沒有把想像的作用特別凸顯出來以成立「想像」這一概念；而是把文學中的想像作用，分隸於「感」與「思」的兩個概念之中。但感與思，包涵了想像的作用，而不止是想像的作用；這裏不進一步去解明此一問題；但在中國文學創作中，想像一樣是居於重要的地位，也是無可懷疑的。

（註）此段係取材於日人本間正雄改稿文學概論頁六七。東京堂昭和三十二年（西紀一九五七年）二二版。

二

想像，不僅應用到文學裏面，有時也應用到科學，尤其是史學裏面。應用到文學中的想像，與應用到史學中的想像，除了應用的程度，有多與少的「量的不同」以外，是否還有「

質」的分別？假定有，此一質的分別是什麼？

其次，西方的文學理論批評家，非常重視想像；但同時爲了想像與空想易於混淆，又常努力要在想像與空想之間，劃出一條分界線；但就我所看到的材料來說，此種努力，依然是收效甚微。然則有沒有方法，在上述二者之間，劃一簡明的分界線呢？

在文學與史學的想像中，假定要作質的區別，我可簡單說一句，挾帶着感情的想像，是文學的想像；不挾帶感情的想像，是史學的想像。文學的想像，可以說想像的自身便構成文學。史學的想像，則只能作爲搜羅與解釋史實的導引，想像的自身決不能構成史學。

當我們要求把想像與空想加以區分時，乃是因爲「文學所以表現人生的眞實」；因此，對「科學之眞」而言，也應當强調文學之眞。而空想則不是眞的。若想像與空想混而不分，則所謂文學之眞便不容易成立。但就三種想像的自身來說，怎樣也不容易把它與空想加以區別。我的看法，由感情所推動的想像，與感情融和在一起的想像，這才値得稱爲文學的想像。不是由感情所推動，不是與感情融和在一起的，這便非想像而是空想。文學之眞，指的是在想像中的感情，及由想像所賦予於感情的力量；感情是人生之眞，所以與感情融合在一起，並對感情的表出給與以莫大助力的想像，便也是眞的。若從想像中抽掉了感情，也就等於從想像中抽掉了眞實，於是我們便應當稱之爲空想。由空想所構成的作品，可以滿足人的好奇心，有如推理小說武俠小說之類，或者也可以稱爲文學；但寫得再好，也不過是三流以下的文學。

三

現在再就想像與感情的關係，稍作進一步的考查。

首先，有了某種感情，便常自然而然地要求某種想像來與以滿足。因爲感情的鬱，只有在想像中方可加以發抒，而發抒卽是滿足。例如杜甫聞官軍收復河南河北詩「劍外忽聞收薊北，初聞涕淚滿衣裳。却看妻子愁何在，漫卷詩書喜欲狂。白日放歌須縱酒，青春作伴好還鄉。卽從巴峽穿巫峽，便下襄陽向洛陽」。後面四句，全係想像。但後面四句的想像，乃是由「初聞涕淚滿衣裳」的感情所推蕩出來；而初聞涕淚滿衣裳的感情，祇有在後面四句的想像中才可得到滿足。

感情是幽暗漂蕩，無從把握的東西。感情的發抒，卽是感情由幽暗而趨於明朗，由漂蕩而歸於凝定。要達到這一步，最好是不要訴之於概念性的陳述；因爲若是如此，便可能進入到哲學或其他學問的範圍，而漸脫離了感情的本質。感情發抒的藝術性，常常是感情的形象化。在賦予某種感情以適當的形象時，此時的感情卽隨形象而明朗，而凝定，而得到發抒的效果。例如白居易長恨歌，是以唐明皇與楊貴妃的悲劇爲主題而作的。「長恨」卽是此一主題的「題眼」。此詩從「蜀江水碧蜀山青，聖主朝朝暮暮情」起，一直到「梨園弟子白髮新，椒房阿監青娥老」止，凡二十句，都是長恨的「恨」的發展。但上面的發展，主要是用景物來烘托，而沒有直接從明皇自身加以描寫，則恨的高峯還沒有表現出來；於是白居易便通過自己的想像，寫出「夕殿螢飛思悄然，孤燈挑盡未成眠，遲遲鐘鼓初長夜，耿耿星河欲曙天」的四句，把一個因長恨而徹夜不眠的明皇的形象，顯露出來了，這便成爲「恨」的發展的高峯。

這裏也引起了一個挿話。宋邵博聞見後錄一九，對「孤燈挑盡」的想像，不以爲然；而謂「寧有興慶宮中夜，不燒蠟油，明皇親自挑燈者乎？書生之見可笑。」以後許多人便附和邵博的這一說法；陳寅恪在元白詩箋證第一章中就說這是因爲長恨歌係在白居易未任翰林學士以前所寫的，不明白宮禁夜晚是燒燭的情狀。殊不知當時的富貴人家及遊樂之地，已多是燒蠟油，杜牧「蠟燭有心還惜別，替人垂淚到天明」，即其證明。白居易作長恨歌時，早成進士，豈有連宮禁中燒燭的情形，也不知道。問題是在：明皇到底是燒燭或挑燈，不是考證上的問題，而是何者適於反映出明皇悽涼寂寞的情景問題。李白心中的愁，要求他說出「白髮三千丈」，他便說出「白髮三千丈」。在白居易對明皇因長恨而不能入睡的想像中，要求的是挑燈，他便說是挑燈。想像的合理性，不應當用推理、考證的眼光來加以衡量，而是要由想像中也含融的感情，與想像出來的情景是否能够匀稱得天衣無縫，來加以衡量的。何況今人在上床睡覺時，常將光線强的電燈轉換爲紅綠色的微弱燈光。何以見得明皇睡在床上時，不會不願用强光的燒燭，而偏要用光線較弱的油燈呢？

四

由感情的積鬱太深太厚，不是日常生活範圍中的想像可以表達出來，便常於不知不覺之中，伸入到神話中去了。因爲屈原是「憂心煩亂，不知所愬」，所以離騷中的想像，便常和神話結在一起；他不知所愬的感情，便和由想像所連結的神話，共飛揚上下而馳騁。並且可以說，只有經過作者塗上了感情的神話，才能成爲文學取材的一種重大要素；否則神話是神話，文學是文學。羿妻偸藥，奔入月宮，這即是月中的嫦娥，此種簡單神話，有什麼文學意味呢？但李商隱却唱嘆出「嫦娥應悔偸靈藥，碧海青天夜夜心」的詩句；把他與妻結婚，因爲得不到有權有勢的丈人的歡心，以致他和妻，一生潦倒悽涼的情景，隨嫦娥的孤寂，而同樣漂蕩於碧海青天之中的感情發抒出來了，嫦娥偸藥的故事在此處也因感情化而文學化了。

由感情逼出想像所構成的文學，這常是第一等的文學。紅樓夢所以能成爲第一流的文學作品，是因爲紅樓夢中的想像，主要是由曹雪芹「字字看來皆是血」的感情所逼出來的。這是感情在先，想像在後。但更多的情形，則是想像在先，感情在後；感情是由想像所引出的。於是作品的高下，便常由想像所能引出的感情的程度作衡量。蒲留仙的聊齋誌異，紀曉嵐的閱微草堂筆記，都是說狐說鬼，都有很豐富的想像。並且紀曉嵐的文筆精潔，各篇的結構富於變化；表現了他高度的文學技巧。但凡是看過兩部書的人，應當有一種共同印象，即是：在聊齋誌異的若干故事中，我們的感情，常常受到故事內容的感染。而看完閱微草堂筆記後，只是冷冰冰地，讀者與故事，乃兩不相干之物。因此，儘管紀氏的學問比蒲氏大；但兩書在文學的價值上，紀氏的作品，却遠不及聊齋誌異，爲什麼？蒲氏能由想像而引出深厚的感情，紀氏則沒有用上這一套工夫，於是其他的文學技巧，也只是一種文學技巧而已。至於袁子才子不語，其所以成爲東施效顰，原因也正在此。這一點，或者可以適用於各種小說的批評上去。

五

想像是文學表現的重要手段，但並非是唯一的手段。想像以外，還有推理、體認、觀察、觀照等等。但想像經常或多或少的與上述那些手段，親和在一起，使其得互相發揮的效用。

想像與觀照，似乎是立於對蹠的地位，最不容易發生親和的關係；因爲觀照是「現前」的事物；而想像則不是現前的事物。在中國的詩裏面，寫景佔很重要的地位，亦卽是觀照佔很重要的地位。但把想像與觀照作關連的表現時，却反而可以增加表現的效果。杜甫秋興八首中的一、二兩首，卽是運用這種手段。秋興一、二兩首在表現上最大的特點，是他在一聯的詩句中，作遠與近，今與昔，兩相對照地表出，由此以增加感情活動的往復跌宕，使詩的體勢，隨遠近今昔的對照，而得到開闔頓挫之妙。例如：

江間波浪兼天湧（近）塞上風雲接地陰（遠）。叢菊兩開他日淚（昔），孤舟一繫故園心（今）。

聽猿實下三聲淚（今），奉使虛隨八月槎（昔），畫省香爐違伏枕（昔），山樓粉堞隱悲笳（今）。遠的昔日，是來自想像。近的今朝，是來自觀照。詩裏這種例子很多。有名的王漁洋秋柳詩「他日差池春燕影（對春柳的想像），祇今憔悴晚煙痕（對當前秋柳的觀照）。」正是相同的手法。

還有在一句之中，觀照與想像並用，一則由此以窮觀照之量。二則由此以使被觀照的事物，得以觀照出它的精神。杜甫「浮雲連海岱，平野入青徐」。「浮雲」「平野」，都是當前的觀照；浮雲而連海岱，平野而入青徐，這便在觀照中加入了想象，必如此而始能窮盡觀照之量。常建「山光悅鳥性，潭影空人心」；「山光」「潭影」，是當前的觀照；至於山光而能悅鳥性，潭影而能空人心，則是得之於想像。然必加入此種想像，才能把山光之美，潭影之淸，完全寫出。這更是在中國詩中所常用的手法。而就想像來說，可以說這是解釋地想像。

在觀照中的想像，它所含的感情，多是淡泊虛和的感情，所以感情的氣氛不够濃厚；常常是隱而不顯。但不能因此忽視了文學的想像，必然會和感情連結在一起的這一實事。

中國文學中的想像與真實

——「中國文學中的想像問題」補義

一

「我在中國文學中的想像問題」一文中，說明由感情所逼出的想像，與感情融和在一起的想像，才是文學的想像，也卽是文學的眞實。這一觀點，可以解釋文學中與想像有關的許多問題，大概是可以成立的。但若僅以想像中的感情來說明想像的眞實性，還不够周衍，我應當補出下面的兩種情況。

我在上文中，曾引用過文捷斯特（T. C. Winchestes）所概括出的三種想像。在三種想像中的第二種想像是「聯想地想像」，這是文學家應用得最多的想像。所謂聯想的想像，是「依類引伸」出來的想像。我國詩經中的比和興，都可以說是這種聯想的應用。「關關（雌雄相應之和聲）雎鳩，在河之洲」，這是眞實的情景，「窈窕淑女，君子好逑」，這是眞實而合理的願望。詩人通過自己聯想地想像，將兩個本不相干的事物，融合在一起，因而能把淑女與君子的結合烘托出一番欣慰的氣氛；此時的想像，自然而然地不發生眞實不眞實的問題。由此種想像所烘托出的欣慰的氣氛，乃人情所應有，這便是文學的眞實。

聯想地想像的盡量發揮，常表現於小說創作之上。我的看法，一部成功的小說，都是通過聯想地想像，把散見於社會中的某些現象，以凝縮成一篇小說中的情節；把散見於各種人羣中的某些生活，凝縮爲小說中的人物；聯想力愈大，凝縮力愈强的，小說中的情節和人物的典型性也愈大愈强。被聯想到的「原始資料」固然是眞實的；被凝縮而集中爲主題的人物與情節，假定凝縮、集中得成功，則在聯想過程中必然會滲入進「體認」與「洞察」的工夫和能力，以發現出散於社會上，人生中的某些現象與生活，不僅是可以凝縮、集中的，並且只有加以凝縮、集中後，其本來的特性，其本來的意味，始能較完整地表現出來，始能爲人所感受到。一部儒林外史，是把綿亘千百年，散佈全社會的知識份子在科擧下，由中毒而來的醜態，凝縮、集中在幾個人物，幾個情節上，表現出來；使模糊閃爍的這些醜態，得因此而明朗起來，確定起來，於是科擧下的知識份子的眞實，便容易爲人所把握到了。這是文學家通過創造的心靈，所創造出寫「原始資料」無法表現得出來的眞實。科學地眞實是由科學家的發明而見；文學地眞實是由文學家的「發見」而得。而發見的最大工具便是想像。

二

文捷斯特所說的第三種想像是「解釋地聯想」。所謂解釋，主要是指向兩個方面。一是對於某種情境所含有的意味的解釋。哲學家對意味的解釋是通過思辯；文學家則常常是通過描寫，以使某種意味成爲人們容易感受到的具體形相。科學的意味，是由儒林外史所描寫的具體形相而得以表現出來的。把不易捉摸的意味加以形相化，只有通過想像才有其可能。所要表現的意味若是眞實，則爲了解釋這種意味所成立的想像也是眞實的。

解釋的想像所指向的另一方面，是人的行爲動機；由動機而銜接到心理狀態。爲了深入去把握某人何以會有某種行爲；尤其是何以會有與某外在的條件不相符應的行爲，這便自然而然地要求在行爲的動機上、心理上，作一番解釋；而這種解釋，通常只能通過文學家的想像得之；文學家之所以成爲文學家，便是在他不走科學的調查，實驗之路，而只憑自己由經驗、體認所積累的想像之力，以得到目前心理學家所無法得到的解釋。下面的故事，或者在我國是一個最早出現的例子。左傳宣公二年：

「宣子驟諫，公（晉靈公）患之，使鉏麑賊之（暗行刺殺）。晨往，寢門闢矣；盛服將朝（指宣子），尚早，坐而假寐，麑退而嘆，而言曰，不忘恭敬，民之主也；賊民之主不忠；棄君之命，不信。有一於此，不如死也。觸槐而死」。

後來有人對上面敍述發生了懷疑。因爲鉏麑行刺時所說的話，是誰人能聽到，而爲史臣所記載呢？在古代希臘的史籍中，也曾出現這種情形；卡西勒在其「原人」的「歷史」一章中曾加以解釋，我這裏不深涉到此一問題；而只指出：鉏麑受君命去刺殺趙宣子，何以有刺殺的機會，却自己觸槐而死呢？當時的史學家感到對此應加以心理上的解釋，便通過自己的想像而加以解釋了。這種由想像而來的解釋，在史學中是特例，但在文學中則是常例；此種解釋的眞實性，決定於所能解釋的程度。如果解釋得天衣無縫，使讀者所挾的疑團，渙然冰釋於不知不覺之中，這也是發現了一般人所不能發現的眞實。

還有，一般人的心理狀態，並不表現於行爲之上（語言也是一種行爲）。而「深層心理」，也不表現於一般意識活動之上。未表現爲行爲的心理，未浮上到意識層的深層心理，可能是人生中最眞實的一部份。對於上述的心理狀態，若通過想像的手段表達出來，這便近於一般所說的心理小說。不通過想像的手段，而要當下就深層心理的原有狀態表達出來，這便是意識流的小說和白日夢的詩。我在此處，不深入到這種問題的內部去；而僅指出，西方有人把意識流，白日夢的文學，稱爲「新寫實主義」；則通過想像以描寫這種心理的想像，也不能抹煞其眞實性。

三

最後，我要順便一提的是，有的研究西方文學的人士，曾倡言「中西文學之不同，在於中國文學中的想像力的貧乏」。這一點，應分兩方面來了解。一方面是：在中國傳統文學中，實用性的文學——序傳、論說、書奏等等，佔有很重要的地位；在這類文學中，當然不容許有豐富的想像活動。民初以來，因受西方文學的影響，許多人把這一類的文學評價得很低；而另標出「美文學」或「純文學」，以資與西方文學較一的長短。但西方因報紙雜誌等的發達，實用性的散文，在文學中已日居於重要的地位，這已被西方的文學史家、文學理論、批評家所注意到了。所以中國文學保有實用性的文學傳統，並不是壞事。凡是拿西方文化中一時的現象、趨向，以定中國文化的是非得失，我願借此機會指證出來，這是相當危險的方法。

問題的另一方面，卽是就中國文學中的所謂純文學而言，若說它的想像力貧乏，等於是說中國文學的貧乏。因爲沒有想像，便沒有文學。過去普及於社會大衆的「千家詩」的第一首程明道的「時人不識余心樂，將謂偸閒學少年」，時人對於程明道「傍花隨柳過前川」的看法，程明道只能在想像中得到。長恨歌的「回頭一笑百媚生，六宮粉黛無顏色，」楊貴妃初入宮時的傾動，白居易只能於想像中得到。說中國文學中的想像力貧乏，我實在不能了解這種話的意義。但中國從西周初年起，已開始擺脫原始宗敎而走向「人文」之路。印度佛敎進入到中國後，也只發揮其無神論的一方面；並將印度的各種「大地震動」這類的奇特表現，逐漸轉變而爲「平常心是道」的平常的表現。人文的世界，是現世的，是中庸的，是與日常生活緊切關連在一起的世界。在此種文化背景、民族性格之下，文學家自然地不要作超現世的想像；不要作慘絕人寰，有如希臘悲劇的走向極端的想像。中國文學家生活於人文世界之中，只在人文世界中發現人生，安頓人生；所以也只在人文世界中發揮他們的想像力。中國不發展史詩（詩經中便有不少史詩），是因爲中國的史學發展得太早。中國不出現悲劇，是因爲中國民族的性格，文化的性格，不願接受走向極端的悲劇。這其中沒有能不能的問題。我們鄉下流行一個故事，在演漢劇中的「司馬師逼宮」的一齣戲時，演司馬師的大花臉，演得非常逼眞，把皇后逼得走投無路；有個看戲的農夫，檢起一塊石頭投上去，把大花臉的頭打破一個洞；這個農夫和許多鄉下人由此而消了一口氣。因爲「太過火了」。這個故事，未嘗不是一個意味深長的反映。假定說中國文學的發展受到了限制，乃是受到長期大一統的專制政治上的限制。我們不要把問題弄錯了方向。

達達主義的時代信號

現在在藝術文學中流行的超現實主義，他最親近的血緣，要算是達達主義。達達主義產生於一九一六年春天瑞士的丘里；超現實主義大約成立於一九二四年法國的巴黎。超現實主義的發明者，卽是達達主義的中堅人物。所以超現實主義的誕生，同時卽是達達主義的死滅。而這種生死之間，乃是禪遞、發展，在本質上沒有什麽兩樣。

一

大約只有八年壽命的達達主義，在整個藝術、文學之大流中，不過是飛濺出的一個微不足道的泡沫，有什麼說到它的必要？但若想到這是作爲西方文化危機乃至整個人類危機的最尖銳突出的信號；並且若想到在它出生以前，乃至在它死滅以後，在整個人類生活中，早瀰漫著，並且還繼續瀰漫著這種形相不同，而本質無異的暗流，則不難發現是值得對它投以驚心動魄的一瞥的。

「達達」這一名詞的來源，在他們這一撮人的中間，也有不同的說法。比較爲多數人所接受的說法是：一九一六年二月八日午後六時，羅馬尼亞人怎那 Tvistan Tzara 在瑞士丘里的一家咖啡室的露台上，用有柄的裁紙刀隨便揷入到辭典中去按著一個字，打開一看，按著的正是Dada，於是吵鬧在一起的一個阿爾薩斯人和兩個德國人，便皆大歡喜的接受這一個名稱，以這個名稱來作爲他們活動的標誌。爾後在美國和巴黎，各有兩三個人，懷抱著同一的嚮往，在一九一九年，以名實不符的「文學」雜誌爲中心，匯合起來，頂著這頂共同的帽子。

二

在德生辭典上，Dada 是「木馬」的意思。但他們之所以喜歡這個名詞，實際只是因爲這是嬰兒呀呀學語時毫無意義的一種發音。「無意義」，才是他們眞正的嚮往。

據其中之一的勒蒙說：「達達主義，是文明的挫折；更正確的說，是文明死滅的宣言……因此，達達是有組織的絕望地懷疑主義。他的歸趨，是對於一切的否定」。米蕭更具體的說，「在根底上，達達是對於藝術、倫理、社會、法律等等的反抗和激烈地否定」。

最可以表現他們的宗旨的，是以怎拉爲中心，從一九一六年到一九二〇年的「七個達達宣言」。他們在第二宣言中說「……愛你的鄰人的教義，只是一種僞善。……殺光了一切之後，才有淸潔的人類」。「用永遠的尺度來測量，則一切的活動都無意義……邏輯只是一種糾紛，並且常常是一種錯誤」。「讓各人大聲叫喚吧，大家有不能不做的事情，卽帶破壞的、否定的偉大事情。一掃而光吧！在瘋狂狀態之下，在把一切委之於破壞了的世紀的强盜們的世界之下，始能得到個人的淸潔。沒有目的，沒有計劃，沒有組織；只有不屈的瘋狂、解體。語言和力的强者們，才能保存生命。」

第七個宣言中說：「達達係懷疑一切……眞正的達達，連達達也反對」。他們更提出了有名的作詩的方法。「達達們爲了作詩，只要給一張報紙和一把剪子就够了。從報紙上選定與自己想作的詩一樣長的一段新聞，把它剪了下來。更把記事的各個單語，很仔細地剪下，裝進一隻袋子裏，靜靜地搖動，再把剪下的單字，按着袋裏的順序，一個一個的拿出來，小心地寫出，一下子，便做成了一首很像詩的東西」。更稍加修補，自然會成了一首好詩了。

三

達達主義，可以說是强烈破壞性的胡鬧主義。這種胡鬧主義之出現，乃至會引起世人的注目，因爲它是反映了現代情勢的背景，並與其他的思想，有了不知不覺的關連。正因爲如此，這種胡鬧主義，在現實上不會不產生結果。所以二十世紀三十年代的納粹運動，在許多地方，可以嗅出達達主義的氣息。

此種運動的來源，固然和個人的氣質或反抗精神有關係；但最重要的是：歐洲自文藝復興以來，藏在社會與文明中的矛盾，機械文明與人文主義的對立，以第一次世界大戰爲契機，更明顯的表現了出來；而一九一四——一八年的世界大戰，使人有「文明自身，正走向自殺」的感覺。在現實的恐怖、動搖、苦悶中迷失了方向，找不到出路，於是意志薄弱的人，便想到只有毀滅現實，毀滅現實所自來的歷史，才是一條出路。而弗諾德的精神分析，及環繞於自然科學的冷酷地性格，更助長了此一傾向。

以達達來求解放，其爲背道而馳，這只要看這一小撮人的內鬨、互駡，連對「達達」這一名詞之出現，也互爭不息，一點也不肯放鬆，甚至出之以說謊、撒賴等等情形，即可明瞭；這裏不再作進一步的說明。現在所要特別指出的不僅當前藝術文學中的超現實主義、抽象主義，是達達主義的擴大；即哲學中薩特們的實存主義，某些人的邏輯實證主義，在本質上，也是一種深刻的達達主義。達達的精神，才是西方文明必然出現的精神；因之，它便眞的成爲這一時代的精神的結晶。然則這一時代，究竟會走向什麼地方去呢？

一九六一、八、三　華僑日報

從藝術的變・看人生的態度

一

藝術是以形相之美爲它的生命。而與人以新鮮地感覺，乃是構成美的一個重要因素。新鮮地感覺，主要是從變得來的。藝術是在不斷地變化中更新它的生命，發展它的生命。變無盡時，藝術的生命也無盡時。

促使藝術變化的因素很多，略言之計（一）是原有藝術本身所含有的可變的，應當變的因素。（二）是由異質文化互相接觸所引起的觀念的改變及新因素的吸收。（三）是作家從大衆所得的原始性地，或者是最直接性的啓發啓示。但其中最重大的因素，都是來自政治社會的變革。爲什麼中國藝術的變化比歐洲的少，又爲什麼歐洲中世紀的藝術的變化比近代更少，這其中最重大的原因之一，乃出於社會變革率的幅度與頻度的差異。

但在這裏，我想從另外一個角度來解釋這一問題。這一解釋，當然不是全面性的。可是，若是從文化的角度看，或許有它的一點意義。

藝術作品，既不是純主觀的，也不是純客觀的。若是純客觀的，則是科學而不是藝術。若是純主觀的，則只是一種不可捉摸的一團氣氛或一團幻影。把主觀生命的躍動，投射到某一客觀的事物上面去；借某一客觀事物的形相，把生命的躍動表現出來，這便是藝術作品。由此，我們可以了解，藝術作品，固然是訴之於人的感官，但感官對作者而言，只是第二義的。第一義的却是作者未表現出來以前的生命的躍動。

這種生命的躍動，假定與以反觀內照，使其停蓄在生命的內部，讓它從幽暗中澄汰出來，以形成晶瑩朗澈的內在世界，這卽可用另一名詞稱之爲作者的精神境界。中國從前有人說他寫竹只是爲寫出自己胸中的逸氣。所謂胸中的逸氣，卽是作者的精神境界。

二

假定一個人眞正有了精神境界，他可以把它表現出來；但也可以自我陶醉、欣賞，而不表現出來。不僅如此；同樣的精神境界，可以用這一事物表現出來，也可以用那一事物表現出來。並且同樣的事物，可以表現出許多不同的精神境界。譬如有四個人坐在茶館裏吃茶，但對於茶的領略，由茶引起的感興，四個人可以完全不同。很小的事物，也可以涵蘊無窮的境界。「一花一世界，一葉一如來」，這是由一花一葉而發現空間的無限。「一念萬年」，這是由刹那的念慮而實證時間的永恆。這都是把主觀中的無限，賦與於非常被限定的事物之上，因而也使其得到了無限的生命。由此便應了解，藝術上第一義的精神境界愈深愈廣，一面可以表現出突破凡近的形相，同時也可以在凡近中表現偉大，在陳舊中表現新奇。所以，它（藝術）不會反對形相之變，也不會把生命完全寄托在變上面，而非立意去變不可。變而不覺其新，不變也不覺其舊。爲了什麼？因爲形相後面有第一義的精神境界，他是可以忘形於牝牡驪黃之外的。李白的「相看兩不厭，惟有敬亭山」，何以故？因爲看敬亭山的主人公，胸中含有無窮的人世滄桑炎涼的感觸，正嚮往著一片平靜清幽而沒有機巧變詐的人生境界；將這一境界，投射到敬亭山上，敬亭山便成了自己所嚮往的境界的象徵，精神便與敬亭山兩相湊泊而當下安住下來了，那裏會因爲看多了而感到厭倦？這與獵奇探險的精神，完全是兩種狀態。

三

現代抽象藝術的開創人，主要是來自對時代的銳敏感覺，而覺得在既成的現實中，找不到出路，看不見前途；因而形成內心的空虛、苦悶、憂憤，於是感到一切既成的藝術形相乃至自然形相，都和他的空虛、苦悶、憂憤的生命躍動，發生了距離。要把他內心的空虛、苦悶、憂憤的眞實，不受一切形相的拘束，而如實的表現出來，這便自然而然的成了抽象的畫，或超現實的詩了。

但一般追隨的人，並非也是出於這種眞實地內在生命的要求，而只是要向自然科學的成就，沾潤一點餘光，以變了又變的心情，求得官能上新奇地感覺。不奇便不新；不新便不能給官能以快感。這樣一來，便爲了達到新奇的目的，而寧願犧牲、破壞藝術的一切傳統，甚至否定到藝術本身，連美的觀念也把它否定掉了。若進一步推求其原因，正如索諾金在「人性的再建」一書中所說，西方近代的文化，是「官能的文化」，一切要在官能上求解決，一切東西要能看得見，聽得到，摸得着，量得出。不如此，便不寄以信任，而將其貶逐於文化範圍之外。文化的目的，也在於官能的滿足；人生幸福，即是官能的快感。此一傾向，到二十世紀而愈演愈劇，在美國而更發揚光大。藝術、道德、宗教等的精神境界，只能反觀內照，如何能聽能摸能量？自然覺得這些只是人生的幻覺。於是第一次世界大戰以後，世界觸目皆是的只有官能感覺而無精神境界的藝術家文學家。他們的惟一生命，只存乎一個「變」字，愈變愈奇，愈能給自己的官能以刺激；這一刺激不够了，再來一次變。橫直既已經抽象了，超現實了，便等於中國古人所說的畫鬼者易工，因爲誰也不曾看見過鬼，因而鬼也是抽象的，於是極其究，這只是官能的文化，官能的人生下面的必然現象。所以抽象畫只講究顏色，而超現實的詩則特重由文字所堆成的形式，並不重視內容。因爲官能只能接觸到顏色和文字形式。驅策藝術去與科學技術在官能上爭一日之長短。這實是今日藝術界文學界中攀龍附鳳的人們的眞正藝術衝動。要了解現代藝術、文學，或許這也是一點端緒。

一九六一、九、三　華僑日報

現代藝術對自然的叛逆

一

在中國古代，認人與萬物皆為天所生，雖然覺得人是萬物之靈，但畢竟都是同一來源，同一性質的，所以容易與自然發生親和之感；因而在道德上、在藝術上，都表現出人與自然的諧和融合的境界。

在西方，中世紀的藝術，都是以神聖的精神爲主題，認自然是一切異端之母。到了文藝復興時代，人與自然，開始有了密切的關係。所以克哈特在其所著的「文藝復興期之文化」的「風景美的發現」一章裏面說，「在人生內觀自然，在自然內看人生，乃近代之事」。這樣一來，自然便成爲藝術創造的重要對象。

等到十九世紀的李普斯，倡導感情移入說，說明了看自然的人，與被看的自然之間，爲什麼會發生親和融合的關係。馬克思・喜勒說得更親切：「沒有你（自然）我區別的體驗之流，在一開始時便這樣的流著。這是自他不相分離，而混爲一體之流。人與其說是一開始是生活於自己之中，不如說是生活於自然之中。與其說是在自己個體之中生活，不如說是在共同體之中生活」。由此可以了解，藝術的創作，是成立於人與自然之間的接觸線上。而偉大的藝術品，常表現爲人物兩忘，主客合一的境界。

二

現代最大的特性之一，是人的地位的動搖。這在現代藝術方面，便表現爲「非人間」的性格。人大概永遠是大地的兒子吧；藝術既離開了人間，當然也要離開自然；於是在創造中的感情移入的衝動，也一步一步的轉向反自然方面去了。

抽象主義與超現實主義，是現代藝術中的兩大台柱。兩者出自同一的時代精神，卻來自兩種不同的線索，也摸索向兩條不同的途徑。所以雖然同是反對自然，卻表現爲兩種不同的形態。

日人島崎敏樹在其「藝術與深層心理」一文中說：「由外界現象而給人以鉅大的內在不安時，結果便興起了向抽象的衝動。現象界在混沌不明瞭的狀態，使人感到不安，於是覺得能與人以安全感的是單純地線，或保有純粹幾何學地合法則性的形式。無法站在外物的正中間，而精神上成爲無力的人們，不能在這種困惑狀態下繼續生存下去。適合於他們追求某種安定要求的東西，是從外界存在的無限變化流轉之中，脫離出來，將對象作為固定不動的東西，而加以「純化的抽象藝術」。「此種抽象過程，本是以主體地氣氛為地盤而發生的，所以是非常主觀地東西。縱使它能成為完壁地法則地圖形，也無關於合理地主知的發想」。以上，是所謂幾何的抽象主義。幾何的抽象主義，過於乾枯了、殭化了，便又有所謂抒情的抽象主義。抒情的抽象主義，我覺得在實質上是向超現實主義的靠攏。

三

超現實主義，就創派的布爾頓來說，實在是對向社會的意識，重於對向藝術的意識。他們是要求永久的「顚覆」，他們實際是「混沌主義」。為了表現他們所期待的非合理世界，便把自然物從現實中應有的地位與關連加以解脫，轉換到超現實地次元。而所謂超現實的次元，只是一任深層心理的迷迷糊糊地自動作用，這卽是所謂「超現實地 Automat（自動裝置）」。此種創作方法，正如他們在第二次宣言中所說的，一個人，拿着手槍，站在街頭，以羣衆為目標，亂射一陣。他們用這種方法，要把社會變形，把人生變形，當然也要把自然變形。這種變形，是要把失掉了地位，失掉了自由，失掉了安全感的現代人的苦悶、煩燥、厭惡的感情，表現於他們的作品之上。

四

背叛了自然的藝術，同時便不能不是背叛了大衆的藝術。超現實主義的思想的背景是弗諾特的精神分析學；而抽象藝術的思想背景，却是著有「抽象與感情移入」一書的渥斯林格。渥斯林格在一九四八年出版的「現代美術問題」中，主要以抽象藝術爲對象的說：大衆藝術與藝術家藝術，世俗藝術與行家藝術，在現代，成爲完全難以融和的對立。大衆已經完全拋棄了現代美術的展覽會。現代這種狀況，並不是有意造成，而只是一種悲劇。此種悲劇，是因爲創造的衝動，與「自然」這種典範所具有的權威之間，切斷了連繫的線索而開始的；這種藝術，是違離了自然的東西。從自然離開了的藝術，也不能不從大衆離開。

由此我們不難想到現代以特高的價錢，從此一豪富轉到另一豪富手中的有如畢卡索的抽象畫，正象徵了現代豪富者的性格。現代的豪富，正穿好壽衣，準備進入到他所應進入的地方去。

塞德爾馬阿，對於超現實主義說：「超現實主義者們，選取了混沌與幽暗之國，選取了血與腐敗和排泄物。在他們的世界中，是由背理，及人的墮落和冷淡所支配。他們的混沌，不是能生出生命來的自然地khaos，而是頹廢地，及自然的khaos」。

以上，是從另一方面來對現代藝術的反省思考。

一九六一、十一、五　華僑日報

泛論形體美

一

希臘很早便以眞、善、美，爲人生所追求的三個理想目標。許多人認爲希臘文化的精神是藝術；藝術的最大成就就是雕刻，雕刻的取材，是人體的形態美。不過，他們當時的社會，對女性是採取非常輕視和抑壓的態度，所以雕刻多取材於男性而很少取材於女性。但畢竟代表形態美的是女性而不是男性。希臘男性雕刻的靈魂，依然是被隱藏着的女性而不是男性。

形態美在中國古代文化中，似乎沒有希臘的幸運。就現在可以知道的古代三大形態美——妹喜、妲己、褒姒而論，因爲她們在政治上與亡國的慘禍連帶在一起，使古代的人引爲大戒，於是以最大的力量，謌頌文王的后妃，說她的偉大乃在德而不在色。其實，有德而無色的女性，有如又苦又澀的營養品，對人生總是一種缺憾。而今日成爲衞詩的「巧笑倩兮，美目盼兮」對女性形態美的歌詠，正與希臘的石像，同其不朽。

現在，正是心理變態的時代。變態之極，藝術不再是美的昇華而趨向爲美的否定。畢加索只有把自己的太太畫成三隻眼睛的怪物，才能滿足自己藝術創造的衝動。其實，在現實世界中，畢加索的內心，可能因自己未曾得到最後的形態美而會有時感到空虛、叛逆，但我相信他決不會要三隻眼睛的女性作太太，卽使有這種三隻眼睛的女性。女性的形態美，將成爲美的永恆地定石；將成爲扭轉當前藝術變態心理的强有力的契機，這是我相信的。

二

不過，形態美雖然可以通過雕刻、繪畫、詩歌而使其長春不老，但形態美的自身，因生理的無可奈何的限制，却和英雄人物一樣，永遠是帶著悲劇的命運，袁子才「美人有壽已無恩」，正說明了此一悲劇命運的性格。漢陳皇后奉黃金百斤，向司馬長卿買賦；明末卞玉京，因自傷憔悴，而與吳梅村避面絕緣；這都說明此種悲劇命運的殘酷。因此，形態美的自我完成，也常常和英雄的自我完成一樣，只能訴之於悲劇，所以項羽寧以頭顱贈故人而不肯渡過烏江，這便足使拿破崙大爲減色。至昭君能琵琶出塞，楊太眞得宛轉馬前，這是她兩人眞正美的完成；遂使青塚黃昏，馬嵬片土，永遠繫人留戀。

從上述的觀點說：最近瑪麗蓮夢露的自殺，或許是她最聰明的選擇，也許是美的自我完成的一個不太高貴的例子。我說她不太高貴，是說她被世人所認取的性感之美，在美的價值衡量中，恐怕只能居於最低級的地位。美之所以可貴，因爲它是縹渺的，想像的，可遠觀而不可近玩的。太現實化了的東西，便是商品而不是美。但這不是瑪麗蓮夢露之過，而是這一時代之過。這一時代的下流根性，只能把美變成商品而加以糟蹋。瑪麗蓮夢露以裸體表現她的最後，這或許是她對此一下流時代所作的抗議。

三

「善」和「美」，與「眞」有所不同，「眞」可以自己加以表明。但善和美，只應由旁人認取，而本人却最好在追求之際，又能把它忘掉。一個自以爲善的人，固然對於善是一種損害；一個經常自以爲美的人，對於美恐怕也是一種損害。因爲美不能離開形態，但美也同樣不能離開純靜雅潔的心靈。美的無限價値，主要是使人通過形態去把握心靈所引起的想像。一種自以爲美的人，便把自己束縛在自己形態之上，阻礙了心靈向其他方面的發展，於是沒有動力與烘托的形態美，也便容易殭化。

更重要的是，美以悲劇而完成。但任何人都希望以幸福結束自己的人生，決不願以悲劇結束自己的人生。而旁觀的人，只可以欣賞、讚嘆已經發生了的悲劇，決不應希望他人發生這種悲劇。由悲劇向幸福的轉換，便要求美的自身，有種合理的轉換。向學術與事業方面轉換，當然是很理想的。但這並非任何人都能做到。所以對一般女性來說，應當由形態之美，轉換爲家庭生活之美。相夫敎子，使一家人都過著和諧而上進的生活，丈夫認爲是賢妻，兒女感覺到母愛，社會認爲是一個美滿家庭，這其中，醞有無限的溫情，也卽醞有另一形態的無限之美。這種美，因沒有生理的限制，是永不會破滅，都是永不會被遺棄的。每一女性，都可作這種轉換；但有一個先決條件，便是，要在愛美之中，同時忘記自己的美，以免把自己的精神，拘限在自己的生理形態之上。從這一點說，當了國姐世姐的女性，可能不一定是很幸福的女性。因爲她自己的心理以及社會環境，常常不容許她作必需的轉換。

一九六二、八、廿六　華僑日報

泛論報紙小說

報紙以服務社會大衆爲目的；大衆需要小說，所以小說便構成報紙中重要的部門。但報紙上到底需要怎樣的小說？這是報紙的編者、作者、讀者，都應當加以考慮、反省的問題。日本朝日新聞在本年三月十九、二十兩天的第十二版，發表了三篇「期待於懸賞小說」的文章，正如石川達三所說，這是對於應選者的一種忠告、或暗示，我覺得可以供大家的參考。

報社出很高的代價，並聘請對小說眞正有研究的人作評判委員，以徵選理想的小說，這一方面是爲了宣傳，而更主要的則是爲了對大衆的責任感，對文化的責任感。大衆看小說，是爲了娛樂。而娛樂乃是最自然最富有浸透性的敎育，許多文化上的東西，對人生常只發生局部的影響；而小說、藝術，若對社會、人生能發生影響，那便是整個的影響，因爲它在無形中有種誘導、轉移的力量。一個人格的塑造，就一般人來說，尤其是就青少年來說，多由這種誘導、轉移的作用而來。假定要通過報紙，而多盡點對大衆在文化上的責任，則提高小說水準，乃是必須採取的措施。而日本第一流的報紙，多年以來，幾乎不斷的採取這種措施。

三月二十日川口松太郎「怎樣使人快樂」的文章，完全是從作爲新聞小說的技巧上著眼。新聞小說之所以特別難寫，他認爲在每天約一千二百字的發表字數中，總應裝有可以使讀者滿足的東西。並且在完成以後，依然還要有文學的價値。主要的讀者是家庭主婦；頭三天看得沒有趣味，第四天便不再看，這便影響到銷路。他主張新聞小說應找出任何家庭中也會存在的極普遍地現象，掌握住使每一讀者都可以引起共感的主題，這才是新聞小說成功的起點。

川口氏的文章，對問題也只算有起碼地提出。三月十九日池島信平的「希望個性的脊骨」的文章，似乎說得比較深刻一點。作者首先提到「吉川英治賞」第一回受賞時，作爲評選委員中之一的丹羽文雄（現代日本名小說家）所發表的評選經過。丹羽氏先談及過去「芥川賞」的評選。因爲作者的水準已經提高了，選擇很不容易；最後不以作品自身的趣味和寫作的技巧作選擇的基準；而以作者所能保有的新鮮感，及强烈地個性爲基準。吉川英治賞的評選，則以題材的特異性和作者的堅强個性，能給讀者以感動，作爲入選的基準。

池島氏接着指出日本戰前的文學青年大約有五萬人，戰後大約有二十萬人。各種作品雖多，但除了那些陳腔濫調的戀愛、戰爭的小說以外，在流行一時的推理小說中，看不出可以喚起「知的共感」的推理小說；也沒有能喚起從內心發出哄笑的諷刺小說；並且也找不到溫暖而銳敏的眞正幽默小說。爲什麼寫不出這種作品？

他認爲這要通過一根脊骨，卽是希望有强烈地個性浸透於作品之中，才可達到上述的要求。而他對個性的解釋是「不是那樣的人，便寫不出那樣的小說」。他更引十多年前坂晏吾對辻亮一的「異邦人」得芥川賞時說的下面的一段話，以作他文章的結論：「像這樣好的小說，不是辻亮一這樣的個人，便不會寫出的。辻君寫了這一作品後，可能不會再寫；然而這豈不是很好的事嗎？因爲小說便是這麼的東西。」而辻亮以後只過薪水階級的生活，眞的不會再寫什麼。在三篇文章中，眞正有份量的，恐怕要算石川達三的「新地發見與主張」；這從該報的編排看，大約也特別重視這篇文章。石川氏首先不很贊成新聞小說有什麼不同於一般小說的特別創作技巧的說法。他認爲作者不應當和新聞小說的大衆性，及發表方法的特殊性相妥協。他認爲大衆並不喜歡諂媚他們的作品，而是希望看到由作者個性的强烈意志和主張，能喚起讀者共感的作品。最低限度，「想迎合大衆興味的妥協意識，不過是一種墮落。」同時，作者固然要考慮到由每天發表的字數限度而來的技巧上的要求，但更應考慮到印成單行本後，還能成爲一部首尾一致的完整小說，他「不很看重『報紙』這一事實，報紙不過是發表作品的地方」。作者「不是服務於報社，而是服務於讀者。並且眞正服務於讀者的事，決不是與讀者妥協的事」。他認爲沒有經驗、基礎、素養的人，不能寫長篇小說。而寫長篇小說「比基礎、素養更重要的是明確的主題：即是想寫什麼，想說什麼的這種事情。主題應當盡可能的是屬於作者自己新地發見，爲以前任何人所不曾寫過、說過的」。他認爲畫家可以反復使用同樣的技巧，而文藝創作必須是創造。要有新主張、新發見。「有發見，才可以執筆」。新發見又談何容易呢？石川下面的話，更富於啓發性。「小說，都是人與人的關係。一個戀愛，由某種看法是平凡的；但換一個角度，却是特殊。一個殺人事件，社會多認爲是非常事件；但若更深入到當事者的內層去看，可能發現是意外地平凡而普遍的事情。這即是所謂 roman（長篇小說）。所謂 roman者，我以爲指的是從非常中發見出普遍的東西，從普遍事物中却發見出特殊性格的這種事。在主題中抓住這種發見而加以掌握，我覺得這在構成作品上是極大的要點」。

一九六三、四、十四　華僑日報

藝術的胎動，世界的胎動

一

藝術活動，常常是時代精神的嗅覺，也是時代精神的脈搏。深刻地關心到時代命運的人，不可能不關心到藝術。

一直到最近兩年爲止，談藝術而不談抽象藝術，在藝術的一哄之市上，便會被人笑駡爲不懂藝術，乃至是對現代藝術的大逆不道。

尤其是在專以捕風捉影爲職業的人們看來，藝術的歷史，發展到抽象，才算是發展完成。在抽象以前的藝術，只不過有過渡性、歷史性的意義。但去年九月二十日，日本誠文堂出版了福田新生的「抽象美術的解體」一書，指出了藝術新地胎動，而引起了日本藝術乃至文化界的重大注意。

福田新生，一九〇五年生於福岡縣北九州市小倉區，本身是一位相當有名的畫家，除作品外，更出有多種有關美術的著作。現在是一水會的常任委員及日展的會員。此書分四部：第一部的「具象、抽象之對立」，等於是全書的總論，以下試略加介紹。

據福田氏說，近年法國比較年輕的一部份人，以彪非、米諾們爲中心，組織了「新具象主義俱樂部」，舉行過「國際具象展」。

而一九五八年歐洲開了一次「世界藝術評論家會議」，結論認爲今後美術的積極地動向，不是抽象主義而是新具象主義。於是「抽象乎？具象乎？」的疑問，又成爲新聞報導中新地題材。據福田氏的看法，則認爲抽象美術，正在解體之中。

二

福田氏認爲具象與抽象，不是「二者擇一」的絕對性地對立，而只是相對地對立。東方，尤其是中國的文人畫，有如八大山人，牧谿們，可以說是作了意識地抽象的表現。但他們之對於具象，並沒有機械地、形而上學地對立意識，而係採取中和、融和的樣式。現代畢加索、布蘭克，則對於具象是採取機械地抵抗、破壞。卽是，在東方，抽象與具象，是相對地對立；而現代由畢加索們所代表的，却使其成爲絕對地對立。

從歷史上看，抽象與具象的兩種傾向，在其交互遞變的出現中，也正顯示了對立的相對性。在原始時代，有如阿爾塔米拉洞窟上所畫的野牛，是强烈地具象地傾向；而原始農耕時代，圖式地、象徵地繪畫，却是强烈地抽象地傾向。古埃及藝術是抽象的；而古希臘藝術却是具象的。歐洲中世紀的繪畫是抽象的；文藝復興時代的藝術，則是具象的。十九世紀是寫實主義的；二十世紀則是抽象主義的。即同爲二十世紀，自由諸國走抽象藝術之路，蘇聯集團走社會主義地寫實主義之路。從歷史的大流看，要把抽象主義絕對化的人們，可以說是一種愚蠢。

然則上述的交互遞變的情形，由何而來呢？福田氏擧出兩個原因：第一，他認爲「時間——歷史，造出繪畫的具象傾向與抽象傾向的對立關係」。第二，他認爲具象與抽象的對立，是由二者「交互關係而起」。上面所擧的兩種原因，未免流於形式，沒有盡到說明的責任。但當他說到具象、抽象的意味時，却有其平實地見解。

三

福田氏認爲由文藝復興時代起，一直到十九世紀而發展到頂點的具象主義、寫實主義，是來於自由地上的合理主義，漸次取代了天上的觀念論的思想背景。具象藝術的基地，是與神相對立的人間與物質。順着文藝復興方向而發展下來的，是藝術上的自然主義。自然主義的基本看法，認爲人的精神，是物質的屬性，精神是依存於物質。所以一個畫家，只要能很客觀地模寫出客觀的自然，即由此而可以掌握到人的精神的本質。他們把「物質」安放在「絕對者」的地位，「以埋葬由貴族所支持的理想主義地意識形態。」「上帝已經死掉」，物質成爲萬能，人將能由此而完成其獨立與自由的地位。

但是，人從上帝解放出來之後，事實證明，却又成爲物質的、機械的奴隸。在近代合理主義的裏面，却爆出了「非人性化」的危機。爲了想從此一危機中脫出，以恢復人的主體性，十九世紀便出現兩個思想之流，其一卽係實存主義。實存主義發展迄今，或與天主教的原罪相結合，或與柏格森的生命主義，及弗洛特的精神分析學相結合。它是要由衝動與非合理的結合，以打破由資本主義地合理主義所加於人性的桎梏。抽象藝術，是隨着此一思想之流而成長起來的。十九世紀的印象主義，認爲「動的自然之瞬間」，才是自然的實體。這裏還殘存著當時對寫實主義的反映論。到了後期印象主義，已很顯然地從寫實主義中脫出。再接著是野獸派、立體派、超現實派，以至第二次世界大戰後，盛行於美國的抽象美術；它們都是在如下的共同點上行進，卽是，在實存主義所據的非合理主義的同一座標之上，反抗自然，拒絕作自然的再現，以想在物資的自然法則之前，救出失掉了自主性的人性，因而在現代危機中打開一個缺口。

四

福田氏對於抽象主義的畫家們，想突破資產階級地寫實主義的非人間地格套，以獲得解放自由，縱然這只是屬於主觀的，依然認爲有他們的價值。但是，只要看克勒的繪畫，卽可感到，他們所求得的，乃是孤絕地個人自由的假寐。他們所企圖的，乃是從社會一切現實中作主觀地逃亡。把世界放逐於自己的精神之外，以守住個人的自由，未嘗不是一條可走之路。可是，像這樣暗中沉浸於自己一人的秘密地安慰，畢竟是不健全地消耗。難道說除此之外，再沒有更好的道路嗎？

再從政治方面看，因爲歐洲各自由國家的資產階級的體制，在第二次世界大戰後，受到決定性的打擊；所以含有反資產階級傾向的抽象美術，應運而生。但它之所以能盛極一時，主要還是得到了美國的援助。畫商們一批一批地，到巴黎來收買抽象作品；更把吃不飽的抽象畫家一批一批地帶到美國去；這便造成了二十世紀抽象畫的大流行時代。美國爲什麼歡迎抽象畫呢？第一、是因爲美國在羅斯福新政之後，正走着新資本主義之路；而抽象畫則與落後的舊資產階級地寫實主義是相對立的。第二、美國背負起了世界反共領導的責任，而抽象主義又是與社會主義地寫實主義相對立的。這便大大地迎合了美國人的味口。同時，在上述兩原因的後面，更有一個基本原因，便是美國對歐洲的領導權的建立。

五

最近新具象主義的興起，首先應談到藝術自身的原因。美術是造形藝術。抽象主義是走「無定形」的方向；順着此一方向發展下去，乃是對於「形」的澈底破壞，這卽表現出抽象藝術的自壞作用。福田氏常以「百鬼夜行」來稱這類的抽象畫。另外一點，是旁人提到，而福田氏未曾提到的，是在抽象藝術的自身，含有技巧衰退的因素。一個小學生，可以很容易地畫出一張抽象畫；但一旦令他寫生，那怕是非常簡單地，也表現出要作更大更多地努力。這卽說明在抽象畫中沒有對技巧的嚴肅要求，因而也不容易得到技巧的訓練。而藝術是不能離開技巧的。

其次，福田氏指出抽象主義是因得到美國的援助而盛行。在抽象主義的後面，隱含着有美國在歐洲、在世界反共的領導權的意味。歐洲人，尤其是法國人，厭惡了美國的領導權，而希望在兩大集體之間，走出第三條路線；於是在藝術上便自然要求在社會主義地寫實主義與抽象主義之間，另走出一條路線。

因此，新具象主義出現的第一任務，在藝術上是恢復已經崩壞了的「形」，而重新賦與以造型地意味。彪非們，由其努力於形的恢復，便產生出繪畫的對象之確立與主題的回復。福田氏認爲抽象繪畫，一言以盡之，「是忽視第三者的繪畫，是放棄使人了解的繪畫，是從第三者的關係中孤立起來的繪畫」。而新具象主義者們，則正由對象與主題之確立與回復，以打通連結第三者的通路。所以彪非們的作品，得到大衆熱烈地讚揚，不是沒有道理的。

其次，新具象主義，一方面表現出對美國的反抗；同時又與社會主義地寫實主義，有一條明確的界線。它是要在抽象主義與社會主義地寫實主義之間打開一條出路，這正與中立主義的抬頭，有其因緣會合之處。

六

由福田氏的論點，引起了我下面的三點看法。

第一、新具象主義，繼抽象主義而出現，有其歷史地必然性。但目前的新具象主義者們，精神上並沒有在危機、苦難的世紀中，發現出新地領域。因此，他們的精神，並沒有眞能從生命主義，衝動主義中得到解脫，而只是出於藝術形式上的「對反」作用。這便不能眞正給藝術以新地生命。所以他們的路程，還相當地艱苦。假定戴高樂眞能帶回法國過去的光榮，他們今後的路或更爲平坦。但藝術依然是要決定於藝術精神主體的自覺。

第二、假使眞如福田氏所說，抽象主義的盛行裏面含有美國加强反共領導權的意味，則這種忽視第三者的藝術精神，也和大量到東方來傳敎，而以推翻東方人的精神傳統爲目的的傳敎師們一樣，其所得的結果，必然是美國對世界的影響力，在其精神的孤立與對他的排斥中，一天一天的沒落。不過，就我的了解，美國進入二十世紀後，是在技術上有成就，而在思想上沒有生根的民族；所以他們不能以反省之力來看文化。而只是順着新奇地感官欲望來看文化。抽象主義，恐怕主要是立基於美國新奇地感官欲望之上。我對於美國人爲了反共而提倡抽象主義的說法，有點懷疑。

第三、福田氏說抽象與具象，是相對地對立，這是很平實地說法。但我覺得還沒有透入到藝術的根源上面。藝術的根源問題，不在於抽象或具象，而在於從藝術家的藝術心靈中所流露出的對於第三者——自然、社會、歷史的狀態。一個絕對排斥第三者，同時，又要求第三者加以讚頌的由現代藝術家所流露出的心靈狀態，是變態而絕望的心靈狀態。人類前途，不可能在這種心靈狀態之下，開出一條康莊大道。所以「挫折」、「絕望」，才是他們眞正地人生觀。難道說人類便永遠這樣地「挫折」「絕望」下去嗎？

一九六四、三、十四　十五　華僑日報

現代藝術的永恒性問題

一

現代藝術的精神背景，是由一羣感觸銳敏的人，感觸到時代的絕望，個人的絕望，因而把自己與社會絕緣，與自然絕緣，只是閉鎖在個人的「無意識」裏面，或表出它的「欲動」（性欲衝動），或表出它的孤絕、幽暗；這才是現代藝術之所以成爲現代藝術的最基本地特徵。至于藝術自身的歷史演變，新形式的追求等等，都是副次的因素，都是第二流以下的作家們所打出的口號。因此，我年來認爲這是藝術中的一種過渡現象；在此種藝術的自身，可以作爲歷史創傷的表識，但並沒有含著藝術的永恆性。假定在人類內心的深處，萌動了新的希望，個人與社會，得到了新的諧和，則藝術會從逸脫了軌道中走回向正常地人性發掘、表現。不過，由繪畫來看，現代藝術中的抽象主義，美國則出現了破布（有人譯作普普，都是音譯）主義；變是變了，但這到底是更進一層的墮落，抑是夢魘後的興起，却很值得思考。

法國的新具象主義，我曾簡單介紹過一位日本畫家兼畫論家福田新生氏的觀點。這裏，我想簡單介紹日本另一位長期住在巴黎的畫家今井俊滿氏對破布藝術的批評。今井氏在十一月十、十一兩日的讀賣新聞上，發表了「世界美術的內幕」一文，他以抽象主義者的立場，在此文的前一部份，主要感慨於巴黎畫壇畫人的沒落、窮苦；後一部份則主要是爲了美國破布藝術得到了今年意大利伯勒奇國際美展的大獎而發出深切痛恨之聲。

二

據今井氏說，美國剛滿三十歲的破布畫家羅西亭巴格之所以能得到今年國際美展的大獎，是來自美國政治的壓力和策略的運用；這完全是由「美國畫壇的國粹主義」及畫商的商業資本所綿密計劃的一種「遠征的行動」；「想以此來誇示美國畫壇的進步，成爲對歐洲精神征服的十字軍」。「審查委員會的强制地政治性」，引起了歐洲很大的反感。報紙上對此的報導，都標「伯勒奇的叛逆」、「歐洲的殖民地化」這一類的大標題。並因此而引起巴黎畫壇的團結。

破布藝術的源泉，是來自第一次世界大戰期中逃到瑞士去的幾個逃兵所發動的達達主義，所以許多人稱破布藝術爲新達達主義。達達主義是澈底反對一切理性、一切秩序、一切價值的「無意識主義」。「達達」的名詞沒有任何含義；「破布」的名詞，也沒有任何含義。把舊紙條、舊布條、亂繩索，這類的破爛東西，貼在不知所云的畫面上，這便是破布藝術。我稱之爲「破布」，有音譯兼意譯之妙。據今井氏說，這也可能是對美國社會的一種批判；但「這是無益的事，這是醜惡萬歲」。「這種破爛物體的利用，是嘲笑人類，想將人類加以奴隸化的一種性欲變態主義」（Masochism）。

今井自認爲他完全沒有妨礙或反對他們這種工作的意識；也不是在藝術中强制某種規律性。但他認爲「不可把藝術所要求的永恆性，及爲了此種永恆性的某種價値的嚴肅探求，和這種『沒有明天地自由』，僅倚賴于無意識或偶然的怠惰的積累之上所作出的東西，作同一的看待」。他認定破布藝術「是完全沒有美的意欲，也不是革命兒（原註：造形上沒有走出立體主義的一步）；更沒有任何理論家，連人類尊嚴的初步藝術觀念也沒有。」所以今井氏認爲破布藝術向伯勒奇進軍的勝利，「可以說是對于保有數世紀以來的明確思考，及最純粹、最宗教地歐洲文化的一種征服；是由他們的幼稚作品、方法，否定了一切的造形言語；是破壞繪畫的野蠻主義Barbarism的威嚇」。

三

從今井氏的文章中，可以看出美國的商人和花花公子們在人類文化尊嚴面前所玩弄的金元魔術，是如何引起了歐洲人的憤怒。由哈佛的費正淸們所玩弄的中國近代史研究的魔術，其刻毒性比這還大得多。不過，我雖然完全同意今井氏對破布藝術的批評；但今井氏以抽象藝術爲批評的立足點，却正合于孟子所說的「以五十步笑百步」。今井氏自己也說得很淸楚，

「四十年前巴黎的達達主義者們，在健康情況與諷刺之中，用胡鬧的方法，切開了現代繪畫的通道。沒有達達意識，可以說現代藝術便不能成立」。所以抽象藝術，正是達達主義的支子。

抽象主義，較之達達主義，加入了某程度的思考性，多了若干藝術自身的意識；因之在性質上，不似達達主義與超現實主義的過分地狂暴。不過，抽象主義者，並沒有眞正從達達主義者的「無意識」基盤之上擺脫開，甚至他們也不想擺脫開，而甘心停留于無意識地假眠狀態。所以他們的思考，是完全孤立地思考。他們的藝術意識，是澈底主觀地藝術意識。我並不是主張一個藝術家，要以模仿自然爲職志，一定要接受社會的各種敎條；而只在强調指出，正常的人性，由正常的人性所發出的精神狀態，自然而然地，會以某種程度，某種意味與方式，把客觀的自然、社會，吸收進來，而與其發生親和、交感的作用。所以有永恆性的藝術，都是成立于主觀與客觀相互之間的關係；由向主觀與客觀兩極的距差不同，便產生各種不同的流派與作品；這是出于正常地人性之自然，也正是藝術的永恆性得以成立的根據之所在。而其對科學的抽象而言，它的具象的表現形式，也是正常地美地觀照所自然而然地所要求的形式。純主觀地抽象藝術，乃是出自變態的，因而是閉鎖的人性、心理狀態。他們根本失掉了人性最基本作用之一的美地觀照的作用。

同樣的變態心理狀態，在歐洲則是來自「饑寒起盜心」，因而表現爲橫決；在美國則是來自「飽暖思淫欲」，因而表現爲輕狂；在落後地區則是來自對歐美的盲目崇拜，因而表現爲鸚鵡學語。鸚鵡只能學到兩種簡單地語言——恭維和漫駡。好不容易作爲一個抽象主義畫家的今井氏，肯提出藝術的永恒性的問題。但我可以承認破生于一九五八年的破布藝術，大概它的壽命，我同意「會以剛得意大利的國際美展大獎而告終結」的今井氏的觀點。可是，今井氏把抽象藝術和藝術的永恆性連結起來，恐怕是今井氏的純主觀地自我陶醉吧！永恆性不能成立于變態的人性之上。奧林格（W. Worringer）在抽象與感情移入一書中所說的東方爲了要求永恆而走向抽象，實際乃是指明東方文化的落後性；最低限度，這是中國人所不能承受的。（原載華僑日報）

一九六五、一、一　民主評論十六卷一期

永恒的幻想

一

在許多民族中，月亮是至美的象徵。尤其是中國，該有多少詩人、詞人、畫家，把各種各樣的感情，和月亮交織在一起，而創造出無數地文學、藝術的作品。現在由探月工作得到了初步的成功，雖然人飛降月球，大約要在兩三年之後，但它的面貌，不僅不是至美，而且是非常之醜，則已經是可以確定的。於是伊朗有位詩人發出深重地歎息，認爲至美的象徵破滅了。

其實，環繞於月亮的許多傳說，都是由直感所發出的一連串的幻想。知識的進步，使人類許多幻想，都一個一個的破滅。但這種破滅，決不會減少某一已經破滅了的幻想，在歷史爲人類所達成的價值。並且，知識儘管進步，但新的幻想也會不斷地出現。人類是生活於眞實之中，同時也是生活於幻想之中。眞實是永恆的，幻想一樣也是永恆的。這應當作怎麼的解釋呢？

二

在中國古代，太陽在人心目中的宗教性的地位，不僅較月亮爲重要；而且由「夏日可畏」「多日可愛」之類的話來推測，似乎較之於月對人有更多的親切感。淮南子謂「月中有物者，山河影也；其空處海影」；這是二千年前的素樸的合理推測。但陰陽家和緯書，却一步一步的把它神化起來。例如易乾鑿度只說「月三日成魄，八日成光，蟾蜍體就，穴鼻始萌」；這裏說的只是地上的蟾蜍。春秋演孔圖却說「蟾蜍月精也」，便一躍而成爲月裏的蟾蜍。楚辭天問只說「顧兎在腹」。五經通義便說月中有兎與蟾蜍，是表示「陰保爲陽」。淮南子上說羿妻姮娥竊食不死之藥，「奔入月中爲月精」，這是月亮眞正美化的開始。張衡靈憲却說姮娥竊藥奔月後「是爲蟾蜍」，這把蟾蜍也大大地美化了。傅咸擬天問中說「月中何有？玉兎擣藥，興福降祉」；把兎說成長生不老之藥的製成者，它自然有了更大的吸引力。虞喜安天論說「俗傳月中仙人桂樹」，此說到後來大大影響了應舉的士子，使他們「有心欲折月中桂」。十洲記說「月養魄於廣寒宮」，此後便成爲瓊樓玉宇的理想建築的象徵。酉陽雜俎說河西人吳剛，學道犯了過失，便罰到月中去砍那一棵傷而復合的桂樹，這便在一千多年前，中國已先美蘇而在月球登陸了。上面的一堆神話，恍惚迷離，連可資推論的理路也沒有。但月之成爲至美的象徵，却是以這些神話爲基礎所建立起來的。騷人墨客，不會有一個人認眞的相信這些神話；不過，他們人世的悲歡離合，都自由活動於這些神話之間，通過對月的幻想以暫時得到感情的滿足，則又是不可否認的事實。

如實的說，幻想的根源是感情。感情自身，不須要理性的眞實；所以儘管月球的「醜八怪」的面目，被科學家暴露出來了；但只要它的淸光常在，圓缺有時，便依然會使騷人墨客，對月興懷，不妨與一連串的幻想結合在一起。即使對月的幻想，因探月的成功而消失了，人類也會把幻想移向新的對象上去。只要是人，便會有感情；感情是永恆的，由感情所發出的幻想，也是永恆的。

三

人類最多的幻想，是活動於文學藝術領域之內。至於宗教，係以幻想爲生命，乃歷史上無可爭辯的事實。宗教的神蹟，人在理智上加以拒絕，却時時在感情上加以保存。在道德方面，立足於思辨形上學的西方理性主義，其中富有幻想的成份，固不待論。即使在立足於實踐的中國道德思想中，也未嘗沒有若干幻想。「天命之謂性」、「上下與天地同流」這類的說法，其中有推理及精神的根據，不可謂之幻想。但孔子生時，已有人認他爲生知之聖，這便是一種幻想，所以孔子便申明「我非生而知之者」。不過中庸依然說「或生而知之」，這便是幻想的延續。又說，「誠者不勉而中，不思而得，從容中道，聖人也」，這是孔子「七十而從心所欲，不踰矩」的到達點；把這說到孔子七十歲以前，也不能不說是出於幻想。

雜著幻想所建立起來的聖人，這也出於人類追求至善的意志；人性中含有道德理性，便可以產生這種意志。「至善」，也或許和「至美」一樣，對現實而言，只能稱爲幻想。但對至善至美的追求，是人從現實中升進的一種力量；因而由藝術理性及由道德理性所發出的幻想，不是與眞實相衝突，而是要求人發現更多更大更深的眞實。幻想之與理想，其間常相去不能以寸。人不可完全生活於幻想之中，這是容易了解的。但人若完全生活於現實之中，沒有一點幻想，這將成爲冷酷、機械、沒有將來、沒有社會。這種純現實的人，其所給與人的生活上的不安，及對人類前途的威脅，較之有過多的幻想的人，或更爲嚴重。所以我在這裏特提出幻想的永恆性。

一九六六、四　東風三卷七期

摸索中的現代藝術

一位日本的美術評論家，應美國「日本協會」之邀，在美國幾個學校裏，以「廣島以後的日本藝術」爲題，作了五個月的巡迴講演。講演的結果他覺得有三種反應：第一種反應是：百分之九十九的美國人，一提到日本，便想到禪、書法、庭園、富士山、浮世繪。日本的現代藝術，在他們（美國人）的眼睛中，自然流露出一種幻滅之感。第二種反應是：除了紐約一小撮人以外，廣大的美國人，連他們自己的藝術大家蒲諾克的姓名也不知道。對於獨自模仿紐約破布藝術的條原有司男的模仿品，却認爲這是模仿歐美的美術。在這種聽衆之前，講現代藝術的創造性問題，當然使他們茫然不知所謂。第三種反應是：在講演中，恰有兩個日本藝術展覽在美國巡迴展出。美國主持其事的人們的意見，感到日本的作品，是一種很好的畫匠作品，因爲太注重技巧、情緒。美國人很欣賞日本作品的工藝性；而美國的奔放、卑俗、直接表現的作風，也給日本的年輕人以一種刺激。他認爲這是一種奇異的交流。（以上見今年五月二日朝日新聞夕刊）

本年五月底，在日本東京上野的「都美術館」，開了一次「日本現代美術展」。根據朝日新聞一位記者的報導，這些年來，抽象、具象的兩個對立陣營，平分了日本藝術的地圖。但這三、四年來，却表現出一種新的傾向，即是超越了具象抽象的界域，而探索新地、本質地東西的傾向。老練的抽象畫家的作品，使人看起來好像是古典的作品。同時，他們都以嚴肅地創作精神，追求自己作品的不朽。

在這一展覽會中，當然也有年輕的前衞作家。這位記者在說到此次展出的前衞作家們以前，先委婉地說了兩個故事。一個故事是數年前在「國立近代美術館」，開了一次戰後新人們的展覽會，會中陳設了他們以廢品構成的形象威猛地作品。展覽完了以後，作家們並不收回自己的作品；美術館的人寫信去催問，他們的回信是「你們適當的處理好了」，並不要收回去；因爲他們認爲藝術的意義，只在創作的過程；創作出來的作品不過是「剩下的糟粕」。另一個故事是紐約的奇妙表現的破布藝術，一時很有銷路；原來是有錢的人們買作開茶會時之用，使客人們看到了大驚大笑，以收戲劇性的效果；茶會開完，這類作品也就扔掉了。暗示這些前衞作家，還停頓在此一狀態。（本年五月二十七日朝日新聞夕刊）

美國過去的藝術，是受巴黎的支配。這幾年來，美國的國粹主義，却在藝術中抬頭，而要擺脫法國的影響，樹立「美國地藝術」；這是破布藝術和今年開始流行的光學藝術的背景之一。歐洲的法國，則繼新具象主義之後，在去年連合西德，開了野獸派與表現主義的聯合展覽；日本人也趕著來上一個。這種展覽，可能含有政治因素；但主要的是表示他們在藝術上的新地摸索、試探。野獸派是一九〇五年前後以巴黎爲中心成立的。他們的口號是「畫具成爲炸藥的藥夾，使它爆發出火光」；他們由「奏出純粹强烈的彩色交響樂」，而使畫壇爲之震動。他們的重點是放在感覺之上，因之，主張有將自然加以隨便「變形」的權利。可是，結果上，一方面是一切的色彩、形態、構圖，都依存於外在的自然，因爲這才是「變形」的根據。另一方面，則這種感覺主義，妨礙了向更深的精神的發掘和熱情的流露。所以一受到立體派的攻擊，到一九〇七年，其勢已歸于衰歇。在一九一〇——一九二〇之間，以德國爲中心，出現了表現主義的時代。它是對於造型的「形」，而强調精神之力與精神的湧現；對於主知的古典主義而復活了主情的浪漫主義，對於拉丁精神而高揚著日耳曼精神。現在由野獸派與表現主義的結合，到底在藝術上會開出怎樣的一條新路，當然值得我們的期待。

去年八月二日到九日，在日本舉行了第十七次「國際美術教育會議」。特別請了「國際美術教育協會」的名譽會長李德（Sir Herbert Read）致開會詞；中間有一段話是「現代人失去了與自然的接觸，已變成被疎外的存在。無論是社會學者或心理學者，都異口同聲的斷言，這是疎外狀態。」他希望在美術作品的創造與鑑賞中能對此加以彌補。

我沒有時間研究現代藝術；更因爲受語言文字的限制，所能得到這方面活動情況的材料，更非常有限。但我把上面的材料，在這裏介紹出來，是想使有志於這一方面的青年，得以了解：現代藝術，正在作多方面摸索之中，他們在摸索中前進，在摸索中不斷地揚棄，不斷地發現。任何人都有資格加入到這種摸索行列中去；但基本的條件：㈠要耐煩地作技能上的基本訓練。懷恩中學初中一年級的學生，有一年是敎抽象畫的，每一個學生都畫得不錯；但下年度改敎寫生，大多數的學生便簡直沒有辦法；因爲沒有基本技能訓練，想變也變不過來，便只好永遠停頓在一年級的抽象畫上面。㈡眼睛要睜得開，心量要放得大，留心各方面的各種動態，以期能得到多方面的啓發。㈢要誠實地體驗，要深刻地體驗，要不斷地體驗。

要認眞地習作，勤苦地習作，要反復地習作。當然最後要關係到人格修養上的問題。

一九六六、十二　東風三卷八期

抽象藝術的斷想

一

正統的藝術觀念是：科學發現自然的法則，而藝術則是發現自然的形相。當然也可以進一步的說，一般人所能把握得到的自然形相，乃是沒有精神的形相，是不完全的，沒有本質的形相；只有藝術家，才能把握到與精神相融相印的形相。但自然的精神，既不爲其形相所拘，也不會離開形相而獨在。

自然的精神，到底有沒有某種性格的秩序？這便要看精神所顯出的形相，有沒有某種性格的秩序。人只能把握到有秩序的東西。對於沒有秩序的東西，而賦與以秩序，這是人類認知理性的本性。所以能爲人所把握的自然的形相，必定是有秩序的。藝術家依然要通過自然形相的秩序以把握自然精神所蘊含的秩序。上下左右前後等範疇，是構成秩序的基本條件。

只要是具有某種形相，便會受到這些基本範疇的規定。對形相的否定，也卽是對秩序的否定。也卽是使人的認識能力，達到了一個終點。

抽象畫的出現，對藝術自身而言，實在是一個大變局。既是把形相抽掉了，也等於把人所賴以把握藝術品的某種秩序抽掉了。嚴格的說，此種藝術品已成爲不能被人所把握的東西。前幾年，在舊金山的博覽會中，把一張抽象畫倒掛了很久。最近美國華盛頓元月二十日的美聯電謂白宮經過了一週的討論後，才把一直倒掛着一幅抽象名畫——馬克・托貝所畫的「秋之田野」改正過來，這都不是偶然的事情，而含有作爲笑談資料以上的意義。

二

嚴格地說，若是抽象得澈底，便應當由對形相的完全否定而達到秩序的完全否定。若能够如此，則根本沒有上下左右等的秩序界定，亦卽是不應當發生有所謂倒掛不倒掛的問題。倒掛問題的發生，或者是來自對「抽象」本身的諷刺；或者是來自對於本無所謂倒掛不倒掛的東西，受到了人類通過秩序以認知事物的習慣影響，而要把它裝進一個上下左右的秩序之內，才感到安心的要求。若是出於前者，則證明所謂「抽象」畫乃是出於過份好奇的幻想，到現在爲止，並沒有出現過名實相符的抽象作品；否則應當是橫掛直掛，皆無不可的作品。若是把本無所謂上下左右的東西，而要強裝入於上下左右的認識格套中去，是人們到現在爲止，還不曾眞正能了解抽象藝術；大家對抽象藝術所捧的讚詞與解釋，乃是強不知以爲知的廢話。

由形質進入到精神，常有微茫緜邈，難於捉摸的境界。人世間的所謂上下左右等分界，在此一境界中皆無存在的餘地。但此一境界的自身，旣非語言之所能擬議，更非畫面之所能形容。若欲訴之於語言，則必假借由語言秩序所暗示出的言外之旨。若欲訴之於畫面，則必假借由形相秩序所烘托出的有中之無。用語言來否定語言的秩序，這是所謂意識流文學的窮途。以畫出的形相來否定形相，此抽象藝術之所以爲弔詭。一切的秩序，不應當是凝固的，不應當是一成不變的。但代替殭化了的秩序，依然是可以判別得出上下左右的新秩序，而不是沒有秩序。

三

這裏，順便牽涉到藝術的「內在世界」問題。許多人說：藝術之所以能成立，因爲在人的生命之中，蘊藏著有一個藝術的內在世界。藝術家不是向外在的自然發現形相而加以表出；乃是發現此內在世界而加以表出。內在世界，不能以外在世界的秩序來加以限定。印象主義大師姆勒，在實施眼睛白內障手術以後，曾經告訴人，說手術刀在抽出他眼睛中的不透明的水晶體的刹那，他感到有一種少見的冷澈地美地青色。於是現在提倡抽象藝術的人，以爲這正是內在世界中的無限地色。藝術家的任務，便是以有限的表現手段，把此無限地內在之色的世界表現出來；這裏所表現出來的，與客觀中自然的色並無關係。如此，則不言抽象，而自然是抽象。並由此可見藝術的造形，與自然的形相不相干，所以藝術的本性卽是抽象的。

就我所能了解的來說，姆勒在手術時所經驗到的美地青色，乃是一位偉大藝術家由平日對色采追求的內積經驗的偶然呈現。他所畫的風景畫，雖然都是他個人在刹那間對某一風景所得的印象，而這種印象，常常是作爲一種氣氛表現出來；但形成他的印象氣氛的，依然是風景在某種光線中所給與於他的感受，而不是內在世界中的青色，乃至任何顏色。換言之，他還是在主客交流中得到藝術的靈感和題材。與他所偶然感到的青色，可以說並無關係。今人由此一故事所說出的一堆理論，只不過是附會之談。

眞正的事實是，內在世界的深度廣度，以對客觀世界所能涵融的深度廣度而見。藝術家乃至道德家，都是努力於自己生命中內在世界的開闢；但是這種開闢，與自然和社會，是緊密地關連在一起；他可以是對自然與社會舊秩序的否定，但決非對秩序自身的否定。然則由今日文學藝術的混沌所象徵的沒有秩序的人生，除了美國的「嬉皮」的路以外，還有什麼路可走呢？

一九六八、二　華僑日報

傳統的文學思想中
詩的個性與社會性問題

毛詩關雎前面的序，世人稱之爲大序；其他各詩前面的序，一般稱之爲小序，合而稱之，則爲詩序。這裏不涉及詩序的作者、價值等問題，而只就孔穎達的毛詩正義對大序是「以一國之事，繫一人之本」的解釋，來看在我國傳統的文學理論中，如何解決一個文學作品的個性與社會性的問題。至於正義的解釋，是否和大序那句話的原意相符合，這裏也置之不問。所以我泛稱之爲「傳統的文學思想」。

沒有個性的作品，一般地說，便不能算是文學的作品。尤其是文學中的詩歌，更以個性的表現爲其生命；這在中國過去，稱之爲「志」，稱之爲「性情」。詩人所詠歌的，當然有其外在的對象，客觀的對象。但僅把自己對於客觀對象的認識加以敍述，不會成爲詩歌的作品；即使把主觀對於客觀對象的感想、願望，通過詩的形式表達出來，只要主觀與客觀之間，存著有空間感的距離，其距離那怕像「執柯以伐柯」那樣近，依然不能成爲一首好的詩。眞正好的詩，它所涉及的客觀對象，必定是先攝取在詩人的靈魂之中，經過詩人感情的鎔鑄、醞釀，而構成他靈魂的一部份，然後再挾帶著詩人的血肉（在過去，稱之爲「氣」）以表達出來，於是詩人的字句，都是詩人的生命；字句的節律，也是生命的節律。這才是眞正的詩，亦卽是所謂性情之詩，亦卽是所謂有個性之詩。

大凡有性情之詩，有個性之詩，必能于讀者以感動，因爲有這種感動，而詩的個性同時卽具有社會性。詩人的個性，究係通過何種橋樑以通到社會，因而獲得讀者的感動，使一個作品的個性，同時卽是一個作品的社會性呢？正義對於這，有很明顯的解釋：

「一人者其作詩之人。其作詩者道己一人之心耳。要所言一人，心乃是一國之心。詩人攬一國之意以為己心，故一國之事，繫此一人使言之也。……故謂之風。……詩人總天下之心，四方風俗以為己意而詠歌王政……故謂之雅。」

按所謂「其作詩者道己一人之心耳」，卽是發抒自己的性情，發抒自己的個性。「要所言一人，心乃是一國之心」，這是說作詩者雖係詩人之一人，但此詩人之心，乃是一國之心；卽是說，詩人的個性，卽是詩人的社會性。詩人的個性何以能卽是詩人的社會性？因爲詩人是「攬一國之意以爲己心」，「總天下之心，四方風俗以爲己意。」卽是詩人先經歷了一個把「一國之意」，「天下之心」，內在化而形成自己的心，形成自己個性的歷程，於是詩人的心，詩人的個性，不是以個人爲中心的心，不是純主觀的個性；而是經過提鍊昇華後的社會的心；是先由客觀轉爲主觀，因而在主觀中蘊蓄著客觀的，主客合一的個性。所以，一個偉大的詩人，他的精神總是籠罩著整個的天下國家，把天下國家的悲歡憂樂，凝注於詩人的心，以形成詩人的悲歡憂樂，再挾帶着自己的血肉把它表達出來，於是使讀者隨詩人之所悲而悲，隨詩人之所樂而樂，作者的感情，和讀者的感情，通過作品而融合在一起；這從表面看，是詩人感動了讀者；但實際，則是詩人把無數讀者所蘊積而無法自宣的悲歡哀樂還之於讀者。我們可以說，偉大詩人的個性，用矛盾的詞句說出來，是忘掉了自己的個性；所以偉大詩人的個性便是社會性。

不過，沒有能從社會完全孤立起來的個人；即每個人的個性中都應當帶有社會性，豈特偉大的詩人？但有的人，即使憑藉著偉大的權力，也難使社會一般人與他同其好惡。這種人，只有平日聞慣了鈴聲而吃東西的狗，養成了一聽到鈴聲便流口水的慣性（這是心理學家所慣用的動物試驗的方法），才跟著他的手勢而表演；但跟著他的手勢而表演的狗，表面上好像是服從手勢，實際則是服從手勢後面的殘羹冷飯；因此，即使是豢養的狗，也並不會眞正與這種主人同其好惡；這種顯明的例證，可以說古今都有。難道說這種人便沒有性情，沒有個性嗎？他的性情個情，何以會不含一點社會性，却使其孤立至此？而詩人又有什麼魔術，能使社會乃至後世的人，會與他同其好惡而受到他的作品的感動呢？這在中國傳統的文學思想中，常常於强調性情之後，又接著强調「得性情之正」。所謂得性情之正，即是沒有讓自己的權利慾薰黑了自己的心，因而保持住性情的正常狀態。在中國文化中，有一個根本信念，認爲凡是人的本性都相同的，因而由本性發出來的好惡，便彼此相去不遠。作爲一個偉大詩人的基本條件，首先在不失其赤子之心，不失去自己的人性；不失去自己的人性，便是得性情之正。能得性情之正，則性情的本身自然會與天下人的性情相感相通，而自然會「攬一國之心以爲己意」，而詩人之心，便是「一國之心」。由「一國之心」所發出來的好惡，自然是深藏在天下人心深處的好惡，這卽是所謂得好惡之正。人總是人，人總是可以相通相感的。詩人只要相信自己不是好人之所惡，惡人之所好的獨夫，則詩人的個性中自然有社會性，個性的作品，自然同時卽是社會性的作品。所以鄭康成在六藝志中除了强調詩人「莫不取衆之意以爲己辭」之後，接著便說：

「假使聖哲之君，功齊區宇，設有一人獨言其惡，……海內之心，不同之也。無道之君，惡加萬民，設有一人，獨稱其善……天下之意，不與之也。必是言當舉世之心；動合一國之意，然後得爲風雅，載在樂章。」

鄭康成的話說明了兩點：第一是說明只要是像點樣子的人，便不怕他人的批評。第二點是說明自己若太不像樣子，便養再多的文犬，也是枉然。而詩人之所以能成爲詩人，詩之所以能成爲詩，乃至文藝之所以能成其爲文藝，必定不是看一二權幸的顏色，而「必是言當舉世之心，動合一國之意」；其根底，乃在保持自己的人性，培養自己的人格，於是個性充實一分，社會性卽增加一分。在中國傳統的文學思想中，總認爲作人的境界與作品的境界分不開，大家應當從這種地方的了解其眞實的含義。

現在還應補充說明的，一個偉大的詩人，因其得性情之正，所以常是「取衆之意以爲己辭」因而詩人個性的作品，同時卽是富於社會性的作品。但在詩經上，乃至後來的許多詩歌中，有的僅是勞人思婦之詞，遷客離人之語，其所感所發者僅其當下的一人一事，與社會並不相干，卽並不會「取衆之意以爲己辭」，但有的依然能予社會以感動，而成爲富有社會性的作品，這又是什麼緣故呢？照中國傳統的看法，感情之愈近於純粹而很少雜有特殊個人利害打算關係在內的，這便愈近於感情的「原型」，便愈能表達共同人性的某一方面，因而其本身便有其社會的共同性。所以「性情之眞」，必然會近於「性情之正」。但性情之正，係從修養得來；而性情之眞，卽使在全無修養的人，經過感情自身不知不覺的濾過純化作用，也有時可以當下呈現。歡娛的感情向上浮蕩，悲苦的感情向下沉潛，一般人的感情是要在向下沉潛中始能濾過，純化其渣滓，所以悲苦之情，當易得性情之眞；而勞人思婦，乃至後來許多詩人，只要能把個人當下的眞情抒寫出來，因其是眞的純粹的，所以他同時也便寫出了社會在這一方面的哀樂（哀樂必相形而始能感到），與社會以感動的作用。「詩窮而後工」，正是這種道理。總結的說，人的感情，是在修養的昇華中而能得其正，在自身向下沉潛中而易得其眞。得其正的感情，是社會的哀樂向個人之心的集約化。得其眞的感情，是個人在某一刹那間，因外部打擊而向內沉潛的人生的眞實化。在其眞實化的一刹間，性情之眞，也卽是性情之正，所以個性當下卽與社會相通。但這種性情之眞，是隱現不常的，所以這種詩人常只能有一首兩首，一句兩句，使人感動的詩，而決不能成爲「取衆之意以爲己辭」的偉大詩人；因爲他缺乏人性的自覺，因而沒有人格的昇華，沒有感情的昇華，不能使社會之心，約化到一己之心裏面來。至於存心做文犬的人們，連一刹那的人生眞實感也閃露不出來，所以他們的作品，只有拿去向權幸們換殘羹冷飯了。其實，這種人，若能當上今日的某種民意代表，實更爲當行出色，事半功倍，更合於心理學上的某種實驗的。

舊夢・明天

（這是應自由談編者以「明天」爲題所寫的）

「明天」，的確是一個動人的題目。儘管許多人說，「瞬間」，「刹那的瞬間」，才是我們生命的實體；偉大的詩人，便在於能把握住自己生命的瞬間，而加以表出。但我不是詩人，對於自己生命在刹那生，刹那滅的每一瞬間，總是糊塗地讓它過去；好像用手在水中捉月，到頭總是一無所有。因此，我也和許多人一樣，把一切的希望，都安放在「明天」。而一說到明天，當下所湧出的便是返歸故里的「舊夢」。

我的故里，是出浠水縣城北門再走六十華里路的團陂鎭、黃泥嘴、徐壪鳳、鳳形灣。因爲「鳳形灣」太僻、太小了，所以每向朋友介紹時，已經成爲習慣地，在它上面還要加上兩個地名。「鳳」有一個頭，並張着兩個翅膀。十一、二家的土磚房子，便分佈在張着的翅膀裏面。一口水塘，淤塞的沙土，似乎從來不曾挑乾淨過。再前面，便是從右向左，一直延伸到一條小河的「大畈」，這是我們一連四個壪子生命所寄的稻田、麥田。正面對着我們壪子的有一個像饅頭樣的山——「艫魚腦」；艫魚腦上面，便是拔出於羣山之上的「落梳峯」。

大家都說曾有一位仙女坐在一塊平闊的大石板上梳過頭，却一個不小心，將梳子掉下；所以石板上到今還留有仙女的脚印和梳子的痕跡。這個峯，像一口大鐘伏在地下，顯得特別秀整。在我以放牛、打柴爲生的幼年，這裏是經常上下處所之一。此外還有上下得多的是「大山背」。不過，從我能記事的時候起，四個兒子的人，很少有一家能終年吃飽飯。除開春夏天的景色以外，有時，只是荒寒、破落；大家好像整年過着冬天的生活。

我十二歲到縣城讀高小，十五歲到武昌讀師範，這已經是四分之三離開我的故里了。北伐軍來後，一直到離開大陸，其中僅有幾次，偶爾回去住上兩三天。抗戰勝利，我眞想永遠住在故里，過後半生身心乾淨的生活。但一回去，農村的百孔千瘡，簡直淹沒了天倫之樂和灣前灣後的草木的光輝；便又在自己精神的壓力下，逃避出來了。眞的，我對自己的故鄉，一直是在逃避、拋棄。

但是一說到「明天」，自然感到這必須是和我的生命連在一起的事物。豈僅政治上受騙、騙人的一套，早從我的精神中，絕塵遠去；連走遍大半個中國所曾經留戀過的許多名都勝境，也都和我漠不相關。甚至連目前冥心搜討的所謂學問，也都漂在我生命的外面。我的生命，不知怎樣地，永遠是和我那破落的灣子連在一起；返回到自己破落的灣子，才算稍稍彌補了自己生命的創痕，這才是舊夢的重溫、實現。

父親、母親、哥哥，都已經磨折地死去了。嫂嫂、弟弟，不知道是否還在人間？我回去後，把離散了的侄兒侄女，重新團聚在老屋裏面，這是一件大事。我和受了現代教育的兒女，應作共同的努力，使我家裏乃至灣子裏的男女，能過着穀吃完後有麥吃，麥吃完後有穀吃；一年到頭有油鹽、有酸菜、青菜；客人來了，能買一塊豆腐，甚至一小瓦壺酒；每月初

一、十五，過年過節，有點豬肉吃的這種生活。這是我們當時所希求的生活，也正是「明天」的本分而正常地生活。假使那時（明天）的政治還有點「人地」氣息，我將提議在團陂鎮開設一個苗圃，讓只要是山，便有樹木；只要是隙地，都是菓園。還要把半掩沒了沙土的池塘，挑得又深又廣，裏面養滿了鰱魚鯉魚乃至大頭魚。假使還有力量的話，要把三里以內的三條小河，在上游築成水壩，讓河水能流進每一家的田裏；河岸上都是密密地楊柳樹和其他的樹。

當然，返回故里的第二天，便應去看看在「羅家榜」埋着的祖父、姑母，十六歲便夭折了姐姐的墳，不知還是否存在？我的父親母親哥哥的墳，也預定安放在這裏，不知是否得到允許？假定這些墳已經被毀了，我也要作一種象徵式的恢復。然後在旁邊，爲自己和妻，留下兩個穴地；並預先吩咐，在我死後的墓石上，刻下「這裏埋的，是曾經嘗試過政治，却萬分痛恨政治的一個農村的兒子——徐復觀」三十個字。我流落在外面，常常想到「羅家榜」。這是一個小小山凹，沒有風水，也沒有值得說的景物。但在我四、五歲時，隨着父親到離家二里的「小河」私塾去玩時，從彎子左手靑龍嘴，一直順着半山的小道走去，一定要經過這裏。到了八歲，在距家三里的白洋廟正式發蒙讀書時，也一定要經過這裏。以後將近有七、八年時間，寒暑假都起居在小河的村塾，每年有三、四個月的時間，都要經過這裏。每經過一次，眼睛自然會向路上邊的墳墓注視一次。十年多的歲月，這個山凹，不僅埋葬的是自己的親人，並且於不知不覺之間，也注入了自己的生命。假定每一個人，要有一個埋骨之所的話，這就是我「明天」埋骨之所了。

當我返回以後，希望還有能認識我的父老；而不相識的兒童，也不會把我當作仇人、敵人。假使原有和我小時同過學的朋友活着，有如「大山背」的陳六哥等人，那便是我明天的眞正朋友。故鄉的習俗，在上元節的那一天，整年勞動的婦女，一大早，便結伴出外踏青。當我剛讀師範時，有一次，偶然在踏青節看到陳家的三位姐妹；一到現在，我覺得這三位女孩子，才代表了人間所能見到的最圓滿的女性。等我回去後，她們當然早已老了，或者已經死了；但我依然要打聽一番，或者去憑弔一下。我初看到她們時，回家後瞞着父親，曾偷偷地做了幾首打油詩，現在還記得「古佛拈花唯一笑，癡人說夢已三生」一聯。「明天」本來就是夢，我希望能在夢中說夢。

假使還有生活的閒暇，我便要補償宿願未償的故鄉山水的遊興。「斗方山」上的廟，石櫟石瓦，聽說是神仙一夜中吹上去的，我要去。「小靈山」上聽說有位和尚種了不少桃樹，我要去。「天福寨」的天福寺，我曾經來往過一年；土壤和泉水非常的美好，我要去看看是否已經好好地利用？離我們十多里路的「桃樹灣」，有座「獅子山」，以前曾去過一次，看到幾個石洞、石壁上刻了許多字和神像；我要再去考證一番，知道一個究竟。至於「四望山」寨的「四望寺」，我要常常去借住的。這裏山勢崔嵬秀麗，够得上「林泉之勝」；寺和寺裏的許多尊鐵佛，以及半山上的田產，都是我們先人捐出來的。我父親在裏面教過一年書；在武昌師範學校還沒有開學時，我曾住在寺裏。有一天，來了一位姓賀的朋友，寫得一手好字，於是大家提議，在門、窗、大殿、戲樓的柱子上面，要都貼上對聯；「初生之犢不怕虎」，由我作，由他寫，一口氣作了寫了二十多幅。記得其中有一聯是「松菊有緣，半笠烟霞還舊夢。聖芬不遠，五洲風雨共斯文。」除了這種「烟霞舊夢」，還有什麼值得稱爲「明天」呢？蘇東坡在海外的詩，有「管寧投老終歸去，王式當年本不來」兩句，每讀一遍，輒爲之悵惘不禁。但他畢竟是歸到他所願歸去的地方了。生於今日，不會「明天」永遠是「明天」吧！

一九六三、十二、七於東大

一九六四、一　自由談十四卷一期

賣屋

來到臺灣後僅有的財產——一小棟日式房屋，很乾脆地賣掉了。這幾年來，同事們在一塊兒談天時，常常提到「你若給學校當局攆走了，總比我們被攆走了好得多，因爲你還有可住之屋」。眞的，這一小棟日式房屋，給我壯了不少的膽。但在長期醞釀之後，終於憑著小百姓的身份把它賣掉了。

同樣賣屋，小百姓和中央民意代表及各方顯要的情形，却完全兩樣。前後左右民意代表們的屋，都一棟一棟的賣掉了，價錢賣得相當可觀。我又何嘗不見獵心喜？但奇怪的是，他們的屋有人要，我的屋却無人過問。偶然打聽價錢，彼此間至少也要相差三分之一以上。這便不由我不恍然大悟，在此一國度裏，小百姓與民意代表乃至各種顯要們，在任何方面，都出現著幾種不同的行市。

於是以略帶負氣的心情，把它出租好了。積十數年旁觀的經驗，有房屋租給同胞的人，常以打架打官司終場。我之不能打架，是不消解釋的。而打官司之可怕，幾乎不在上刀山、滾油鍋之下。幸而得到朋友的招呼，使我的小屋，有出租給洋人的機會。洋人有由洋勢力而來的洋脾氣。每一個完整地中國人，面對這些洋脾氣，誰也會感到不舒服。我的辦法是讓太太發揮女人所固有的忍耐性，和洋房客應付。太太有時把嘔了的氣，向我隱瞞著，以勉強維持這棟小房屋的命運。因此，能辦洋務的人，態度必須要帶點女性的人，而他們之所以得到國家特別地優遇，恐怕也和一位能幹的太太，特別能得到丈夫的優遇一樣。

我是有房屋出租的人，在窮教書匠中當然要算一種驕傲。但是，在十二個月的房租收入中，房捐、防衞捐、地價稅、自然戶稅、綜合所得稅，大概要抽掉兩個半月。零星的修理費，大概要去掉一個月。房客約略一年一換，在新舊房客交替之秋，經常要空一個月到三個月。日式房屋，住上一年以後，不大修一次，洋人便不屑不潔起來，這又須花掉三個月到四個月的租錢。所以有房出租，實際上的好處，並不及顏面上的光彩。有一次，太太向我說「近隔壁的某太太告訴我，她的房子每月租金三千五百元；花五百元的小費，只報一千二百元就可以了。她勸我也這樣做，「我們只消報七、八百元。」我不加思考地警告她說：「任何人的太太可以這樣做；你是徐復觀的太太，決不可以這樣做。」我的太太呆了半天，覺悟起來了，便永遠斷了此一生財之念。但當今年房屋正空著的時候，突然接到稅捐處的通知說，他們已調查清楚，我的房屋每月租金是三千五百元，趕快來辦補稅的手續。這把我太太氣急了。跑去一問究竟，原來是稅捐處向稅戶們打橋牌；他們的調查，指的是他們大規模的說謊。而說謊的目的，是騷擾良民，加深許多稅務大人和許多稅戶之間進一步的友誼。

納稅也並不簡單。通知單一到，我們從來不敢後人。但有一次，在滿期的頭天，還沒看到通知單，我的太太便親去查問。當時臺中市稅捐處的新辦公廳還沒有做好，分在兩條街的處所辦公。我太太查到這條街的辦公處，據說是在那條街；追到那條街，又指說是在這條街。這樣跑來跑去，跑了五、六遍，我的太太發急了，非逼着稅捐處本部的一位大人澈底清查一下不可；這位大人查了半天，却在櫃底下查到未曾送出的通知單，很得意地向著我的太太說，「你好運氣；到明天就要挨罰金了。」

擺隊納稅，理所當然。但和各稅務大人平素有交情的稅戶，一到納稅台前，便拿出一枝烟，塞進稅收大人嘴裏，再爲他點上打火機的火！彼此相視而笑，自然取得優先權利。而這種有交情的稅戶，是一個接著一個的，使我的太太站在行列裏有時氣得叫了起來，回家後，把那一套神氣反復地學給我看。「怎麼一枝紙烟便有這大的人情呢？」此中奧妙，她永遠也猜之不透。

爲得這樣有名無實的一棟小房屋，一年總要嘔上房客和稅務大人幾十次氣。漸漸覺悟到所謂「自由人」，乃是不與洋人和官吏直接打交道的人。這棟小房屋逼著我們要和洋人官吏不斷地打交道，假定把老子「吾所以有大患者，爲吾有身。及吾無身，吾有何患」這幾句話中的兩個「身」字改成兩個「屋」，實在再恰當也沒有。於是賣屋問題便成爲這兩年來經常的家庭大計，並且覺悟到此一大計的實現，必須承認小百姓與民意代表們的不同行市，而心安理得地承認自己是一個道道地地的小百姓。由我太太所找的掮客的線索，果然昨天一下子把它賣掉了，「無屋一身輕」，眞是如此。

挾著完成任務的心，回到大學的寓所，趕快向太太報告消息。想不到太太的臉色蒼白了，說我不應當賣掉，簡直使我不知所措。接著，她躺在床上默默地流淚，望著我說，「明天早上我提個籃子下去，把院子裏的朝鮮草鏟一點上來。」這才使我了解她的心情，向她解釋說「學校幾年以來，便希望我們年長一輩的人趕快離開；你拿點朝鮮草回來，種在什麼地方呢？」她聽完我的話，除了繼續流眼淚外，實在也沒有第二句話可答。

今天下山正式交出房屋，我便有機會向這棟小房屋巡視一周，與它告別；這樣一來，却把十年前栽某一棵樹，種某一種花；如何利用牆壁多安上書架，如何細心修補隙地，擴充活動的空間等等情景，一一在我的心裏復活了起來。自從此屋出租之後，我便不敢親近它，以免增加因它而來的煩惱。現在却發現這棟小屋的每一角落，都曾注入過我們夫婦的生命。並且深深知道，剩餘的生命，也再無地方可以重新注入了；這才眞有浮生漂泊之感。太太的眼淚，決不是輕易流出的。

但當我不能把握到自己所曾注入過的生命，且不能不被洋人和官吏所吞沒時，只要能使我與洋人和官吏的陰影，稍稍保持一點距離，則賣屋的理智決定，依然會壓服下懷舊的感情的。

一九六六年四月一日之夜

我的教書生活

一

用一個基本概念來解釋歷史的發展，便是歷史哲學。用一個基本概念來解釋人生的態度，便是人生哲學。假定能用一個基本概念來解釋一個時代的性格，或者也可以稱爲時代哲學。雖然很少看到時代哲學的名稱，那只由於當代的人，總是匆匆的過去，並不會停下脚來思考自己的時代；等到下一代的人來思考他的上一代，而可歸納爲一個概念時，却已經劃入歷史哲學範圍裏去了。不過若是歷史哲學的名稱可以成立，則又何妨有所謂時代哲學？因此，我常常想，許多先生們實際上早已在有意無意之間，提出了我們的時代哲學；這卽是「糊塗官打糊塗百姓」的一句非常流行的基本概念。並且，假若這一說法可以成立，則我正是此一時代的寵兒、驕子；因爲我的人生哲學與這一時代哲學是恰相配合的。我由敎室走上戰場（這名詞對我有點誇張的意味），再由戰場走進教室，這些一波三折的人生，只有用糊塗官打糊塗百姓的哲學才能加以解釋。

我是八歲發蒙讀書的。有一次，當穿着又薄又破的棉襖，實在抵不過冬天的北風，而身上有點發抖的時候，很有些逃學的意思。慈愛的母親，摸摸我的頭說：「兒，好好的讀書，將來會發達起來做官的」。我當時雖然勉強上了學，但對於做官兩字，却發生莫名其妙的反感，這種反感，一直保持到十年前與官場絕緣時爲止。仔細回想，反感的來源，並不是由於秉性的高潔，而是不願有一個什麼明顯的目標壓在自己的精神上，使自己不能任天而動。我的老朋友，都會承認任天而動，是出於我的天性。幾十年來，始終想不出做官的好味道，大概也是植根於此。

二

我能從縣高小畢業，家庭實已受盡了千辛萬苦。但畢業後的打算，則是想在鄉下一面學中醫，一面開一個小中藥舖。我對於中藥舖的藥香和裝上許多抽屜的藥櫃，從初次遇到時便有點神秘之感。而鄉下的郎中（我們鄉下人對醫生的稱呼），從東村走到西村，總受到農家恭敬的招待，無拘無束，也有點使我羨慕。但結果以一個偶然的機會，糊裏糊塗的考進了武昌的第一師範，只好放棄原有計劃。不過我還私人借了點債，和一位姓陳的同學好友，頂下一個小中藥店；于是我的初步志願，完全由這位好友擔承過去了。

民國十二年暑假，師範畢業。但當時不僅休想在武漢找一個小學教員，連回縣裏找一個縣立小學敎員，也是難於上靑天。於是我們同學聯合起來，向縣的勸學所（後來的敎育科或敎育局）所長湯老四大吵大鬧。湯老四是湯化龍的堂弟，是以「狠」著稱的；但吵鬧的結果，我們每人以半價待遇的敎員分發到一個位置。我分發在縣城裏的第五模範小學。當年同事的師範前輩詹伯階先生，現在還在臺北金甌商職任敎。小學敎員，什麼都要敎的；音樂一課，我可以按風琴，但唱不出聲音來；圖畫一課，我只會勉强在黑板上畫一枚樹葉子。最得意的是向學生講左傳，這不僅在現在想起來是笑話，在當時也只是適應少數學生的要求。所以這場面弄得相當的尷尬。尤其難堪的是，讀師範雖然是公費，但零花錢是由家庭辛苦籌措出來的。現在畢業當敎員了，對家庭的生計，總要有點交代。可是，合五塊半到六塊銀洋的待遇，維持個人生活，還要私下借債。這種經濟窘境，簡直逼得我無路可走。當時聽說武昌創辦專門研究國學的國學舘，我於是挺而走險，跑到武昌去參加考試；我當時只是在無路可走中，以暫能脫離窘境爲快，並沒有什麼堂皇的目的。

三

參加考試的有三千多人，我的卷子是黃季剛先生看的；他硬要定我爲第一名。他在武昌師大和中華大學上課時對學生說：「我們湖北在滿淸一代，沒有一個有大成就的學者，現在發現一位最有希望的靑年，並且是我們黃州府的人……」當旁人把這些話告訴我的時候，我並不是得到鼓勵，而是心裏又抱愧又好笑。因爲我一向喜歡逛舊書舖；當考的前一天，在一家舊書舖裏拿起張惠言的文集看了半天；第二天入場，我選擇的題目是「述而不作」，不知如何從張惠言談禮的文章中受了些暗示，寫上一兩千字，居然把這位國學大師蒙混住了。平生辜負了許多師友的期望，黃先生正是我抱疚的恩師之一。因爲自己太不成才，所以從來不敢公開說是他的學生。

在上述的一陣興奮之下，只有住進國學舘，生活完全靠考課的獎金維持；我從來不用功，考課的成績，時好時壞，生活得朝不保夕。有一次，原係第一師範學校的校長，此時也在國學舘敎周易的劉鳳章先生把我找去說：「我知道你很窮。但不要灰心。像你這一枝筆有一天露了出來，一定會名動公卿，還怕沒有飯吃嗎？……我現在介紹你到漢川分水咀周家辦的私立小學去敎書，每月四十串錢，暫時維持生活，你願意嗎？」劉先生是眞正知行合一的陽明學者，對周易很有研究，我們平時很怕他，不敢和他接近。突然聽到他這一番懇切的話，精神上得到的鼓勵，超過了季剛先生所給我的鼓勵。於是一面爲了窮，一面受到劉先生的感動，便在民國十四年下季，又到漢川當上四個月的小學敎員。

四

維新小學，設在周家祠堂裏面；周家是大姓，除了一個姓黃的和一個姓什麼的學生以外，都是周姓子弟。校外是一片廣大的棉田。敎員除我以外，還有姓周、姓李的兩位，一位是孝感人，一是黃陂人，都是師範的先後同學。我在應付上課之餘，用功看郝懿行的爾雅義疏疏證，這是季剛先生吩咐我的。此外，便和那位周先生閒聊。我和周先生，根本不曾把小學放在腦筋裏面，整天以開玩笑的態度胡混；而那位李先生却一本正經的非常認眞。於是三個人分成兩派，我和周先生非常親密，把李先生孤立起來。對他的一股幹勁，總是暗中好笑。當然是不歡而散的。

民國十六年十月，我當了省立第七小學校長，那位周先生已死，我四處打聽李先生的下落，請他來當教員。當時省立小學教員，每月可以拿到七十到一百二十銀元的待遇，比各縣小學的待遇好得多。所以和李先生再見面時，他以驚喜地眼光問我：「老徐，你當時這樣討厭我，爲什麼現在又特地請我呢？」我開玩笑的答復：「當時討厭你太認眞，現在希望你能像那時一樣的認眞。」原來我在國學舘讀書時期，漸漸浮出了自己的兩大願望，一是當圖書舘長，一是當大學教授。在三四個月的小學校長期間，又浮出了第三大願望，即是要娶一位湖南小姐做太太。當時教員中的兩位湖南小姐，使我時常想到世上除了鹹湯、甜湯、辣湯以外，應該還有一種由易牙秘傳下來的甜辣湯，給人的味覺以莊嚴的感動。

五

十七年三月間，突然由當時湖北清鄉會辦陶子欽先生，叫我和他的弟弟、姪兒、及當時清鄉督辦胡今予先生的弟弟們到日本去留學。這眞是喜出望外。到日本後，我的興趣是經濟學。對於河上肇的著作，片紙隻字必讀。但學經濟學便得不到學費的幫助，於是糊裏糊塗的進入到日本的陸軍士官學校。

九一八事變發生，反抗、入獄、退學，懷抱滿腔救國的熱望，和同學們從日本回到上海，這時才眞正和社會接觸。一個多月的呼號奔走，所得的結果是冷酷、黯淡。於是同學們各奔前程，再不談什麼救國大志。我隨孔雯軒先生回湖北，便住在他家裏；他爲我向當時省主席夏斗寅找工作，沒有成功。同時我不知怎的突然想組織一個國共之間的政黨，即是要以唯物辯證法來完成三民主義理論的發展；以發展完成了的三民主義來指導中國的革命。說幹就幹，當時也集結了十幾個年輕的人，開了兩三次會，研究宣言和綱領，並取了一個「開進社」的名稱。「開進」是進入作戰位置，完成作戰準備的軍用術語。不到一兩個月，組織也要錢，戀愛也要錢，而我已經一錢莫名了。爲了生存，只好放下一切，跑到廣西去當營副，正式過起丘八生活。我以後常常回想，當時一同組黨的十幾位青年，從何而來？分手後二十多年的時間，爲什麼沒有再遇到過其中的一位；因而不僅記不起他們的名字，連姓也一個記不起；這在我的一生中，眞是一直到現在還想不透的謎。假定說我一生中有過政治夢，大概就是這一兩個月的時間。十多年後，在舊皮箱底下，偶然找出當時擬就的宣言底稿，文章寫得不壞，我看後笑了一笑就扯掉了。

我的丘八生活留在將來再寫。

六

抗戰勝利，三十五年，我回南京的第一件事，便是呈請志願退役。當時正要裁軍減員，退役正符合政府的政策。但退役後還是在南京瞎忙一陣。自民國三十年起，對時代暴風雨的預感，一直壓在我的精神上，簡直吐不過氣來。爲了想搶救危機，幾年來絞盡了我的心血。從三十三年到三十五年，浮在表面上的黨政軍人物，我大體都看到了。老實說，我沒有發現可以擔當時代艱苦的人才。甚至不會發現對國家社會，眞正有誠意、有願心的人物。沒有人才，一切都無從說起。難道說這樣大的國家民族，就此完事嗎？於是我假定，國家的人才恐怕是藏在黨政軍以外的學術界，尤其是各大學的教授先生裏面。因爲我自己想當大學教授而無法當到，所以對大學教授的評價非常的高，以爲這些人正是眞才實學，血性良心，結合在一起的國家元氣。於是由我內心所蘊蓄的二十年來的憧憬，及由對時代責任感而來的迫切期待，便急於想和這些先生們通通聲氣。但隔行如隔山，一個丘八憑什麼和他們來往呢？我在奉化蔣公那裏要來一筆錢，和商務印書館合作，辦一個純學術性的刋物『學原』。我是想以此爲橋樑，有機會和教授先生們接近，由此來發現國家的新希望；同時也是我想回到學術圈裏的一個嘗試。對於此一刋物的問世，我除了由衷的感謝蔣公以外，也永遠忘記不了陳果夫、陳布雷兩位先生。

七

上面的一切，在三十七年年底，統統告一結束，我和妻子出走廣州。三十八年三月，我應奉化蔣公之召，到溪口住了四十天，曾提出了一個自稱爲「中興方略草案」的文件，內中有一點是希望三民主義的信徒能和自由主義者團結合作。這在我個人的認識上，也是一個大的轉變。我的用意不是注重拉攏幾個人，而是想把自由民主的精神注入到國民黨內部來，以洗滌沉疴，打通社會，重新在社會中生根生長。我當時的認識是，國民黨的新生，是一切問題的前提條件。但在大陸上，政治權力葬送了國民黨；所以國民黨的新生，是要靠社會而決不是政治權力。這一底稿，在三年前我已清出將它付之一炬了。不過香港「民主評論」的出刋及其以後的態度遭遇，都是順著此一意願下來的。

在十六歲到二十歲之間，湖北的老先生們，說我的古文寫得不錯。但不久因受二周文字的影響，見了之乎也者的文章便頭痛。後來除了偶然的機會外，很少寫文章。三十八年六月「民主評論」在香港出刋，不僅其勢非寫文章不可；同時，也實在有說不盡的話，以稍能一吐爲快。當時有的朋友在背後說，「徐復觀的文章，是錢賓四唐君毅這些先生捉刀的。」一年以後，又有朋友說，「徐復觀的文章寫得不壞，可惜只能寫政論，不能寫學術性的。」這倒是事實。不過，在我個人，只是因爲要了解問題而認眞找材料，因找材料而落下心來讀書，因讀書而開始衡斷當代的所謂學術，一天一天的，把我的精神，引導向另一方向去了。因我個人的社會經驗與歷史，越是熟的朋友，對我的評價越差；一生中在軍事上的知己，只有一位老德國顧問；在政治上的知己，只有○○○○。於是也有朋友爲我嘆息說，「優孟得時皆貴客，英雄見慣亦常人。」但我總是想：在亂世能做一個常人而不做反常的人，已經是難能可貴了。何況發蒙讀書時，我父親給我起的學名正是「秉常」二字呢？

八

從三十八年到四十年，常往來於港台之間，且去過兩次日本。四十一年起，住在台中簡直動彈不得。當時台中省立農學院院長林一民先生，不知聽了誰的吹嘘，跑到我家來要我教新設課程國際組織與國際現勢，這完全是我意想不到的。當時我告訴他，我是丘八出身，並沒有進大學去教書的資格。林先生以為我是騙他的，硬說我在大陸上是武大的教授，並開玩笑的說，「你若不答應，我便跪下了。」我太太在旁說：「你就答應林院長吧。」這樣便踏進了大學的門。第一年是兼任，第二年改專任。我接受專任的條件是不教國際現勢，改教大一國文。因為我對與時事有關的東西，開始發生了衷心的厭惡。

假使不是有「國際組織與國際現勢」這門新課，假使不是林院長對朋友過份熱心而把我估計錯誤，更推遠一點，假使不是辦刊物、寫文章，一個退役丘八，不會有機會走進大學的教室的。這一切都是偶然中的偶然，不用糊塗官打糊塗百姓的哲學，如何能加以解釋？在農學院教授會的歡迎會上，我說：「平生三大志願，竟然達到了一件，所以我真是以感激的心情來接受農學院的聘書。可惜娶湖南小姐作太太的志願，真是此生休想」。說完後，名植物生理學家易希道教授馬上說：「徐先生把湖南小姐說得這樣好；可是有的人却覺得吃不消，時常感到不自在呢？」大家哄堂一笑，簡直把我弄得莫名其妙。事後才知道易教授正是典型的湖南小姐；而山東佬羅清澤教授，對自己的學人太太，雖敬禮有加；但因專心學問，以致溫情蜜意，或稍減於昔日東京追求角逐之時；難怪我們的易大姐，不免含蘊帶恨的發出一點牢騷來。不過，羅公當時的神情，似乎很是得意。這是當然的。辣味比甜味有時更能滿足人的口福啊！

因為我是半路出家，所以把全部時間，都用在功課的準備上面。教國文，最大的準備工作，便是把預備的材料讀得爛熟。對前人文章的好壞，只有在熟讀中衡量得出來。我曾經選過幾篇近代人的名作；初看一兩遍，覺得有聲有色；但細聲一讀，便讀垮下來了。經不起讀的文章，講時感到非常窘迫，學生聽得也沒精打彩。有幾篇古人的短文章，初看很平淡，但越讀越覺得深厚，越覺得有精神。講的時候，不是在對學生作字句的解釋，而是自己在作文學的欣賞，學生們只不過在旁邊見習；這便自然會使教者聽者，都感到興味。我開始以為讀文章是我國的老習慣；這兩年看些西方文學理論的書，知道他們也常提出同樣的方法和經驗。同一篇文章，有不同層次的講法和領受。只要教的人出於眞正的責任心，則許多中學國文課本所選的文章，在大一國文中一樣可以選用。我教大一國文，似乎稍能收到一點效果。但農學院的學生本不是學國文的，所以從結果上說，總不免有空虛之感。

九

當我聽說私立東海大學會設立在台中時，我的確曾動過念頭；因為它有文學院，有中文系，可以教出一點結果。等到和我有相當友誼而又是東大創辦人之一的兩位朋友隨便談談後，知道他兩位似乎都不約而同的暗示我的能力還不够，我便立即對此斷念了。四十四年七月間，突然接到台大文學院沈剛伯先生來信，說東大曾約農校長托他徵求我到東大的同意，這當然是由於曾校長聽過了沈先生的推薦而來，我當時非常高興，因為這在我的一生中，是唯一的受到朋友善意援引的一次。當時我的好友張研田先生，極力反對我來東大，並且因為看到我在日本時所讀的經濟學書籍，便說：「你如不願教國文，可以到農經系教經濟學。」農經系系主任宋勉南先生也這樣勸我。我說：「已經是四不像了。這樣一來，更成為四不像。」研田兄才因此接受台大訓導長的聘書而同時離開農學院。這一段友情，眞有點像男女熱戀中的難分難捨。到東大後，聽說有某要人曾以兩次長途電話要曾前校長解我的聘；也有人說，我們講中國文化，影響了基督教義的宣揚。但這些先生們卻忘記了最基本的一個事實，我只是竭心盡力，教學校分配給我的功課的精神勞働者。假使因我們的教課，而能使中國的學生，不以當一個中國人爲可恥，那只有歸功於中國文化精神的偉大，及主持校務者的努力、認眞。我們除對功課本身負責外，一切都是多餘的。所以我現在辭去中文系系主任的兼職。

十

到東大已經四年，我教的功課，由大一國文而轉換到大二國文，這是東大重視本國文化所特設的一門功課；它的內容，主要是思想史的材料，所以涉及到先秦及宋明的重要思想家。講授的方法，是在某家的整個思想輪廓中講解他重要的一篇或兩篇文獻，所以範圍是相當廣泛的。另外，我開了「文心雕龍」及「史記」兩種專書；初開時，也有朋友爲我擔心；不過，我是以自己的研究工作來帶著學生研究。以後我還準備開一門「經學發展史」。我把這些功課，都當作通向某一門學問的鑰匙來教。假使因此而能提供東大中文系的學生以做學問的鑰匙，爲中國文化開闢出一條新途徑，一個新面目，則我想當教授的願望，或稍有點意義。但這是關係於以後個人的精力和學校的環境的。

沒有追求到手的小姐，永遠是最美麗的小姐；沒有追求到手的職業，可能也是最理想的職業。大學教授，對於我，已經是結了婚的主婦了；只能希望以道德的責任心，補償一天一天消逝掉的桃色美夢。進入到這一圈子以後，使我深深感到「教書三年成白丁」的話，是一個事實的眞理。我要想從白丁中逃出來，須有相當的毅力。同時，我和這已經結了婚的職業，不會再離婚嗎？這也在未定之天。但糊塗官打糊塗百姓的人生，配上糊塗官打糊塗百姓的時代，一切都是偶然。因此，我的任天而動的生活性格，正和我的人生哲學及時代哲學相配合，用不上多作盤算的。

一九五九、八、一　自由談十卷八期

我的讀書生活

我從八歲發蒙起，卽使是在行軍、作戰中間，也不能兩天三天不打開書本的。但一直到四十七、八歲，也可以說不曾讀過一部書，不曾讀通一本書。因爲我的讀書生活是這樣的矛盾，所以寫出來或者可以作許多有志青年的前車之鑒。

我不斷的讀書，是來自對書的興趣。但現在我了解，興趣不加上一個目的，是不會有收穫的。讀了四十多年的書，當然涉獵的範圍也相當的廣泛。但我現在知道，不澈底讀通並讀熟幾部大部頭的古典，僅靠泛觀博覽，在學問上是不會立下根基的。這卽是我在囘憶中所得的經驗教訓。

我父親的一生，是過一生的考，却沒有考到一個功名的人；我父親要我讀書的目的，便是希望我能考功名。這一點曾不斷引起我的反感；也大大的影響了我童年的教育。一發蒙，卽是新舊並進。所謂「新」，是讀教科書，從第一册讀起，讀到第八册。再接着便是「論說模範」。接着，就讀「闈墨」。所謂闈墨，是把考舉人、進士考得很好的文章印了出來的一種東西。在這上面，我記得還讀過譚延闓的文章。

所謂舊的，是從論語起，讀完了四書便是五經；此外是東萊博議、古文筆法百篇、古文觀止、綱鑑易知錄，後來又換上御批通鑑輯覽。除易知錄和輯覽外，都是要背誦，背誦後還要複講一篇的。

上面新舊兩系統的功課，到十三歲大體上告一段落。這中間，我非常喜歡讀詩，但父親不准讀。因爲當時科學雖然早廢了，但父親似乎還以爲會恢復的。而最後的科舉，是只考策論，並不考詩賦。有一次，我從書櫃裏找出一部套色版的聊齋誌異，正看得津津有味的時候，被父親發見了，連書都扯了燒掉。等到進了高等小學，脫離了父親的掌握，便把三年寶貴的時間，整整的在看舊小說中花掉了。這也可以說是情緒上的反動。

十五歲進了武昌省立第一師範學校，還是那樣的糊塗，當時我們的國文程度，比現在大學中文系學生的國文程度，大概高明得很多。尤其是講授我們國文的，是一位安陸的陳仲甫先生，對桐城派文章的工力很深，講得也非常好。改作文的是武昌李希哲先生。他的學問是立足於周秦諸子，並且造詣也很高。他出的作文題目，都富有學術上的啓發性。兩星期作一次文，星期六下午出題，下星期一交卷，讓學生有充分的構思時間。他發作文時，總是按好壞的次序發。當時我對旁的功課無所謂，獨對作文非常認眞，並且對自己的能力也非常自負。但每一次都是發在倒二三名；心裏覺得這位李先生，大概沒有看懂我的文章；等到把旁人的文章看過，又確實比我做得好，這到底是什麼道理？好多次偷流着眼淚，總是想不通。有一次，在一位同學桌子上看見一部荀子，打開一看，原來過去所讀的教科書上「青出於藍而勝於藍」的一段話，就出在這裏，引起了我的好奇心，便借去一口氣看完，覺得很有意思。並且由此知道所謂「先秦諸子」，於是新開闢了一個讀書的天地，日以繼夜的看子書。因爲對莊子的興趣特別高，而又不容易懂，所以在圖書館裏同時借五六種註本對照看。等到諸子看完後，對其他書籍的選擇，也自然和以前不同。有過去覺得好的，此時覺得一錢不值；許多過去不感興趣的，此時却特別感到興趣。此後不太注意作文而只注意看書，尤其是以看舊小說的心情來看梁任公、梁漱溟和王星拱（好像是講科學方法），及胡適們有關學術方面的著作。到了第三學年，李先生有一次發作文，突然把我的文章發第一；自後便常常是第一第二。並且知道劉鳳章校長和幾位老先生，開始在背後誇獎我。我才慢慢知道，文章的好壞，不僅僅是靠開闔跌宕的那一套技巧，而是要有內容。就一般的文章說，有思想才有內容；而思想是要在有價値的古典中姙育啓發出來，並且要在時代的氣氛中開花結果。我對於舊文章的一套腔調，大概在十二三歲時已經有了一點譜子；但回想起來，它對於我恐怕害多於利。

我對於線裝書的一點常識，是五年師範學生時代得來的。以後雖然住了三年國學舘，但此時已失掉了讀書時的新鮮感覺，所以進益並不多。可是奇怪的是：在這一段相當長的讀書期間，第一，一直到民國十五年十一月底爲止，可以說根本沒有看過當時政治性的東西，所以對於什麼主義，什麼黨派，完全沒有一點印象。我之開始和政治思想發生關涉，是民國十五年十二月陶子欽先生當旅長，駐軍黃陂，我在一個營部當書記的時候，他問我看過孫文學說、三民主義沒有？我說不曾；他當時覺得很奇怪，便隨手送我一部三民主義，要我看，這才與政治思想結了緣。第二，我當時雖然讀了不少的線裝書，但回想起來，並沒有得到做學問的門徑。這是因爲當時雖然有好幾位老先生對我很好，但在做學問方面，並沒有一位先生切實指導過我。再加以我自已任天而動的性格，在讀書時，並沒有一定要達到的目的；也沒有一個方向和立足點；等於一個流浪的人，錢到手就花掉；縱然經手的錢不少，但到頭還是兩手空空。

從民國十六年起，開始由孫中山先生而知道馬克思、恩格斯、唯物論等等。以後到日本，不是這一方面的書便看不起勁，在日本陸軍士官學校的時候，組織了一個「羣不讀書會」，專門看這類的書，大約一直到德波林被清算爲止。其中包括了哲學、經濟學、政治學等等。連日譯的「在馬克思主義之旗下」的蘇聯刋物，也一期不漏的買來看。囘國後在軍隊服務，對於這一套，雖然口裏不說，筆下不寫，但一直到民國二十九年前後，它實在塡補了我從青年到壯年的一段精神上的空虛。大概從民國三十一年到三十七年，我以「由救國民黨來救中國」的呆想，接替了過去馬恩主義在我精神中所佔的位置。從日本回國後，在十多年的寶貴時間中，爲了好强的心理，讀了不少與軍事業務有關的書籍。這中間，現在回想起來還覺得十分悵惘的，卽是民國三十一年軍令部派我到延安當連絡參謀，住在窰洞裏的半年時間，讀通了克勞塞維茲所著的戰爭論，但又從此把它放棄了。這部書，若不了解歐洲近代的七年戰爭及法國從革命到拿破崙的戰爭，以及當時德國從康德到黑格爾的哲學背景，是不可能完全了解它的。在延安讀這部書，是我的第三次。這一次偶然了解到它是通過那一種思考的歷程來形成此一著作的結構，及得出他的結論；因而才眞正相信他不是告訴我們以戰爭的某些公式，而是教給我們以理解、把握戰爭的一種方法。凡是偉大的著作，幾乎都在告訴讀者以一種達到結論的方法，因而給讀者以思想的訓練。我看了這部書後，再囘頭來看楊杰們所說的，眞是「小兒强作解事語」。當時我已寫了不少的筆記，本來預定回重慶後寫成一書的；但因循怠忽，興趣轉移，使我十多年在軍事學上的努力，竟沒有拿出一點貢獻，眞是恨事。但由此也可知道對每一門學問，若沒有抓住最基本的東西，一生總是門外漢。

我決心扣學問之門的勇氣，是啓發自熊十力先生。對中國文化，從二十年的厭棄心理中轉變過來，因而多有一點認識，也是得自熊先生的啓示。第一次我穿軍服到北碚金剛碑勉仁書院看他時，請敎應該讀什麼書。他老先生敎我讀王船山的讀通鑑論；我說那早年已經讀過了；他以不高興的神氣說，「你並沒有讀懂，應當再讀。」過了些時候再去見他，說讀通鑑論已經讀完了。他問：「有點什麼心得？」於是我接二連三的說出我的許多不同意的地方。他老先生未聽完便怒聲斥罵說：「你這個東西，怎麼會讀得進書！任何書的內容，都是有好的地方，也有壞的地方。你爲什麼不先看出他的好的地方，却專門去挑壞的；這樣讀書，就是讀了百部千部，你會受到書的什麼益處？讀書是要先看出他的好處，再批評他的壞處，這才像吃東西一樣，經過消化而攝取了營養。譬如讀通鑑論，某一段該是多麼有意義；又如某一段，理解是如何深刻；你記得嗎？你懂得嗎？你這樣讀書，眞太沒有出息！」這一罵，罵得我這個陸軍少將目瞪口呆。腦筋裏亂轉著；原來這位先生罵人罵得這樣兇！原來他讀書讀得這樣熟！原來讀書是要先讀出每一部的意義！這對於我是起死回生的一罵。恐怕對於一切聰明自負，但並沒有走進學問之門的青年人、中年人、老年人，都是起死回生的一罵！近年來，我每遇見覺得沒有什麼書值得去讀的人，便知道一定是以小聰明誤一生的人。以後同熊先生在一起，每談到某一文化問題時，他老人家聽了我的意見以後，總是帶勸帶罵的說，「你這東西，這種浮薄的看法，難道說我不曾想到？但是……這如何說得通呢？再進一層，又可以這樣的想，……但這也說不通。經過幾個層次的分析後，所以才得出這樣的結論。」

受到他老先生不斷的錘鍊，才逐漸使我從個人的浮淺中掙扎出來，也不讓自己被浮淺的風氣淹沒下去，慢慢感到精神上總要追求一個什麼。爲了要追求一個什麼而打開書本子，這和漫無目標的讀書，在效果上便完全是兩樣。

自卅八年與現實政治遠緣以後，事實上也只有讀書之一法。我原來的計劃，要在思考力尙銳的時候，用全部時間去讀西方有關哲學這一方面的書，抽一部分時間讀政治這一方面的。預定到六十歲左右才回頭來讀線裝書。但此一計劃因爲教書的關係而不能不中途改變。不過在可能範圍以內，我還是要讀與功課有關的西方著作。譬如我爲了教文心雕龍，便看了三千多頁的西方文學理論的書。爲了教史記，我便把蘭克、克羅齊、及馬伊勒克們的歷史理論乃至卡西勒們的綜合敍述，弄一個頭緒，並都做一番摘抄工作。因爲中國的文學史學，在什麼地方站得住脚，在什麼地方有問題，是要在大的較量之下才能開口的。我若不是先把西方倫理思想史這一類的東西摘抄過三十多萬字，我便不能了解朱元晦和陸象山，我便不能寫「象山學述」。因此，我常勸東海大學中文系的學生，一定要把英文學好。

當我看哲學書籍的時候，有好幾位朋友笑我：「難道說你能當一個哲學家嗎？」不錯，我不能，也不想。但我有我的道理：第一，我要了解西方文化中有那些基本問題，及他們努力求得解答的經路。因爲這和中國文化問題，常常在無形中成一顯明的對照。第二，西方的哲學著作，在結論上多感到貧乏，但在批判他人，分析現象和事實時，則極盡深銳條理之能事。人的頭腦，好比一把刀。看這類的書，好比一把刀在極細膩的砥石上磨洗。在這一方面的努力，我沒有收到正面的效果，即是我沒有成爲一個哲學家。但却獲到了側面的效果。首先，每遇見自己覺得是學術權威，拿西化來壓人的先生們時，我一聽，便知道他在什麼地方是假內行，回頭來翻翻有關的書籍，更證明他是假內行（例如胡適之先生）。雖然因此而得罪了不少有地位的人，使自己更陷於孤立；但這依然是非常重要的；因為許多人受了這種假內行的唬嚇，而害得一生走錯了路，甚至不敢走路，躭擱了一生的光陰、精力。其次，我這幾年讀書，似乎比一般人細密一點，深刻一點；在常見的材料中，頗能發現為過去的人所忽略，但並非不重要的問題；也許是因為我這付像鉛刀樣的頭腦，在砥石上多受了一點磨洗。

在浪費了無數精力以後，對於讀書，我也慢慢的摸出了一點自己的門徑。第一、十年以來，決不讀第二流以下的書。非萬不得已，也不讀與自己的研究無關的書。隨便在那一部門裏，總有些不知不覺的被人推為第一流的學者或第一流的書。這類的書，常常是部頭較大，內容較深。當然有時也有例外的。看慣了小册子或教科書這類的東西，要再向上追進一步時，因為已經橫亘了許多庸俗淺薄之見，反覺得特別困難；並且常常等於鄉下女人，戴滿許多鍍金的銅鐲子，自以為華貴，其實一錢不值；倒不如戴一只眞金的小戒指，還算得一點積蓄。這就是情願少讀，但必須讀第一流著作的道理。我從前對魯迅的東西，對河上肇的東西，片紙隻字必讀。並讀了好幾本厚的經濟學的書。中間又讀了不少的軍事著作；一直到民國四十一年還把日譯拉斯基的著作共四種，拿它摘抄一遍。但這些因為與我現時的研究無關，所以都等於浪費。我一生的精力，像這樣的浪費得太多了。垂老之年，希望不再有這種浪費。第二、讀中國的古典或研究中國古典中的某一問題時，我一定要把可以收集得到的後人的有關研究，尤其是今人的有關研究，先看一個清楚明白，再細細去讀原典。因為我覺得後人的研究，對原典常常有一種指引的作用；且由此可以知道此一方面的研究所達到的水準和結果。但若把這種工作代替細讀原典的工作，那便一生居人胯下，並貽誤終身，看了後人的研究，再細讀原典，這對於原典及後人研究工作的了解和評價，容易有把握，並常發現尚有許多工作須要我們去做。這幾年來我讀若干頗負聲名的先生們的文章，都是文采斐然。但一經與原典或原料對勘，便多使人失望。至於專爲稿費的東西，頂好是一字不沾。所以我教學生，總是勉勵他們力爭上游，多讀原典。第三、便是讀書中的摘抄工作。一部重要的書，常是一面讀，一面做記號。記號做完了便摘抄。我不慣於做卡片。卡片可適用於搜集一般的材料，但用到應該精讀的古典上，便沒有意思。書上許多地方，看的時候以爲已經懂得；但一經摘抄，才知道先前並沒有懂淸楚。所以摘抄工作，實際是讀書的水磨工夫。再者年紀老了，記憶力日減，並且全書的內容，一下子也抓不住，摘抄一遍，可以幫助記憶，並使於提挈全書的內容，匯成爲幾個重要的觀點。這是最笨的工作，但我讀一生的書，只有在這幾年的笨工作中，才得到一點受用。

其實，正吃東西時，所吃的東西，並未發生營養作用。營養作用是發生在吃完後的休息或休閒的時間裏面。書的消化，也常在讀完後短暫的休閒時間；讀過的書，在短暫的休閒時間中，或以新問題的方式，或以像反芻動物樣的反芻的方式，若有意若無意的在腦筋裏轉來轉去，這便是所讀的書開始在消化了。並且許多疑難問題，常常是在這一刹那之間得到解決的曙光。我十二、三歲時，讀來易氏，對於所謂卦的錯、綜、互體、中爻等，總弄不淸楚，我父親也弄不淸楚。有一天吃午飯，我突然把碗筷子一放：「父，我懂了。」父親說：「你懂了什麼？」我便告訴他如何是卦的錯綜等等，父親還不相信，拿起書來一掛掛的對，果然不差。平生這類的經驗不少。我想也是任何人所有過的經驗。

一個人讀了書而腦筋裏沒有問題，這是書還沒有讀進去；所以只有落下心來再細細的讀。讀後腦筋裏有了問題，這便是扣開了書的門，所以自然會趕忙的繼續努力。我不知道我現在是否走進了學問之門；但腦筋裏總有許多問題在壓迫我，催促我。支持我的生命的力量，一是我的太太，及太太生的四個小孩；一是架上的書籍。現在我和太太都快老了，小孩子一個一個的都自立了，這一方面的情調快要告一結束。今後只希望經常能保持一個幼稚園的學生的心情，讓我再讀二十年書；把腦筋裏的問題，還繼續寫一點出來，便算勉强向祖宗交了賬。

一九五九、十二　文星四卷六期

我的母親

位於臺中市大度山坡上的東海大學的右界，與一批窮老百姓隔着一條乾溪。從乾溪的對岸，經常進入到東海校園的，除了一羣窮孩子以外，還有一位老婆婆，身裁瘦小，皺紋滿面；頭上披著半麻半白的頭髮。她也常常態度安祥地，有時帶著一個孩子，有時是獨自一個人，清早進來，檢被人拋棄掉的破爛。我有早起散步的習慣。第一次偶然相遇，使我驀然一驚，不覺用眼向她注視；她却很自然地把一隻手抬一抬，向我打招呼，我心裏更感到一陣難過。以後每遇到一次，心裏就難過一次。有一天忍不住向我的妻說：「三四十年來，我每遇見一個窮苦的婆婆時，便想到自己的母親。却沒有像現在所經常遇見的這位檢破爛的婆婆，她的神情彷彿有點和母親相像，雖然母親不曾檢過破爛。你淸好一包不穿的衣服，找着機會送給她，藉以減少我遇見她時所引起的內心痛苦。」妻同意我的說法，但認爲「送要送得很自然，不著形跡」。這種自然而不著形跡的機會並不容易，於是有一次便請她走進路旁的合作社，送了她一包吃的東西。這位婆婆表示了一點驚奇的謝意後，抬起一隻手打著招呼走了。

現在我一個人客居香港，舊曆年的除夕，離著我的生日只有三天。不在這一比較寂靜的時間，把我對自己母親的記憶記一點出來，恐怕散在天南地北的自己的兒女，再不容易有機會了解自己生命所自來的根生土長的家庭，是怎麼一回事。但現在所能記憶的，已經模糊到不及百分之一二了。

一

浠水縣的徐姓，大概是在元末明初，從江西搬來的。統計有淸一代，全縣共有二百八十多名舉人，我們這一姓，便佔了八十幾個。我家住在縣城北面，距縣城約六十華里的徐洽均鳳形灣。再向北十五華里，是較爲有名的團陂鎭。團陂鎭過去三里，是與黃岡縣分界的巴河。巴河向上十多里又與羅田縣分界，便稱爲界河。據傳說，徐姓初遷浠水的始祖，是葬在古田畈附近的摩泥（泥鰍的土名）地，古田畈及縣城附近的徐姓，最爲發達；許多舉人進士，都是屬於這一支的。我們這一支，又分爲軍、民兩分（讀入聲），這大概是由明代的屯衞制而來。在界河的徐姓是民分，而我們則是軍分。

軍分的祖先便是「瑄」祖。村子的老人們都傳說，他是赤手成家，變成了大地主的人。因爲太有錢，所以房子起得非常講究，房子左右兩邊，還做有「八」字形的兩個斜面照牆，這是當時老百姓不應當有的，因此曾吃過一場官司。八字形的斜面照牆，在我們小時，還留有右邊的一面。而早經垮掉的老大門，石頭做的門頂梁和石頭柱子，橫臥在地上，相當的粗大。上面的傳說，可能有些根據。

瑄祖死後，便葬在後面山上。在風水家的口中，說山形像鳳，所以我們的村子便稱爲鳳形灣。瑄祖有六個兒子，鄉下稱爲「六房」。我們是屬於第六房的。由瑄祖到我，大概是十二代，所以瑄祖應當是明末的人。若以鳳形灣爲基準，則鳳形灣右前方的村子，我們稱爲「對面灣」，又稱「老屋」；這是第六房原住的村子，在曾祖父時才搬過來的。隔一道山岡的左後方村子是「樓後灣」，住着第三房的子姓。從左前方的田畈過去的村子，住着二十多家的楊姓人家，我們就稱他們的村子爲「楊家的」。

大概在曾祖父的時候，因洪楊之亂，由地主而沒落下來，生活開始困難。祖父弟兄三人，伯祖讀書是貢生，我的祖父和叔祖種田。祖父生子二人，我的父親居長，讀書；叔父種田。伯祖生三子，大伯讀書，二伯和六叔種田。叔祖生二子，都種田。若以共產黨所定的標準說，我們都應算是中農。但在一連四個村子，共約七、八十戶人家中，他們幾乎都趕不上我們；因爲他們有的是佃戶，種出一百斤稻子，地主要收去六十斤到七十斤，大抵新地主較老地主更爲殘刻。有的連佃田也沒有。在我記憶中，橫直二三十里地方的人民，除了幾家大小地主外，富農中農佔十分之一、二，其餘都是一年不能吃飽幾個月的窮苦農民。

二

我母親姓楊，娘家在離我家約十華里的楊家灣。灣子比我們大；但除一兩家外，都是窮困的佃戶。據母親告訴我，外婆是「遠鄉人」，洪楊破南京時，躲在水溝裏，士兵用矛向溝裏搜索，頭碰着矛子穿了一個洞，幸而不死，輾轉逃難到楊家壪，和外公結了婚，生有四子二女；我母親在兄弟姊妹行，通計是第二，在姊妹行單計是老大。我稍能記事的時候，早已沒有外婆外公。四個舅父中，除三舅父出繼，可稱富農外，大舅二舅都是忠厚窮苦的佃農。小舅出外傭工，有很長一段時間，在下巴河聞姓大地主（聞一多弟兄們家裏）家中當廚子。當時大地主家裏所給工人的工錢，比社會上一般的工錢還要低，因爲工人吃的伙食比較好些。

母親生於同治八年，大我父親兩歲。婚後生三男二女。大姐緝熙，後來嫁給「姚兒均」的姚家。大哥紀常，種田；以胃癌死於民國三十五年。細姐在十五、六歲時夭折，弟弟孚觀讀書無成，改在家裏種田。三十八年十月左右，我家被掃地出門，母親旋不久死去，得年約八十歲。

三

父親讀書非常用功。二十歲左右，因肺病而吐血，吐得很厲害；幸虧祖母的調護，得以不死。祖母姓何，是何家舖人，聽說非常能幹，不幸早死，大概我們兄弟姊妹都沒有看到。可能因爲父親的天資不高，所以連秀才也沒有考到。一直在鄉下教蒙館，收入非常微薄。家中三十石田（我們鄉間，能收稻子一百斤的，便稱爲一石），全靠叔父耕種，勉强維持最低生活。所以母親結婚後，除養育我們兄弟姊妹外，弄飯、養豬等不待說，還要以「紡線子」爲副業，工作非常辛苦。她的性情耿直而忠厚。我生下後，樣子長得很難看，鼻孔向上，即使不會看相的人，也知道這是一種窮相；據說，父親開始不大喜歡我。加以自小愛哭愛賭氣，很少過一般小孩子歡天喜地的日子。到了十幾歲時，二媽會和我聊天：「你現在讀書很乖，但小時太吵人了。你媽媽整天忙進忙出的，你總是一面哭，一面吊住媽媽上褂的衣角兒，也隨著吊出吊進，把你媽媽的上褂角兒都吊壞了。我們在側面看不過眼，和她說，這樣的孩子也捨不得打一頓？但你媽總是站住摸摸你的頭，兒上幾聲，依然不肯打」。眞的，在我的記憶裏，只挨過父親的狠打，却從來沒有挨過母親一次打。有一回我在稻場上鬧得太不像話了，母親很生氣，拿着一枝竹條子來打我；我心中一急，便突然跑到她懷裏去，用臉挨着她的胸口，同時用手去搶住竹條子，原來是一枝大茅草梗，母親也就摸著我的頭笑了。這一次驚險場面，至今還記得清清楚楚。

四

叔父只有夫婦兩人，未生兒女。他一人種田，要養活我們兄弟姊妹「這一窩子」，心裏總有一股怨氣；但他不向我父親發作，總是向我母親發作；常常辱駡不算，還有時動手來打。我印象最深的一次是：叔父在堂屋的上邊駡，母親在堂屋的下邊應，中間隔一個天井。一下子，叔父飛奔而前，揪住母親的頭髮，痛毆一頓。母親披着頭髮叫，我們一羣小孩躲在大門角裏哭。過了一會，才被人扯開。父親是很愛自己的弟弟的。加以他到黃州府去應考，一百二十里路，總是由叔父很辛苦地挑行李。考了二十多年，什麼也沒有考到，只落在鄉間教蒙館，對叔父會有些內疚。所以在這種場面，還要爲叔父幫點腔，平平叔父的氣。

叔父這樣打罵我母親的目的，是要和父親分家，結果當然只好分了。叔父分十五石田和一點可以種棉花的旱地，自種自吃，加上過繼的弟弟，生活當然比未分時過得很好。但我們這一家六口，姐姐十三四歲，哥哥十一、二歲，細姐十歲左右，我五、六歲。父親「高了脚」，不能下田。媽媽和姐姐的脚，包得像圓錐子樣，更不能下田；哥哥開始學「莊稼」，但只能當助手；我只能上山去砍點柴；有時放放牛，但牛是與他人合夥養的。所以這樣一點田，每年非要請半工或月工，便耕種不出。年成好，一年收一千五百斤稻子，做成七百五十斤米，每年只能吃到十二月過年的時候；一過了年，便憑父親教蒙館的一點「學錢」，四處托人情買米。學錢除了應付家裏各種差使和零用外，只够買兩個多月的糧食，所以要接上四月大麥成熟，總還差一個多月。大麥成熟後，搶著雇人揷秧，不能不把大麥糊給雇來的人吃。大麥吃完後，接着吃小麥；小麥吃完後要接上早稻成熟，中間也要缺一個月左右的糧；這便靠母親和大姐起五更，睡半夜的「紡線子」，哥哥拿到離家八里的黃泥嘴小鎭市去賣。在一個完全停滯而沒落的社會中，農民想用勞力換回一點養命錢，那種艱難的情形，不是現在的人可以想像得到的。大姐能幹，好强，不願家中露出窮相，工作得更是拚命。村子的人常說「他家出女兒不出兒子，幾代都是這樣」。因爲早死的姑母也是如此。我還記得的一次，家裏實在沒有任何東西可吃了，姐姐又不肯向人乞貸，尤其是不願借叔父的；她就拿鐮刀跑到大麥田裏，找快要成熟的，割了一抱抱回家，把堂屋的一張厚木棹子側臥下來，用力將半黃的大麥穗，一把一把地碰擊到側臥着的棹面上，把麥子碰擊下來；她一面碰擊，一面還和我們說着笑着。母親等着做麥糊的早飯。

五

我們四圍是山，柴火應當不成問題。但不僅因我家沒有山，所以缺柴火；並且因為一連幾個村子，都是窮得精光的人家佔多數，種樹固然想不到；連自然生長的雜木，也不斷被窮孩子偷得乾乾淨淨。大家不要的，只有長成一堆一堆的「狗兒刺」及其他帶刺的藤狀小灌木。家裏不僅經常斷米，也經常斷柴。母親沒有辦法，便常常臨時拿着刀子找這類的東西，砍回來應急；砍一次，手上就帶一次血。燒起來因為剛砍下是濕的，所以半天燒不著，濕烟燻得母親的眼淚直流。一直到後來買了兩塊山，我和父親在山上種下些松樹苗，才慢慢解決了燒的問題。分得的一點地，是用來種棉花和「長豆角」的。夏天開始摘長豆角，接上秋天檢棉花，都由母親包辦。有時我也想跟著去，母親說「你做不了什麼，反而討厭」，不准我去。現在回想起來，在夏、秋的烈日下，悶在豆架和棉花灌木中間，母親是怕我受不了。我們常常望到母親肩上背着一滿籃的豆角和棉花，彎着背，用一雙小得不能再小的脚，篤篤地走回來；走到大門口，把肩上的籃子向門蹬上一放，坐在大門口的一塊踏脚石上，上褂汗得透濕，臉上一粒一粒的汗珠還繼續流。當我們圍上去時還笑嘻嘻地摸着我們的頭，檢幾條好的豆角給我們生吃。在我的記憶中，只有當我發脾氣，大吵大鬧，因而挨父親一頓狠打時，母親才向父親生過氣。却不曾因為這種生活而出過怨言，生過氣。她生性樂觀，似乎也從不曾為這種生活而發過愁。當她拿著酒杯，向房下叔嬸家裏借點油或鹽，以及還她們的一杯油一杯鹽時，總是有說有笑的走進走出。母親大概認為這種生活和辛苦，是她的本分。

六

辛亥革命的一年，我開始從父親發蒙讀書，父親這年設館在離家三里的白洋河東嶽廟裏。在發蒙以前，父親看到我做事比同年的小孩子認眞，例如一羣孩子上山砍柴（實際是冬天砍枯了的茅草），大家總是先玩够了，再動手。我却心裏掛着母親，一股正經的砍；多了拿不動，便送給其他的孩子。放牛決不讓牛吃他人的一口禾稼，總要爲牛找出一些好草來。又發現我有讀書的天資，旁的孩子讀三字經，背不上，我不知什麼時候聽了，一個字也不認識地代旁的孩子背。所以漸漸疼我起來。

這年三月，不知爲什麼，怎樣也買不到米，結果買了兩斗豌豆，一直煎豌豆湯當飯吃，走到路上，肚子裏常常咕嚕咕嚕地響，反覺得很好玩。到了冬天，有一次吹着大北風，氣候非常冷，我穿的一件棉襖，又薄又破了好幾個大洞；走到青龍嘴上，實在受不了，便瞧着父親在前面走遠了，自己偷偷地溜了回來。但不肯把怕冷的情形說出口，只是倒在母親懷裏一言不發的賴着不去。母親發現我這是第一次逃學，便哄着說，「兒好好讀書，書讀好後會發達起來要做官的」。我莫名其妙的最恨「要做官」的話，所以越發不肯去。母親又說，「你父親到學校後沒有看到你，回來會打你一頓」。這才急了，要母親送我一段路，終於去了。可是這次並沒有挨打。父親因爲考了二三十年沒有考到秀才，所以便有點做官迷，常常用做官來鼓勵我；鼓勵一次，便引起我一次心裏極大的反感。母親發現我不喜歡這種說法後，便再也不提這類的話。有時覺得父親逼得我太緊了，所以她更不過問我讀書的事情。過年過節，還幫我弄點小手脚，讓我能多鬆一口氣。十二歲我到縣城住「高等小學」，每回家一次，走到塘角時，口裏便叫着母親，一直叫到家裏，倒在母親懷裏大哭一場；這種哭，是什麽也不爲的。十五歲到武昌住省立第一師範，寒暑假回家，雖然不再哭，但一定要倒在母親懷裏嗲上半天的。大概直到民國十五年以後，才把這種情形給革命的氣氛革掉了，而我已有二十多歲。我的幼兒帥軍，常常和他的媽媽嗲得不像樣子，使他的兩個姐姐很生氣；但我不太去理會，因爲我常常想到自己的童年時代。

以後我在外面的時候多，很難得有機會回到家裏。即使回去一趟，也只住三五天便走了。一回到家，母親便拉住我的手，要我陪着她坐。叔嬸們向母親開玩笑說，「你平時念秉常念得這厲害；現在回來了，把心裏的話統統說出來吧」。但母親只是望著我默默地坐着，沒有多少話和我說；而且在微笑中，神色總有點黯然。我的世面見得多了，反而形成母子間的一層薄霧，這就是我所能得到的文化。

七

民國三十五年五月初，我由北平飛漢口，回到家裏住了三、四天。母親一生的折磨，到了此時，生命的火光已所餘無幾；雖然沒有病，已衰老得有時神智不清。我默默地挨着她一塊兒坐著，母親乾枯的手拉著我的手，眼睛時時呆望着我的臉。這個罪孽深重的兒子，再也不會像從前樣倒在她懷裏，嗲着要她摸我的頭，親我的臉了。並且連在一塊兒的默坐，也經常被親友喚走。我本想隱居農村，過着多年夢想的種樹養魚的生活。但一回到農村，親戚朋友，左鄰右舍，都是千瘡百孔。而我雙手空空，對他們，對自己，爲安排起碼的生活也不能絲毫有所作爲。這種看不見的精神上的壓力，只好又壓着我奔向南京，以官爲業。此時我的哥哥已經在武昌住醫院。我回到南京不久，哥哥死在武昌了，以大三分的利息借錢托友人代買棺材歸葬故里，這對奄奄一息的母親，當然是個大打擊。此後土崩瓦解，世局滄桑，我帶着妻子流亡海外。當時估計，我家此時已由中農昇進到富農（這都是用共產黨所定的標準），但絕對沒有資格當地主。弟弟和侄兒侄女們，應當憑勞力在自己的故鄉生存下去；而我的內心，是深以出外逃亡爲悲痛的；所以勸他們都安心留在故鄉不動。等到知道三十八年十月，已被掃地出門，使全家「白天無一碗一筷，夜間無一被一單」（弟弟展轉寄到的信上的話）母親當然迅速倒下，而我也由此抱終天之恨，與鄉土永隔，連母親有沒有墳墓，也不得而知了。

一九七〇、三　明報月刊

到香港後，與弟弟侄兒們連絡上了，才慢慢知道，我們的土磚房子，折了作「水庫」；從祖父祖母起葬在山上的墳，一起被挖掉了。

一九八〇・六・十一日　補誌

無慚尺布裹頭歸

一

康熙二年（一六六三年），黃梨洲到呂晚村的梅花閣教書。春夏之間，梨洲和晚村及高旦中吳自牧等在水生草堂，爲詩酒之會。在這些人的詩中，呂晚村下面的一首詩，在十多年前，曾特別引起我的感動。詩是：

> 誰教失足下漁磯，心跡年年處處違。雅集圖中衣帽改，黨人碑裏姓名非。苟全始識誒何易，餓死今知事最微。醒便行吟埋亦可，無慚尺布裹頭歸。

晚村在上述詩中把他的民族淪亡之痛，及誓全大節之心，可謂和盤托出了。所以到康熙五年（一六六六），他便不應鄉試，寧願把已有的秀才頭銜革掉。

我在民國四十四年的秋季，以偶然的機會，進到剛剛成立的，由美國基督教會所辦的東海大學中文系。並且「東海」的校名，也出自我一時的構想。我爲它取上東海的名稱，是滿懷着「東海有聖人出焉，此心同，此理同。西海有聖人出焉，此心同，此理同。推之南海北海，莫不皆然。」的幻想，認爲東西的文化，基督教與非基督教的文化，其基本目的與精神，本是相同；因而通過高等教育的融合，應當可以互信互助的。

但隨時間之經過，又不知不覺地想到呂晚村上面的那一首詩，尤其是想到「無慚尺布裹頭歸」的末句，彷彿我眞體會到這句詩裏的整全純潔的人格；更彷彿領受到這句詩裏所涵蘊的一個赤裸裸地人格掙扎中的歷程。現在我從東海大學被强迫退休了，更自然而然的把這句詩和曾子所說的「而今而後，吾知免夫」的話，融和在一起，以作爲一個獨立自主的中國人的自我安慰。

二

東海大學創辦時的校長是曾約農先生。他的基本作法，不會令每一個人滿意。但他是一個有獨立自主性的基督徒，他以爲在中國辦基督教大學，即是以基督精神爲中國人辦大學；而辦大學的目的，乃是爲了使中國青年得到知識與修養，而不是爲了他自己要當校長；這是每一個東海大學的人可以承認的。所以當時東海的學生，得到由他所鼓勵起的熱情，團結在他的周圍，奮發向上，眞正有一番青年氣象。但他太「老天眞」了；他的英文雖然好，却不僅不懂洋務，實際他也只懂西方的基督教，而不懂由西方傳向東方的基督教；所以隱藏在他左右的一支伏軍，當時機成熟時，便奮狠而起，蹴使由外國來的「主的代言人」，寫出一封「他如繼續任職，卽截斷經費來源」的哀的米敦書。這樣一來，便使這位老天眞的校長，耐了兩年的歲月，在學生的熱淚中被强迫退休了。在他離校的剎那，許多同仁都到他卽將離開的寓所送他上車。但相映成趣的是：平日在他面前比子侄還要恭順的近鄰，在此時抱着勝利的心情，閉門深坐，連點頭揮手的起碼周旋也沒有。

對於一種帶有世界性的欺騙，要去了解它，談何容易。我當時對這一幕雖感到稀奇，但依然只把它當作個別事件，沒有使我的幻想完全破滅。我曾爲東海大學作一首校歌，由李抱忱博士作譜，在各種典禮中由學生唱出，並印在畢業同學錄的前面。但歌詞中「求仁與歸主，神聖本同功」的兩句話，引起了以中國人爲主所組成的臺灣董事會的反對；理由是「中國的聖，怎可比我們的神。」於是這首校歌，便從此消聲匿跡了。耶穌的生日要稱爲「聖誕」，新舊約也要稱爲「聖經」，爲什麼神聖不可以並稱呢？更從董事會發出抗議的聲音說，「學生受洗的所以少，是因牟宗三、徐復觀講中國文化的關係。我們的學校，不是爲中國文化辦的」。諸如此類的一連貫下來的情形，當然會引起我更深的思考。

三

進到東海大學以後，有的人在我害病時爲我祈禱，並告訴我，「只有信神才可以得救」。有的人告訴我，「西方的自由民主，是從基督教來的；你要中國能自由民主，便只有信基督教。」諸如此類的不一而足。我當時總是以感謝的心情答復說，「七萬萬人口的中華民族，對自己的文化眞正有責任感的，只有我們少數幾個人。我之所以不當基督敎徒，不是爲了旁的，只是要爲中國文化當披麻帶孝的最後的孝子」。但五六年以後，我的心境改變了。除了少數例外，我發現來到東方來的西方人，是從他們的人種優越感與國家現實政策上來把握上帝；而絕對多數的失望的東方人，則是從西方人的臉上去發現上帝。今年一位畢業學生在畢業同學錄上寫下他「最傷心的事」是「在敎堂裏沒有發現上帝」；他不從中國人對外國人的臉上去發現，却想從敎堂裏去發現，這說明我對青年敎育上的失敗。

一件中外合璧的大規模地調查報告出現了，說大陸人和臺灣人是兩個不同的民族，是兩個不同的文化；並要東海大學敎中國文化的人保證學生信仰基督敎；我沉不住氣，在校務會議上，反擊了這一中西合璧的傑作。總的說明一點，我和東海大學，本是不能並存的。但因爲二十年來吹在我身上的砭人肌骨的寒風，我僅能做到不因此而向自己民族以外的東西乞求溫暖；但移動一步，便只有餓飯，我還沒有堅强到自動地去接受這一置境。十四年的歲月，東海大學的當局和我個人，都在發揮不得已中的耐性。現時才被强迫退休，我對東海大學當局的耐性表示欽佩。但這一年多來，我從正面反漢奸、反詐欺的努力，在他們的內心，認爲這眞正打到了他們的痛脚，突破他們能忍耐的極限了。站在他們的立場，是可以原諒的。何況東海大學敎授會擧行了一次在中國大學敎育史上從來沒有的對現任校長的信任投票，到會的三十八位，有二十八位投票反對他繼續留任，十位投票無意見，沒有一人贊成他繼續留任。等到美國有關人士來調查時，有關機關的解釋是，這都是徐某一人所爲，與國民黨無關，這便更要和我拚命了。

大概是十年以前吧，有位在野的政治領導人物在國外去世了，許多朋友要我寫篇悼念的文章，我加以拒絕；因爲我知道他「裹頭歸」的並不是原來的「尺布」。有的本爲我所敬佩的前輩先生，但一夜之間，使我和他發生了很大的距離，也是發現他在一夜之間，丟掉了他大半生的「尺布」。儘管在爭多計少的現實中，東西好像有時也有爭論；但在想摧毀一個賦有獨立人格的中國人上，在對漢奸與詐欺的偏嗜上，則東西風是殊途同歸，合作得自然而巧妙。我在這種情形之下，依然能「無慚尺布裹頭歸」，這不是我的勇敢，而是由幾千年的聖賢所織成的這一尺布，卽是我生命的自身，我有什麼方法把它拋棄呢？

一九六九、九　文化旗

王季薌先生事略

一

傅君隸樸，擬印行先師季薌先生所著重修湖北通志條議，囑余略述先生生平，以告讀者。余固陋不學，何足以知先生；然板蕩以來，海外能言先生者絕少，乃受命不敢辭。竊惟先生博極羣書，其著作已刋未刋者都凡一百一十八種，窮搜遠紹，綜貫于四部之中；要以方志學一門，爲晚年用力最勤，所得亦最精最富。其鉅著方志學發微，民國二十六年春已繕成定稿；顧抗戰軍興，先生退隱鄉邑，無由付印。三十五年還都金陵，時先生已歸道山，余與同門涂君頌喬，謀將是書問世，而遺孤幼弱，其家人匿稿不肯出；因循之間，神州遠隔，其存沒遂不復可問。此條議一卷，雖僅爲湖北修志而作，然實際係先生學以致用之結晶，亦即係方志學發微之縮本；故此編之出，乃不幸中之大幸；而傅君之有功于前修，嘉惠于士林者，誠非淺鮮也。

二

先生名葆心，字季薌，別字晦堂，又號青圫老人；湖北羅田縣人。民國三十三年四月十三日卒于原籍之東安鄉，時年七十有七，以此推之，則實生于同治六年也（一八六七—一九四四）。清末，張文襄公，設兩湖書院于鄂渚，先生以博洽受知爲高才生。癸卯舉于鄉，任學部主事，兼充京師大學堂及優級師範經學文學教授。時清政不綱，憂患煎迫，先生宿懷民族思想，顧悃愊不喜言革命，爰著宋季淮西六砦紀事一卷，明季江淮七十二砦紀事七卷，于宋明季義民抗拒異族之壯烈故事，搜訪墜逸，闡發幽微，整比鈞稽，勒成正史體製；其文字中感憤鬱勃之氣，讀之稜稜如可捫觸；故此二書，不僅可補史乘之所遺，實亦先生壯年一段眞精神之所寄。民國紀元，先後任敎于北京大學及武昌高等師範（後改武漢大學）。十二年秋，湖北創辦國學舘，執敎者皆一時耆碩，特推先生爲舘長；先生分課程爲經史文理四科，日與諸生講貫討論，一復宋明書院講學之遺規。十五年，北伐軍抵武漢，國學舘亦因之廢棄；自是先生往來鄉邑省垣間，讀書著書，未嘗一日或間。生事寒素，然于民國二十三年二十四年間，以望七之年，親至北平圖書舘搜抄資料，一年間得二十四巨册以歸，其平生治學之勤，大率類此。蓋先生一生，以讀書著書爲性命，此外殆無一足使其措意。故平生不立崖岸，而翛然遠引，如淸風明月，凡與先生相接者，塵垢鄙吝之氣，自消融于光風霽月之中而每不自覺也。

三

先生晚年特喜留心地方文獻。對南北各地文化之發展，恆人經地緯，以攷見其今昔演變之所由來。客有初次訪候先生者，先生問明籍貫後，雖屬窮徼下邑，亦輒爲言其山川人物，條貫古今，如數家內事；偶擧與客家世有關者以問客，客輒瞠目逡巡，唯唯而退；退而就先生所言者攷求之，無不駭怪先生何以能博聞强記至于如此也。曾集湖北先正舊聞佚事，成江漢獻徵錄，凡數十帙，其取材多人間不經見之書。後修湖北文徵，先生與甘藥樵氏擔任宋明兩代編纂，實則先生獨任其勞。成書凡二百四十卷，並將與江漢獻徵錄中有各關材料，分列于元明作者小傳之後，自數百言至數千言或萬言不等；在張江陵一目下，敍錄當時江浙士大夫所以誣陷之前因後果，及當時爲江陵辨誣之各種材料，且數萬言。然後湖北元明兩代之人物風敎，始粲然完備。甘氏居北平，雄于資，誑先生謂決獨力將稿付印，先生深信不疑，挈全稿畀之。乃甘氏得稿後匿不復出；時抗戰正劇，南北阻絕，報紙誤傳先生已死，甘氏遂揚言此稿乃其私著。先生聞之始知受欺，向甘氏屢索不應；旅平津之湖北人士，羣代先生向甘氏鳴不平，亦不應，遂使先生銜恨以沒。

四

三十五年春，余養病北平，甘氏亦已病故，其後人堅不承認家中藏有是稿。旅平諸鄉先余乃生僉謂此稿一旦失墜，不但有負先生數十年之辛勤，且恐今後更無人能續成此盛業者。余乃商之當時北平市長鄉前輩熊哲民先生，設法自甘氏家中清出，則二百四十卷之原稿，稿中先生之手澤及甘氏塗改勾勒之迹，固赫然具在也。遂攜之反鄂，原欲歸之通志舘，而舘長李某，乃甘氏之婿，正徬徨中，適居公覺生、何公雪竹，謂亟須印行以免再度湮沒，謀之徐公克成，徐公慨然以此自任，以其經營之事業中，有一規模宏鉅之印書舘也。及武漢淪陷，徐公謂于退出時將稿藏武昌私第夾壁中，則其能否僥倖于魯壁汲塚之餘，蓋益不可知矣。余從先生問業于國學舘，先生輒周其衣食，所以期望之者至殷且厚。乃數十年來，奔走生計，習業百無一成；且坐視先生之志業，零替殆盡；現手中所存者，僅先生所著古文詞通義，及二十六年武昌春遊時照片一幀耳。撫摸此編，益增余之愧疚也矣。民國四十五年五月受業徐復觀謹誌于私立東海大學。

一九五六、五　華僑日報

悼念熊十力先生

一

在兩個月前，我收到漢米敦（C. H. Hamilton）老博士爲大英百科全書一九六八年版寫的熊先生的小傳時，引起我許多複雜地感想。熊先生在學術界，一直受到胡適派的壓力，始終處於冷落寂寞的地位。誰能想到大英百科全書的編輯部，請年屆八十五歲高齡的漢米敦博士，爲熊先生寫此小傳，承認熊先生的哲學是「佛學、儒家、與西方三方面要義之獨創性的綜合」，是中國最傑出的哲學家。由此可以了解西方人的學術良心，實遠非中國西化派所能模擬於萬一。

在前幾天，我接到唐君毅、牟宗三兩先生來信，知道熊先生已於今年五月二十三日中午十二時，很悽涼地死在上海；我當下的反應，這是中國文化長城的崩壞。

近百年來，反對中國文化的固然蚊聲成雷；但口頭贊成中國文化的也未嘗完全絕響。姑不論各人的造詣如何；在基本態度上，有誰人能像熊先生投出其生命的全部以爲中國文化盡其繼絕存亡之責。許多人是把中國文化當作個人利祿名譽的工具。當中國文化與其個人的利祿名譽不相容時，便立刻歪曲中國文化，踐踏中國文化。熊先生則是犧牲個人現實上的一切，以闡發中國文化的光輝，擔當中國文化所應當盡的責任。他每一起心動念，都是爲了中國文化。生命與中國文化，在他是凝爲一體，在無數驚濤駭浪中，屹立不動。所以，熊先生的生命，卽是中國文化活生生地長城。他生命的終結，不能不使我感到這是中國文化長城的崩壞。

二

熊先生的體系哲學，應以他的「新唯識論」作代表。陶鑄百家，鉗錘中外，以形成他創造性的哲學系統。此一哲學系統，我們可以贊成，也可以不贊成。但此一系統的成立，乃由他深刻地體會與嚴密地思辨，交相運用，將宇宙人生的根本問題，分析到極其精微而無深不入；綜合到極其廣大而無遠不包，結構謹嚴，條理密察，使其表達之形式，能與其內容，融合無間。擬之於康德，則康德析而爲三者，先生乃能貫之以一。擬之於黑格爾，則黑格爾拘於普魯士之私者，先生乃擴而爲人類之公。儒家致廣大而盡精微之義蘊，固由先生而發煌；而其思辨組織之功，融會貫通之力，乃三千年中之特出。由內容到形式，皆不愧爲一偉大之體系哲學著作；在我國三千年中，除了「新唯識論」外，誰還能舉得出第二部？

然僅就中國文化的意義上講，我認爲熊先生的「十力語要」及「讀經示要」，較之新唯識論的意義更為重大。我們對古典的理解，必須由文字的訓詁，以進入到精神的體認，和思辨的分析、綜合，才算完成了理解的過程。但乾嘉以來，既否定了宋明儒所用的體認的功夫，又自己堵塞了思辨的通路；而僅停頓在枝節零碎的文字訓詁之上；更出之以矜心戾氣，妄相標榜。實則他們讀了許多書，並不曾讀懂一句古人所說的緊要的話；由此著為文字，累牘連篇，只把中國文化的精神、面目，塗上層層地烏烟瘴氣。熊先生則對古人緊要地語言，層層透入，由文字以直透入到古人之心；而其文字表現的天才，又能將其所到達者，完全表現出來。先生每遣一辭，立一義，銖秤寸度，精確分明，語意上不能稍作左右前後之移轉。而古人之心，乃躍然於紙上。必如此而言中國文化，始眞有中國文化之可言。以熊先生體認思辨的水準來看一般人的著作，則章太炎、馮友蘭諸人，只是說糊塗話而已，其他更何待論。所以學者必須在熊先生這兩部書中把握中國文化的核心，也由此以得到研究中國文化的鑰匙。

三

熊先生對人的態度，不僅他自己無一毫人情世故；並且以他自己人格的全力量，直接薄迫於對方，使對方的人情世故，亦皆被剝落得乾乾淨淨，不能不以自己的人格與熊先生的人格，直接照面，因而得到激昂感奮，開啓出生命的新機。所以許多負大名的名士學者，並沒有眞正的學生，而熊先生到有眞正的學生，其原因在此。他由人格所發出的迫力，在「十力語要」的各短篇書札中，在「讀經示要」的各篇文章中，都可使讀者感受得到。

但他又是最不能被一般人所能了解的人。從大的方面說，凡是眞正的儒家，都不能爲一般人所了解，而常成爲四面不靠岸的一隻孤獨的船。孔子說：「君子羣而不黨」；又說「君子周而不比」；又說「君子之於天下也，無適也（不專聽從任何人），無莫也（不專拒絕任何人），義之與比（惟合於義者則從之）。」上面的幾句話，簡單說明了儒者向一切人類，敞開自己的心量，而自然篤厚於自己族類之愛。但人世間則只有「黨」而無「羣」；只知道「比」而不知道「周」；於是要求只「適」於其黨，而「莫」於非其黨。及發現一個眞正儒者的心靈，只能屬於人類，只能屬於自己的族類，而不屬於任何的黨時；並且發現泰山巖巖的義的氣象，使人世間各種威脅利誘之技，毫無所施時，自然也會從各方面來加以拒斥、打擊。則熊先生之不能被世人所了解，正是儒家的本分；也正是儒家所以能「參萬世而一成純」的本領。民族不亡，人類不滅，人之所以爲人之基本條件亦不變，則熊先生由生命所體現出的中國文化長城，或能薪盡火傳，與天壤以共其不朽吧！

一九六八、七　華僑日報

有關熊十力先生的片鱗隻爪

此次在港，看到有朋友紀錄熊先生的逸事，引起我不少的感想。我對先生追隨日淺，只有片斷的印象，所以自他去年五月二十三日先生去世後，一直遲疑不敢動筆寫點什麼。但轉念再過些時，會連已經開始模糊的片斷印象也會忘掉，這便太辜負先生對我的期望。我沒有記日記的習慣，而記憶力又差；此處所記的有關年月，可能小有出入。但不敢為半點無根之談。其因誤記而有錯誤及遺漏的地方，希望先生其他門人加以補正。

五十八年十二月二日　於香港新亞書院

一

我開始知道熊先生，是從友人賀君有年的口中得來的。賀君貧苦力學，文字及人品，均堪敬佩。他家與熊先生的故居黃崗但店附近的黃土坳，相距很近。我雖然是浠水縣人，但家都是在兩縣交界之地，和先生的故里相距僅約十公里。可是從來不知道先生的姓字。民國十六年，陶子欽先生任第七軍某師的師長，林君逸聖任師部參謀長，賀君因林之推薦，在師部任秘書，我在師政治部任宣傳科長（師政治部主任爲盧蔚乾先生，人極精幹，長於草書），與賀君來往頗密。有一次，遊南京鷄鳴寺，我作了一首七律詩給他看，他和了一首；但當面告訴我：「以我所知道的你的文名，詩不應當只做到這個樣子，很有點使我失望」。他這種對朋友的坦率態度，使我至今感念不忘。這年秋天，胡今予先生與白崇禧先生鬧着意見，負氣住在上海。胡所率領的剛成立不久的第十九軍和第七軍的一個師，暫由陶先生指揮，在南京附近的龍潭，與渡江的孫傳芳部，打了一個狠仗，孫部被殲，陶先生指揮的部隊，也犧牲慘重。當開追悼會時，賀君作了一副輓聯，順便記在這裏，以表示對這位朋友的懷念。

龍潭一役，關黨國興亡。劇憐碧血橫飛，電掣雷轟攻背水。
馬革裹尸，是男兒志事。長祝青燐無恙，風淒月黑繞中山。

這年夏天，軍隊駐在蕪湖的時候，有一次晚飯後（當時軍隊一天吃兩餐，大概早上九時吃早飯，下午四時半吃晚飯），我們坐蕪湖有名，但並無風景可言的赭山（山名恐有誤）的山腰聊天，賀君在談天中，大大推服「熊子眞先生」，說他如何精於佛學，精於先秦諸子之學。文章寫得如何好。又說他和石蘅菁張難先都是好朋友；陳銘樞以師禮事之；蔡元培先生亦甚爲推服，但他決不做官種種。更談到他狂放不羈，侮蠛權貴；年輕時窮得要死，在〇〇山寨

（此山寨壁立千仞，風景極佳，我常從下面經過。賀君並念他自己遊此山寨的詩，有「古寺荒涼絕人跡，我來天地正秋風」之句）教蒙館，沒有褲子換，一條褲子，夜晚洗了就掛在菩薩頭上。我當時只是聽著笑著，覺得很有意思，但沒有引起進一步的感想。老實說，當時我非常自滿，又不知學問為何物，自然引不起對學問的關心。

二

從民國三十二年起，我住在重慶南岸黃角埡，與陶子欽先生時相過從。大概是三十三年春，在陶先生處看到熊先生所著新唯識論語體文本的上册，我借來隨意翻閱，發現此書構思之精，用詞之嚴，及辯證之詳審，與夫文章氣體之雄健，重新引起賀君對我所說的回憶，便進一步打聽他老人家的情形，知道此時正住在北碚金剛碑勉仁書院；我便寫了一封表示仰慕的信寄去。不幾天，居然接到回信，粗紙濃墨，旁邊加上紅黑兩色的圈點，說完收到我的信後，接著是「子有志於學乎，學者所以學為人也」兩句，開陳了一番治學做人的道理。再說到後生對於前輩，應當有的禮貌，責我文字潦草，誠敬之意不足，要我特別注意。這封信所給我的啓發與感動，超過了新唯識論。因為句句堅實凝重，在率直的語氣中，含有磁性的吸引力。當然我立刻去信道歉，並說明我一向不能寫楷字的情形。這樣通過幾次信後，有一天先生來信說我可以到金剛碑去看他。我去後，他告訴我，「勉仁書院是梁漱溟先生主持的，有書院之名，並無書院之實。因梁先生經常在外，我只是在這裏借住。」我看，環境很幽美，架上有梁先生的若干線裝書。師母住在相隔約三百公尺遠的地方。先生說，「要做學問，生活上應和妻子隔開」。後來有一次手指著我說，「你和太太小孩子這樣親密，怎能認眞讀點書。」不過，先生有時以低沉有力的語氣遠遠指著師母背後向我說「這個老婦人呀！」，說這一句後，再沒有下文，可能先生是有點懼內的。有一次，我做夢在故鄉過舊曆年，先生在我家裏忙著寫春聯，醒後便用元遺山呈蘇內翰詩的韻，做了一首詩寄給他老人家；他老人家得詩大喜，復書有謂「但願能太平鄉居，來汝家寫春聯也。」

三

大概在民國三十四年春天，我去金剛碑看先生，臨走時，送我送得很遠，一面走，一面談，並時時淌下眼淚。下面所記，是殘缺不全的當時先生告訴我的一些話。

「我家非常貧苦。先父篤學勵行，不善謀生（按好像沒有得到秀才）。並在我八九歲時就死去了。未死以前，早晚教我讀一點書。死後，旣無力從師，又沒有什麼生活事情給我做，便常背著稱（秤），隨著哥哥在鄉下賣黃瓜魚（按這是長三、四寸的一種廉價的鹹魚）。就這樣浪蕩了幾年。我有一位長親（按先生當時說了姓名，已忘記。）看到我這種情形，常常痛惜地說：『××（按指先生的父親）一生忠厚，有個好兒子，却就這樣地糟蹋了』。離我家不遠的地方有位何先生（按先生當時說了何先生的名字，我忘記了。我小時，常常聽到先父提起何家寨有位何炳黎先生號昆閣，以擧人留學日本，學問很好，不知是否卽係這位先生），當時聲名很大，學問很好，鄉下有錢的人，常出重金聘請教授自己的子弟。我的那位長親，和何先生談到我，這位何先生說可以到他教書的地方搭學（按主要是教出高聘金者的子弟。其他子弟則稱為「搭學」，乃附讀之意），不要學錢。我去搭學後，何先生對我的啓發性很大，進步很快。同學二、三十人，我的年齡最小；但開始作文，何先生對我作的，總是密圈密點，許為全校第一，這便引起年長的同學的反感，尤其是那位富家子的反感，常常譏笑我說：『這個模樣就是第一呀！』，有一次我忍耐不住，當他又到我面前譏笑時，我在桌上一巴掌，『老子是第一，你便把老子怎樣？』大鬧一頓。鬧完之後，正是六月左右，家裏也沒有米送來吃飯，我便休學回家。我一生真正只讀這半年書。當離校時，何先生流著眼淚送我，安慰我，勉勵我，要我自己不斷努力。現在回想起來，這位何先生實在是有學問的，他是我的恩師。我要為他寫篇傳，因為他生平有些情形我不清楚，所以一直沒有寫。」

先生說上面一段話時，黃豆大的眼淚，不斷地從眼角掉了下來。先生繼續說：

「回家後，貧無所事。自己也瀏覽點篇籍，但不能以此為常課。不過文章出於天賦，鄉人也漸漸知道我的文章寫得不錯。貧極無法自存，乃約了五、六個孩子，在一個山寨的破廟上教蒙館（按即賀君所述者）。後聞武昌募新軍，遂投身入伍，入伍後與王漢等數人謀革命（按王漢以謀刺鐵良未成身死，先生有「王漢傳」，文甚悲壯），幾死者數，逃歸故里。辛亥革命，以首義論功，派為都督府參謀。（一說，先生是在本縣黃岡策動反正，在黃岡縣之臨時機構中任參謀。與我所記憶者有出入。）及裁軍之議起，我願意受資遣散。黃岡人稠地貴，拿的遣散費不足建立生事基礎。聞江西德安地廣人稀，魚米之鄉，乃往購置田宅，囑弟兄前來耕種，僅能糊口。此時我已三十多歲，開始認真讀先秦諸子之書。中間曾往廣州，想繼續參加革命事業。大家住在旅館裏，終日言不及義，亦無所用心。我當時想，由這樣一羣無心肝的人革命，到底革到什麼地方去呢？又憤然回到德安，攻苦食淡。住在武漢的某君（按先生當時說有姓名，已忘記，可能是江蘇人）看到我與友人的通信，認為我有學問，能文章，遂介紹到江蘇某中學（按當時亦說有地名校名，已忘記）教書。八月中旬起程，途經南京，稍停數日，聞有宜黃歐陽竟無大師，立支那內學院講唯識論，朝野推重。乃辭去中學教職，留南京請為弟子。當時在大師門下者多一時名士；以梁任公的大名，亦俯首居弟子之列。我以一寒傖材野之人，側居其間，當然不會受到大師的重視。我窮得只有一條褲子（按係中裝的長褲子），於就寢前洗滌，俟次晨乾時穿上。若次晨未乾，便只好穿一件空心長衫。後為同門所知，常以此取笑，為我取了一個諢名（按先生當時說是什麼道人，已忘記），但我日夜窮探苦索，不久開始草新唯識論，大師並不知道。有一年，北大校長蔡元培先生來南京晤歐陽大師，欲歐陽大師推薦一門人往北大教唯識論；大師請蔡先生自己選擇，蔡先生乃與院內同門分別接談；和我接談時，我出新唯識論稿，蔡先生大為驚嘆，遂面約赴北大為特約講師。我素不上教室，選課者來我住處講授。旋新唯識論初稿印出，內學院大譁，同門承歐陽大師之意，刊『破新唯識論』，我亦草『破破新唯識論』以應之。大師命門人不必繼續爭辯。新論得浙江馬浮先生一序，推許備至，遂引起學術界的注意。」

「因我治學太遲，自到內學院，轉北京大學，用力太猛，先得咯血症，旋又得漏髓病，氣體大耗，嚴冬不能衣裘烤火，乃在杭州養病。因曾參加革命，所以在政府中也有幾個好朋友，如石蘅青、張難先、陳銘樞等。在養病中偶然也談到政治問題。但我認為欲救中國，必須先救學術，必須有人出來挺身講學，以造成風氣。此意，蔡孑民先生甚贊成，然亦始終無從下手。我讀書不博，許多構思甚久的東西，未能動筆寫出，這是使我心裏常常不安的。」

我因問到歐陽大師的情形：先生說：

「大師是豪傑之士。唯識自玄奘後，遽成絕學，沉埋千載；得大師起而振發之，遂使慧日重光，這當然是了不起的一件事。大師甚精選學（按指昭明文選），文辭沉雄桀崛，亦為當今第一人。但他是佛學中的漢學家，考據家。在義理方面有所不足。他的院訓及各經敘錄，當然是天壤間的大文章。」

先生又反復的說：

「天下汩沒於勢利，知識分子喪心病狂，真有使我發生將萬世為奴的感慨。一二人之力，單薄孤危，要挽救也無濟於事。黨人以勢利相結合，尤不可言。所以我常想，應當以講學結合有志之士多人，代替政黨的作用，為國家培植根本，為社會轉移風氣。你不要小看了講學的力量。朱九江先生（按先生平日談天中，盛推九江先生，謂其書札字字皆香，蓋因其人格高也），一傳為康南海之萬木草堂，卒以此振撼一個時代。楊仁山先生一傳而為歐陽大師，其所講者內學；然及門之盛，亦不可謂對時代無影響。天下事，是急功近利不得的。」

四

先生講完了上面的話，並叮囑謂「我少年的情形，在我未死以前，不必發表」。這意思，是要我在他死後發表的。當時在落日蒼黃中分手，先生所說的種種，一直在腦筋中翻騰上下，引起很複雜地感想。迄今二十多年，不僅我個人百無一成，連先生當時叮嚀鄭重的語言，也記憶得模糊不清了。

三十四年多，先生到重慶候船東下，住在我家裏。小女均琴，剛剛三歲。先生問她「喜不喜歡我住在你家？」「不喜歡」。「為什麼」？「你把我家的好東西都吃掉了」。先生大笑，用鬍鬚刺她的鼻孔說，「這個小女兒一定有出息」。

新亞書院哲學系的書櫃上，安置有放大了的先生半身照片，神采奕奕；當我坐在辦公桌上，即照臨在我的面前，一如耳提面命。辦公桌玻璃版下，壓放著影印的先生給唐君毅兄的短札墨跡，藉此機會，抄錄在下面：

「又告君毅，評唯物文，固不可不多作。而方正學、王洙、鄭所南、船山、亭林、晚村諸先賢倡民族思想之意，却切要。此一精神樹不起，則一切無可談也。名士習氣不破除，民族思想也培不起。名士無真心肝，不求正知正見，無真實力量，有何同類之愛，希獨立之望乎。此等話說來，必人人皆曰，早知之。其實確不知。陶詩有曰，擺落悠悠談，此語至深哉。今人搖筆弄舌，知見多極，實皆悠悠談耳。今各上庠名流，有族類淪亡之感否。」

今日上庠名流，乃爭以族類淪亡爲取利的手段；在現實上雖無賣國之權，乃以薄利出賣民族精神所寄托的歷史，一切按出錢豢養之主人的意志而加以歪曲，以迎合其深藏的禍心。此其毒，或較政治上之漢奸爲尤酷尤慘。記述先生的志事，如深聞先生徨傍繞室時長嘆深喟之聲。則我爲反對獎勵文化漢奸而遭洋奴土奴之侮辱，在這一點上，或尚可面對先生之遺照而稍無愧色。

一九六九年　中華雜誌第七十八號

哭高阮

高阮：今天接到文華來信，說你於十月七日早上，因高血壓跌倒，竟於九日早一時四十分左右，死在臺大醫院了。在我的想像中，在我的眼睛裏，你才是一個踽踽獨行，始終保有「作爲人的完整形像」的極少數人之一。在我的想像中，在我的眼睛裏，你才是在各種誤解中，配稱爲一個人而毫無愧色。當你發現了最大的文化賣國集團，最高的文化詐欺集團，挺身而起，鼓筆直前的時候，該集團中不學有術的領導者，首先宣稱你有精神病，想把你送進精神病院。繼而挖空心思，要打掉你的飯碗，讓你一家活活餓死。但你現在眞正地倒下去，爬不起來了。難道說歷史上竟有一種只許衣冠禽獸跳舞，而不許名符其實的人活命的時代嗎？你倒下去，文化賣國、詐欺的集團，正綯著眼角微笑；但我相信，稍有人性而能了解你一點點的人，都在爲這一夢夢的蒼天而悲泣。

我幾次受良心的激勵要離開東海大學的時候，看到我的妻爲孩子們而向我流眼淚，便輭化了下來，結果，受到洋奴與土奴合作的侮辱。但你不肯沾染一點汚穢，拒絕了研究員的升等，拒絕了各種分贓式的津貼。你的收入，不到你的儕輩三分之一；你的工作，却超過一般人的多少倍。當你的太太爲了生活的壓力，兒女的教養，而向你爭論時，你可以澈夜無眠，但依然我行我素。當你的頂頭上司玩弄各種陰謀詭計，在口頭上，在會議中，在通告裏，要打掉你的飯碗時，你知道得一淸二楚，但從來無動於衷，你絞盡你的腦汁，搾取你孱弱不堪的身體，爲朋友幫忙，却從來沒有想到應吃朋友一餐飯。你冒著最大的壓力，受到生活最大的困苦，以爲國家爭國格，爲文化植生機，却從來沒有想到應從國家的代表者們中受到半絲溫暖。東漢的士人，爲了實現他所認定的一點當爲之義，常受盡苦刑，拼掉生命，而毫不後悔。你就是屬於這一型；你就是由東漢所遺留下來的節義之士的一粒種子。

我到香港來的前三、四天，狠狠地跌了一交，由我的小兒子抱到床上去休息，膝蓋至今作痛，但沒有跌死。你比我年輕十多歲，身體比我瘦小，爲什麼一跌便死呢？因爲你早有高血壓，而自己沒有時間金錢去知道自己是高血壓；你的死，是死於高血壓；你的高血壓，是有一柄銀幌幌的文化刀，在你腦袋上經年累歲的幌來幌去所壓出來的。眞正說，你是死在文化漢奸文化詐欺者的刀下。

我和你相識於儔人之中。在十多年前，你一再寫信，要到東海大學來看我。因爲我知道你很尊敬胡適之先生，所以不知不覺地以冷淡的態度覆你的信。你終於來了，是因爲我主張個人自由，和國家獨立，應當是不可分的，因此，和「自由中國」發生了爭論。你告訴我：「佛泉先生雖然是我的老師，但在這一點上，我却完全同意徐先生的觀點。」在你娓娓不倦的言談中，已深深感到當前知識分子立脚不穩的危機，希望眞愛國的知識分子能有所作爲，多盡分責任。這十多年來，我們的友誼，都是用你提出的這一根線所織成的。你爲了洗刷胡適之先生不是全盤西化論者，費了許多時間，寫了許多文章。我向你說：「你應當做自己的學問，不必耗日力於此」。你聽了，總是笑而不答。「我想寫一篇文章，把康有爲、胡適之、和你，加以論列，說明在時代中你們相同之點；但還沒有醞釀成熟」。你幾次向我講這幾句話，我從來未答覆你一個字，也不知道你話的內容是什麼。現在我老實告訴你吧！我是一個不曾盡到半分時代責任的人，値不得你的關注。

你和文華在九月二十五日（中秋前一天）下午六時左右來到我臺北的住處，當時我心裏非常高興。我要你吃點牛肉湯，你說「最近一直吃得很少」。殷海光先生剛好在九月十六日死去；你們這幾年雖然弄得很不愉快，但談天中自然談到他的身上。我說「你和海光都是烈士型的人物；我在這一點上，對海光之死，感到非常難過」。你聽了我的話，默不作聲；誰想到我的話竟成了讖語。你走的時候，我一直送你到南松山車站去搭車，邊走邊談，感到特別輕鬆愉快。我反覆說，「以後最好每星期有一次聊天的機會」。大概是天可見憐，這是我和你最後分手的機會，所以你所要搭的車來得很遲，讓我們在一塊兒多呆了十多分鐘。你問我，「文華想到印度去，你知道嗎」？我說「他瞞著我」。我便把文華的長處，短處告訴了你，並且我希望文華安心在史語所做學問，不應赴印度。你說「我明瞭你的意思了，並且也很贊成你的意思。我會在談天中勸告他」。在灰暗的路燈下，我望着你坐上車向南港馳去。

高阮；海光在絕望的病證中，內心希望有一個鬼神的世界。我從來不想這一問題，更沒有和你談過這一問題。但現時我彷彿看到你在另一世界中，獨立蒼茫，舉頭悵望。我希望我此時的眼淚，能灑到你的面前，你順着我眼淚灑來的方向，不斷地來到我的夢中見面。

五十八年十月十一日下午兩時於九龍

國家圖書館出版品預行編目資料

徐復觀文錄選粹

徐復觀著. – 初版. – 臺北市：臺灣學生，1980.09

面；公分

ISBN 978-957-15-1596-0 (平裝)

1. 言論集

078　　102022348

徐復觀文錄選粹

著作者：徐復觀
編者：蕭欣義
出版者：臺灣學生書局有限公司
發行人：楊雲龍
發行所：臺灣學生書局有限公司
臺北市和平東路一段七五巷十一號
郵政劃撥戶：〇〇〇二四六六八號
電話：（〇二）二三九二八一八五
傳真：（〇二）二三九二八一〇五
E-mail: student.book@msa.hinet.net
http://www.studentbook.com.tw
本書局登記證字號：行政院新聞局局版北市業字第玖捌壹號
印刷所：長欣印刷企業社
新北市中和區中正路九八八巷十七號
電話：（〇二）二二二六八八五三

定價：新臺幣四五〇元

一九八〇年九月初版
二〇一三年十一月初版二刷

07813　

ISBN 978-957-15-1596-0 (平裝)